HET WEEKEND ABC

Van Elizabeth Noble verschenen eerder:

*De leesclub*
*De tenkoclub*

De A is van abseilen,
de B is van ballet, de C is van ...

Gaan ze de Z halen?

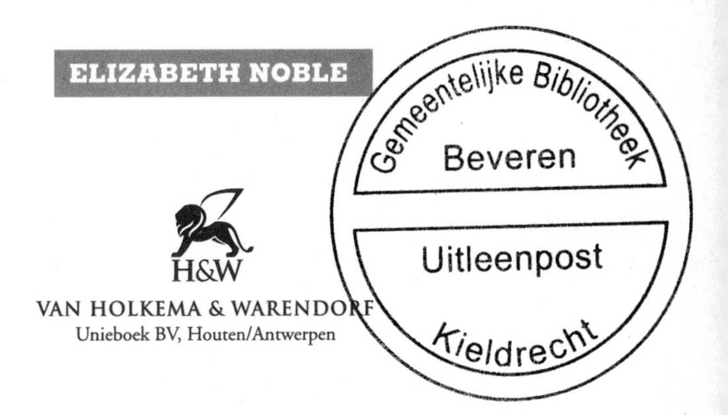

ELIZABETH NOBLE



H&W
VAN HOLKEMA & WARENDORF
Unieboek BV, Houten/Antwerpen

Oorspronkelijke titel: *The Alphabet Weekends*
Oorspronkelijke uitgave: Hodder & Stoughton, a division of Hodder Headline

Uitgeverij Unieboek BV,
Postbus 97, 3990 DB Houten

www.unieboek.nl
www.elizabethnoble.com

Vertaling: Ans van der Graaff
Omslagontwerp: Marlies Visser
Omslagillustratie: Corbis
Opmaak: ZetSpiegel, Best

ISBN 978 90 269 8577 5 / NUR 340

Van de A van Abseilen tot de V van Vegas
voor wie anders dan mijn vriendinnen
Nicola, Suzanne, Nicky, Fiona, Maura, Jenny en Kathryn

# Proloog:

# Oudjaar

*Natalie en Tom*

Oudjaar was gewoon een van die dingen. Zoals je er maar één zomer goed uitzag in bikini (na de borsten, voor het buikje), en je maar één eerste kus kreeg (per vriendje, uiteraard), zo had ook iedereen, of in elk geval iedereen die Natalie kende, ook maar één echt werkelijk fantastisch oudjaar meegemaakt. Dat, grappig genoeg, vaak ruwweg samenviel met het jaar dat je er goed uitzag in bikini en het jaar van je eerste zoen. De jaren daarna konden de vergelijking niet doorstaan. Het was het principe van de-zomers-waren-warmer-toen-we-jong-waren. Was alles toen niet net iets mooier, beter en gezelliger? Was ik niet net wat slanker, knapper en leuker? Was oudjaar geen veel fantastischer ervaring? En Valentijnsdag... ook zoiets; dat was alleen echt bijzonder toen je vijftien was en op een kaart wachtte van de jongen achter in de schoolbus die een heel smal stropdasje droeg en de hele tijd naar 'Stairway to Heaven' van Led Zeppelin luisterde. Maar één jaar, maar ééns in je leven.

Kwart over elf op oudjaarsavond was eigenlijk een prima tijd om onderweg te zijn. Bijna iedereen was al waar hij zijn moest. Waar ze zouden doen alsof ze de tijd van hun leven hadden, terwijl ze feitelijk dachten aan de houseparty in 1988 in Cambridge, of die keer in 1967 toen ze zo stoned waren dat ze de klok zelfs niet middernacht hadden horen slaan, of de nieuwjaarsdag in 1992 toen hun vriend hen op Times Square ten huwelijk vroeg. Of om het even welk jaar, toen dezelfde tien mensen met wie ze rond de eettafel zaten niet zo saai of prikkelbaar hadden geleken of niet zo'n haast hadden om thuis te komen omdat de oppas na twaalf uur dubbel tarief rekende.

Er reed niemand anders op dit stuk weg. Uit de boxen blèrde 'Dancing in the Moonlight' en Natalie verwisselde in een soort Corsa-salsa een paar keer van rijstrook. Ze werd al wat vrolijker. Goed idee. Goed idee van Tom.

Ze zou thuis hebben gaan zitten mokken. Rose, waarschijnlijk de enige vriendin die haar had kunnen opvrolijken, had verontschuldigend te kennen gegeven dat haar vriend Pete voordelig had kunnen boeken bij Eurostar – twee nachten, drie sterren in Lille (niet in Parijs, dat was tweehonderd pond duurder en hij had immers zijn doctoraat nog niet gehaald). En zou het wel gaan met Natalie? *Et tu, Brute*, had Natalie gedacht (en in stilte gebeden dat Rose niet terug zou komen met een ring aan haar vinger, waar ze meteen spijt van had gehad). Vervolgens had ze haar vriendin omhelsd, haar met een ironisch schouderophalen haar lingerielade aangeboden – negligés, natuurlijk, geen strings – en gezegd dat ze zich best zou vermaken, dat ze naar een feestje moest. Daarna had ze beide uitnodigingen die ze had gekregen afgewezen. Ze had tegen beide gastvrouwen gezegd dat ze al een andere uitnodiging had aangenomen en was er daarmee in geslaagd van de radar te verdwijnen (wat tegelijk een opluchting en een schok geweest was, omdat het zo gemakkelijk was gegaan).

Haar zusters waren tijdverspilling. Susannah zat maar liefst in Marrakesh, op een of ander oudjaarsfeest ter ere van de film die Casper net had gemaakt. En Bridget was zo'n beetje tien maanden zwanger, en momenteel dus een zeer onwaarschijnlijke bron van plezier. Zij en Carl lagen waarschijnlijk al in bed, met hun schattige dochtertje Christina van anderhalf tussen hen in, bestudeerden het boek met babynamen en toastten op het nieuwe jaar met bruisend appelsap.

Pap en mam? Dan was ze nog liever alleen. Een vrouw van vijfendertig die bij haar ouders thuis oud en nieuw vierde was altijd al erg, maar na het afgelopen jaar, zoals het er thuis aan toe ging... Nee, dat zou ze niet gekund hebben. Niet met alles wat er momenteel speelde.

Ze had een nieuwe flatgenote moeten zoeken toen Susannah uiteindelijk was vertrokken. Ze hadden zich prima vermaakt met hun tweetjes nadat Bridget drie jaar geleden was vertrokken omdat ze ging trouwen, en ze hadden de hypotheek best kunnen opbrengen. Bridget had het leuk gevonden dat haar kamer leeg bleef: zo kon ze af en toe nog eens een nachtje komen logeren. Susannah was echter heel plotseling weggegaan, en Natalie was vervolgens ondergedompeld in apathie. Nee, niet echt apathie. Verwachting. Ze had er zelf niet veel langer horen te zitten. Het had hetzelfde moeten gaan als bij haar zussen.

Niets was zoals het had moeten zijn.

Ze zou op dit moment bijvoorbeeld niet over de M4 moeten razen, met de radio aan op weg naar de bar waar ze als tiener oud en nieuw had gevierd. Ze had op de Malediven moeten zitten om hele dagen te duiken, en daarna goudbruin verkleurd en gekleed in iets van wit linnen dure, geïmporteerde champagne moeten drinken. Ze had in Simons armen moeten liggen.

Wat een klootzak.

Een ongelooflijke klootzak.

Ze was druk bezig hem een derdegraads zonnebrand en kwallenbeten op zijn ballen toe te wensen toen de tranen begonnen te stromen. Verdomme. Ze sloeg met haar vuist op het stuur. Die voldoening gun ik hem niet. Ik heb hem zes jaar van mijn leven gegeven – meer krijgt hij niet van me.

Haar oudjaar – haar speciale oudjaar – was hun eerste oudjaar samen geweest. Skiën in Zwitserland. In het chalet van iemands ouders. Een feest met veel schnaps in de sneeuw op een mooi dorpspleintje. Duizend mensen, dansend op honderd verschillende deuntjes die uit open ramen klonken, en een miljoen sneeuwvlokken. Dat heerlijke gevoel te midden van zo'n grote, dronken, liefdevolle menigte. Simons warme mond toen hij haar kuste in de kou. De liefde bedrijven in het washok omdat het te koud was om het in de sneeuw te doen (ze hadden het geprobeerd); heel stil, zodat niemand er wakker van zou worden.

Dat was haar speciale oudjaar geweest.

Ze was Tom vergeten. Nou ja, niet echt vergeten. Tom was er altijd. Was er altijd al geweest. Ze was alleen vergeten dat hij haar niet zou vergeten.

Natalie en Tom hadden elkaar ontmoet in augustus 1977, de zomer waarin Elvis Aaron Presley was gestorven, en Natalie met haar zusjes en haar ouders twee deuren bij hem vandaan waren komen wonen. Bridget was ook toen al degene geweest met het nestinstinct; ze pakte met hun moeder de dozen uit, rangschikte haar enorme collectie porseleinen figuurtjes op de witte melamine ladenkast tussen haar smalle eenpersoonsbed en dat van Natalie in de slaapkamer die ze moesten delen. Susannah had dagen achtereen televisie gekeken – alle Elvisfilms werden herhaald: *Viva Las Vegas*, *King Creole*, *Love Me Tender*. Het nieuwe, driedelige bankstel was nog niet gebracht, dus oefende ze de danspassen in de woonkamer terwijl ze de teksten meezong. Als ze de kans had gekregen zou ze Natalie hebben aangesteld als achtergrondzangeres, maar Natalie zat te mokken. Ze had niet willen verhuizen. Ze had hun oude huis prima gevonden. Susannah zei altijd dat ze zich verzette tegen veranderingen, en dat je verandering juist moest verwelkomen. Susannah zei vaak dergelijke dingen en gebaarde daarbij dan met haar lange, gracieuze armen vol rinkelende zilveren armbanden.

Pap zou filiaalleider worden; daarom waren ze verhuisd. Dat betekende een promotie en was dus iets goeds, maar niemand had haar iets gevraagd.

Ze zat op het lage stenen muurtje voor het huis met een takje in de aarde te prikken toen ze hem voor het eerst zag. Haar moeder kwam net naar buiten lopen met een stel lege dozen toen zijn moeder voorbij kwam – ze zei dat ze naar de stad waren geweest om nieuwe schoenen voor hem te kopen voordat de school weer begon, dat zijn voeten zo hard groeiden en dat hij praktisch elke paar maanden nieuwe schoenen nodig had, en dat dat al duur genoeg was, om nog maar niet te spreken van voetbalschoenen en gymschoenen en laarzen. Tom – die Natalie van ongeveer haar leeftijd schatte, maar wel langer was – stond er vernederd bij en Natalies moeder leek verbaasd. Ze knikte en glimlachte veel, met een licht zijdelingse blik op haar toen ze Toms moeder vertelde dat ze gelukkig drie schattige dochters had en dat hun voeten waarschijnlijk niet zo hard groeiden. Natalie had belachelijk grote voeten, die slechts sporadisch ongelooflijk hard leken te groeien, meestal als haar moeder net nieuwe schoenen voor haar had gekocht. Ze maakten er thuis wel eens grapjes over. Hij had starende ogen. Grote, starende ogen. En te veel krulhaar. Niet in zijn nek, zoals voetballers, maar boven op zijn hoofd.

Natalies moeder zei tegen Toms moeder dat Natalie een wildebras was en Toms moeder zei dat Tom dat wel leuk zou vinden, omdat er niet veel kinderen van zijn leeftijd in de straat woonden en dat ze misschien vrienden konden worden.

Dat had echter nog weken geduurd. De school was al een poosje begonnen. Weken waarin ze verlegen dezelfde dingen deden (fietsen, rolschaatsen, ballen opgooien) in verschillende tuinen, twee huizen bij elkaar vandaan. Mevrouw Samways, de oude dame die tussen hen in woonde, bracht hen uiteindelijk bij elkaar. Ze had een koperen ketel in haar woonkamer staan. Daar deed ze snoepjes in en dan liet ze de kinderen doen alsof ze die erin hadden getoverd door erover te wrijven. Iedereen, behalve zijzelf misschien, wist dat het niets met toverij te maken had, maar toch bleven ze naar binnen gaan en over de ketel wrijven. Mevrouw Samways stelde het gezelschap op prijs en de kinderen het snoepgoed, ook al rook het altijd wat vreemd in de kamer, alsof ze de avond ervoor vis had gegeten. Wanneer ze kinderen in de voortuin zag spelen, kwam ze met een felgekleurde, gehaakte sjaal om haar schouders in haar deuropening staan en zei ze met haar ijle, beverige stem: 'Voelt er vandaag iemand toverij in de lucht?' De kinderen glimlachten dan wat verlegen en liepen naar haar huis.

Op een zondag, toen de vaders de auto's aan het wassen waren, de moeders na de lunch de afwas deden en de oudere broers en zussen naar de top veertig zaten te luisteren en de lijst opschreven om hem voor de volgende dag uit hun hoofd te leren, gaven ze allebei gehoor aan het geroep van hun buurvrouw. Tom had haar als eerste laten kiezen en nadat mevrouw Samways hun wat vragen had gesteld over school, had hij tegen Natalie gezegd: 'Zullen we een stukje gaan fietsen?'

'Is goed,' had zij schokschouderend geantwoord.

En zo was het sindsdien tussen hen gebleven. Tom gaf de aanzet, Natalie deed gewillig mee. Hij was ouder, zat bij Bridget in de klas en was dapperder. Roekelozer, zei Natalies vader altijd. Tom was degene geweest die had besloten dat ze in volle vaart de steile weg af zouden rijden en vlak voor de halfhoge stenen muur zouden proberen naar links of naar rechts weg te slippen. Hij had bovendien, toen ze achter in de auto van Natalies vader op weg waren naar de eerste hulp, met enigszins betraande ogen toegegeven dat het zijn idee was geweest. Tom was ook degene geweest die had besloten dat ze tijdens het zomerfeestje van zijn ouders – waar ze geacht werden jassen aan te nemen en pinda's uit te delen – de fles martini van de dranktafel zouden pakken en die in de garage zouden leegdrinken. Dat hoefde niemand toe te geven. Niemand had gemerkt hoe misselijk ze waren geworden, en niemand had de martini gemist. Hij had alles eerder gedaan dan zij. Schoolreis naar Frankrijk. Sigaretten. Zoenen in het donker tijdens een feestje zonder ouders. Havo, vwo, universiteit...

Ze hadden één fikse ruzie gehad. Het jaar dat Torvill en Dean in hun paarse pakjes het wereldkampioenschap wonnen met 'Bolero'. Hij was er tijdens de schooldisco vandoor gegaan met Susannah – die heel wat af zoende – en Natalie had tegen hem gezegd dat ze dat walgelijk vond, alsof je met je zus zoende. Hij had gelachen en gezegd dat Susannah helemaal niet op zijn zus leek, dat het met Natalie misschien zou lijken alsof hij zijn zus zoende, maar dat het met Susannah een heel ander verhaal was. Hij had dat gezegd met een gelaatsuitdrukking die Natalie nog nooit bij hem had gezien en die haar helemaal niet aanstond. Ze had hem geslagen – geen klap in zijn gezicht, maar een harde stomp in zijn maag – was weggerend en had een week niet met hem gepraat... tot hij een reep chocola met sinaasappel voor haar had gekocht en met een heel ernstig gezicht had gezegd dat het hem speet en dat hij het nooit meer zou doen.

En ze hadden één kus gedeeld, toen zij negentien was en hij twintig, en ze was gedumpt en hij haar troostte. Alweer. Ze was verliefd geweest op een jongen van de universiteit, maar in plaats van haar had hij zijn vroegere vriendinnetje meegenomen naar een of andere grote houseparty in Londen, en zij was naar huis gekomen om te mokken. Tom was ook thuis geweest, hij wilde die zomer met de trein door Europa gaan reizen en ze had op de vloer van zijn slaapkamer toe zitten kijken terwijl hij broeken en T-shirts in zijn rugzak stopte.

'Weet je wat het probleem met jou is?' had hij gevraagd. 'Je moet per se verliefd worden. Elke keer weer.'

'Ik ben romantisch, wat is daar mis mee?' had ze gepruild.

'Onzin! Het is niets dan een slechte gewoonte. Je kunt onmogelijk zo vaak verliefd zijn, Nat. Dat heeft niets met liefde te maken!'

'En wanneer ben jij zo'n expert geworden? Volgens mij lees jij alleen computerblaadjes.'

'Ik ben geen expert. Dat is het nou juist. Ik ben nog nooit verliefd geweest.'

'Zielenpiet.'

'Ik heb je sympathie niet nodig, schatje. Ik ben niet degene die hier zit te pruilen. Ik heb genoeg andere dingen meegemaakt, dankjewel.'

'Met meisjes naar bed geweest, zeker.'

'Ja, nu je het vraagt. Een paar wel. Ik heb verlangen gevoeld, ik heb gelachen, ik heb om meisjes gegeven en ik ben echt heel erg op ze gesteld geweest. Maar verliefd? Dat nog niet. En daar heb ik ook geen haast mee, vooral niet als dit is wat het met je doet,' zei hij, naar haar wijzend.

'Jongens worden later volwassen dan meisjes.'

'Dat is flauw. Je snapt niet wat ik bedoel, Nat. Je bent verliefd op de liefde. Je valt voor de verkeerde jongens, en je valt veel te hard. En dan zitten wij met de bijverschijnselen van je gebroken hart. Dat is gewoon idioot.'

Natalie was gepikeerd opgestaan. 'Het spijt me verschrikkelijk dat ik hierheen ben gekomen om je lastig te vallen met de "bijverschijnselen van mijn gebroken hart". Wat vervelend voor je. Ik ga wel weg.'

Hij pakte haar bij haar pols. 'Hou je mond. Ik kan er wel tegen. En jij gaat nergens heen, behalve met mij naar de kroeg. Als je het niet van je af kunt praten, moet je het maar van je af drinken.'

Diverse drankjes later lagen ze op hun rug in de tuin over Natalies hart te praten.

'Weet je wat jouw probleem is?'

Natalies probleem op dat moment was dat ze vreselijk moest plassen, maar ze draaide haar hoofd opzij en keek hem aan. 'Wat dan, wijze oude man?'

'Je hanteert de verkeerde criteria.'

'Huh?'

'Je moet meer intellectuele beslissingen nemen en minder emotionele...' Het woord 'beslissingen' kwam er wat onduidelijk uit.

'Waar heb je het in vredesnaam over?'

'Je moet iemand kiezen die je niet in de steek zal laten.'

'Hoe weet je nou of iemand je in de steek zal laten?'

'Ik zou je niet in de steek laten.'

Ze liet haar arm op zijn borst vallen. 'Dat weet ik. Je bent mijn bestenste vriend.' Ze gaf hem een klopje. Ze moest nu echt opstaan en naar de wc gaan.

Tom had zich plotseling op zijn elleboog opgericht en keek haar van dichtbij aan. En toen kuste hij haar één keer vluchtig op de lippen. Ze dacht eerst dat hij niet goed gericht had. Misschien had hij geprobeerd de Natalie naast haar op de wang te kussen. Hij had immers drie halve liters bier op. Zijn gezicht vertelde haar echter iets anders. 'Hou je mond,' zei ze, hoewel hij niets had gezegd.

'Ik trouw wel met je.'

'Hou je mond!' Iets luider dan de eerste keer.

'Nu niet. We zijn nu nog te jong.'

'Nooit. Nooit, idioot.'

'Nooit is een hele tijd.'

Natalie ging rechtop zitten. 'Hou je mond.'

'Ik hou waarschijnlijk nog het meest van je gevatheid en bijtende, vlijmscherpe commentaar.' Hij glimlachte nu weer en leek weer de gewone Tom.

'Hou...'

Hij stak zijn vinger op om haar tot zwijgen te manen. 'Oké, dat zal ik doen. Maar onthoud deze middag, Natalie. Als je weer bij me komt met een gebroken hart en je dertig bent en op je retour, en je genoeg hebt van de jacht, dan zal ik met je trouwen.'

'Juist. Fantastisch. Fijn om te weten. Bedankt, Tom.'

Verdorie zeg... dachten we echt dat je na je dertigste op je retour was? Zestien jaar geleden leek dat waarschijnlijk wel zo. Nu ze eenmaal boven de dertig was, leek het natuurlijk nog behoorlijk jong.

Hij had haar toen voor de gek gehouden, maar misschien moest ze hem vanavond uitdagen zich aan zijn belofte te houden. Op haar knieën gaan zitten en zijn aanbod aannemen. Hij zou het zich waarschijnlijk niet eens meer herinneren – het verbaasde haar dat zijzelf het zich nog herinnerde. En het was bepaald geen onderwerp waar ze nu om zou kunnen lachen.

De kroeg was waarschijnlijk barstensvol, want er was nergens plaats om te parkeren. Natalie reed haar Corsa de grasberm naast het cricketveld op en stapte uit. Verdorie, wat was het koud. Ze trok haar jas dicht om zich heen, streek haar haren achter haar oren en liep naar de deur van de kroeg. Naarmate je dichterbij kwam kon je het lawaai beter horen en er scheen een oranje gloed door de ramen naar buiten.

De stemmen en handen van haar oude vrienden bedekten haar als een warme deken.

'Ha, die Nat!'

'Gelukkig Nieuwjaar!'

'Hoe is het met je?'

'Wil je wat drinken?'

Ze realiseerde zich dat ze zich een beetje opgetogen voelde. Deze mensen waren blij haar weer te zien en het deed haar ook goed hen te zien. De cast van haar jeugd en tienertijd – soms wil je gewoon ergens zijn waar iedereen weet hoe je heet. Slimme Tom.

Daar was hij. Zo stond hij altijd als hij dronk. De armen over elkaar, het glas bier op de binnenkant van zijn elleboog balancerend. Een beetje naar voren en naar achteren wiegend op zijn hielen. Hij knikte en glimlachte tegen iemand en zag haar niet meteen. Toen stapte er iemand bij de bar vandaan met een dienblad vol drank boven zijn hoofd en zag hij haar wel. Hij knipoogde en zei geluidloos hallo, en Natalie had plotseling het gevoel dat ze elk moment kon gaan huilen.

*Patrick en Lucy*

Lucy hoorde Patrick de trap af komen en liep de gang in. 'Bedankt, lieverd. Is het gelukt?'

'Min of meer. Ed is na drie hoofdstukken eindelijk in slaap gevallen, maar Bella houdt vol dat ze op de rijpe leeftijd van acht jaar oud genoeg is om tot middernacht op te blijven.'

'Wat heb je tegen haar gezegd?'

'Dat we het prima vinden als ze wakker blijft, maar dat we problemen hebben met het opblijven.'

Lucy glimlachte. 'Je hebt helemaal gelijk. Deze avond is voor jou en mij. Kom een glas met me drinken.' Met een open champagnefles in haar ene en een halfvol glas in haar andere hand draaide ze zich weer om naar de keuken. 'Pak zelf even een glas uit de kast, wil je?'

Patrick liep de woonkamer binnen. Hoe lang was hij boven bij de kinderen geweest? De woonkamer was volledig getransformeerd. Ze moest tekeergegaan zijn als een derwisj. De kranten die eerder over de vloer verspreid hadden gelegen, lagen netjes opgestapeld op de salontafel. Het kinderspeelgoed zat weer in de kisten achter de bank en de naalden onder de kerstboom – die er al drie weken stond en bijna kaal was – waren verdwenen. Patrick voelde zich net als die boom. Opgebruikt. Uitgeput door de feestdagen. Zijn ouders en haar moeder en een schijnbaar eindeloze verzameling vrienden, familieleden en wat hij voor zichzelf 'allerlei volk' noemde, waren langsgekomen en hadden te eten en te drinken gekregen, waarna de troep weer moest worden opgeruimd. Lucy was net tv-kokkin Delia Smith in de hoogste versnelling. Om de andere ochtend waren hij en Ed naar de supermarkt gestuurd met een lijstje waarop obscure ingrediënten als saffraan, vanillesuiker en ganzenvet gekrabbeld stonden, en elke avond had hij dezelfde pannen en de talloze accessoires en onderdelen van de keukenmachine afgewassen, afgedroogd en opgeruimd; klaar voor de volgende dag. Hij was elke avond in coma geraakt zodra hij in bed viel. Hij mocht van geluk spreken als hij het zou volhouden tot middernacht. Oudjaar zou eigenlijk in maart moeten zijn. Wie zat daar nu nog op te wachten? Lucy, natuurlijk. Ze had de tafel gedekt voor twee, met echte servetten en kaarsen, en ze had een cd opgezet, wat ze bijna nooit deed.

Patrick keek naar zichzelf in de spiegel boven de haardmantel. Hij zag bleek en had wallen onder zijn ogen en vroeg zich af of hij zich wat had moeten opknappen.

'Patrick?' Hij pakte een van de acht kristallen champagneglazen die ze als huwelijkscadeau hadden gekregen, en liep naar de keuken.

Het rook lekker. Lucy stond ergens in te roeren en haar gezicht was rood door de warmte van het fornuis. Op het aanrecht stonden twee borden met zalm.

'Dit is over twintig minuten klaar. Geef maar.' Ze vulde zijn glas, hief toen haar eigen glas en tikte het tegen het zijne. 'Gelukkig Nieuwjaar, lieveling,' zei ze.

'Gelukkig Nieuwjaar.' Ze kuste hem. Een kus vol behoefte en belofte. 'Ik snap niet dat je na de afgelopen twee weken nog de energie hebt om te koken.'

'Ik ben wel afgepeigerd,' bekende ze, en voegde eraan toe: 'Maar jij bent belangrijker. En deze avond is alleen voor ons. Bovendien,' zei ze glimlachend, 'is dit een snel-klaargerecht.'

'Je bent ongelooflijk.'

'En morgen kookt Marianne voor ons, dus ben ik een dag vrij.'

'Alleen voor ons?'

'Ik geloof het wel. Waarom?'

'Dat zou ik fijner vinden. Als er nog meer ouders uit Bella's klas komen, wordt het weer hetzelfde als altijd. Leraren, onderwijsprogramma's, parkeerruimte, taartverkoop...'

'Welkom in mijn wereld, schat!'

'Ik weet het... maar dat kan wel eens eentonig worden. Het is meer ontspannen als we alleen met Alec en Marianne zijn.'

Lucy antwoordde niet.

Hij dronk zijn glas leeg, schonk het opnieuw vol en vulde dat van haar bij. Toen ging hij op een stoel naar haar zitten kijken. Ze leek helemaal niet veranderd. Niet ouder, niet zwaarder, vermoeider of bezadigder. Nog precies zoals toen hij haar voor het eerst had ontmoet.

Hij was haar door drie gangpaden van de supermarkt gevolgd. Groenten en fruit, conserven, bakproducten. Terwijl hij links en rechts wat spullen uit de schappen graaide en in zijn karretje deed, zag hij haar van een afstand praten met een paar oude dames en een puisterige knul die vakken vulde, haar kastanjebruine haar glanzend en veerkrachtig. Hij zag dat ze er buitensporig lang over deed om een handvol pruimen te kiezen. Hoe belachelijk het zelfs in zijn eigen oren ook klonk, hij was eigenlijk al verliefd geworden op haar achterkant voordat hij haar bij de toiletartikelen inhaalde en haar lieve gezicht zag, en vervolgens Bella, die ze in zo'n wikkeldoek tegen haar borst droeg.

Lucy en Tom zeiden wel eens voor de grap dat Patrick het versieren van vrouwen in supermarkten had uitgevonden.

'Zou je liever met Tom naar de kroeg zijn gegaan?' Ze keek hem vragend aan. Zijn broer had eerder die week gebeld om hen uit te nodigen.

'Nee. We zijn immers veel te oud voor die onzin, vind je niet?'

'Spreek voor jezelf. Ik kan best nog een paar luisterrijke avonden aan. Het was misschien best leuk geweest. We hadden de kinderen waarschijnlijk wel naar je moeder kunnen brengen.'

'Dus jij bent degene die liever met mijn broer naar de kroeg was gegaan!'

'Echt niet. Hoewel hij wel zei dat Natalie zou komen. Ik heb haar niet meer gezien sinds het uit is geraakt met Simon. Maar misschien komt ze nog wel langs voor ze weer teruggaat. En dit is immers wat wij doen, toch? Het is traditie.'

'Hebben wij tradities?'

'Schat, we hebben tientallen tradities. Heb je dat nooit gemerkt?' Ze omhelsde hem nu en hij rook haar parfum en haar shampoo. Hij ademde diep in en liet zijn kin op haar hoofd rusten.

Even later stond ze echter weer aan het fornuis in een pan te roeren. 'Niet te geloven dat dit al ons zevende Nieuwjaar samen wordt, hè?' zei ze.

Hij glimlachte. 'We kregen die eerste avond niet veel rust, weet je nog?' Bella kreeg toen net tandjes. Hij had aan het begin van het nieuwe jaar door de slaapkamer lopen ijsberen, met het krijsende kind van een andere man in zijn armen.

Lucy had gezegd dat ze haar moeder zou vragen op te passen. Ze schaamde zich, dacht Patrick, en dat maakte hem triest. Will, haar man, had haar in de steek gelaten toen Bella drie maanden oud was en Patrick was sindsdien de eerste man geweest met wie ze iets begon. Hij had haar heel graag willen duidelijk maken dat Bella geen probleem voor hem vormde, dat haar verleden deel kon uitmaken van zijn heden en hun toekomst. Hij had niet per se verwacht dat hij dat op oudjaarsavond zou moeten demonstreren. Ze hadden die nacht voor het eerst de liefde bedreven. Ze waren er bijna te moe voor geweest toen Bella eindelijk na een dosis Calpol in slaap was gevallen, en ze hadden het o-zo-stilletjes gedaan om haar niet wakker te maken. Hij herinnerde zich dat ze had gezegd dat ze nooit meer een nieuw jaar wilde beginnen zonder hem, en toen geschokt had gekeken, alsof ze bang was dat het zo plakkerig en behoeftig had geklonken dat hij meteen zou opstappen. Hij had het vreselijk gevonden dat ze zo dankbaar was, en zo verlegen met haar lichaam, met de vier opvallende rode zwangerschapsstriemen en haar grote, met melk gevulde tepels. Hij hield gewoon van haar. Het kon hem allemaal niets schelen. Hij wilde voor haar zorgen. Nu nog steeds, al die jaren later. 'Wat eten we?'

'Dit,' gebaarde ze naar de zalm, 'en dan Noorse garnalen met tomaten-champagnesaus – dus ik heb daar een beetje van nodig, maar maak je geen zorgen, ik heb nog een fles in de koelkast gelegd – en daarna aardbeien.' Ze stak haar hand onder zijn shirt en streek zacht over zijn huid. 'Die je uit een schaaltje of van mij af kunt eten, wat je maar wilt.' Ze kuste hem gretig. 'Mmmm. Het is al een tijd geleden, mocht je dat niet zijn opgevallen.'

Hij wist het wel. Het was drie weken geleden. Sinds de dag dat...

*Anna en Nicholas*

Nicholas haalde een zakdoek uit zijn zak en veegde daarmee voorzichtig langs de zilveren hals van de wijnkaraf. Hij had de rode wijn er eerder die avond in de keuken langzaam en voorzichtig door een mousseline doekje ingeschonken. Hij had

Anna natuurlijk in de weg gestaan, ook al had hij zijn plekje nog zo zorgvuldig gekozen, en ze had tegen hem geschreeuwd. Dit soort dingen moest echter op de juiste manier gebeuren.

De tafel was prachtig gedekt. Ze waren niet rijk, maar waren van een generatie die waarde hechtte aan haar bezittingen en tijdens de veertig jaar van hun huwelijk hadden ze enkele prachtige dingen verzameld. Complete sets kristallen glazen – allemaal nog heel; een eetservies van Royal Doulton; het prachtige witte linnen tafelkleed met bijpassende servetten. Allemaal zelf gekocht. Twaalf kerstfeesten lang, in de jaren zeventig en begin tachtig, hadden ze elkaar daar onderdelen van gegeven. Anna kocht dan bijvoorbeeld een rood en een wit wijnglas voor hem en hij een couvert voor haar. Je kon zijn carrière aflezen aan het gemak waarmee ze het hadden kunnen betalen. In het begin was het een hoop geld geweest. Tegen het eind was het gewoon een van de cadeautjes die ze elkaar gaven en was de kerst een veel uitgebreider feest geworden. Maar ze deden het wel nog steeds. De meisjes hadden het saai gevonden – Susannah probeerde hen altijd over te halen elkaar sieraden te geven, Bridget vond parfum een beter idee. Ze hadden het echter zo gewild, het was voor hen een belangrijk ritueel. Anna had er niets van willen gebruiken voor ze van alles zes hadden; en ze hadden pas acht 'sjieke' gasten kunnen ontvangen toen Charles en Diana getrouwd waren. Het bestek, in zijn mooie mahoniehouten kistje, hadden ze een keer bij Harrods in de uitverkoop gekocht, van de enige erfenis die ze ooit hadden ontvangen; vierhonderd pond van een oude tante van hem. Het was natuurlijk verzilverd, maar het kwam wel goed tot z'n recht bij het porselein en het kristal. Het had nooit iets te maken gehad met opschepperij – Anna was geen Hyacinth Bucket. Naar zijn idee ging het om prestatie, overtuiging en langlevendheid.

De meisjes hadden het destijds niet begrepen en zouden het nooit begrijpen. Tegenwoordig was dat allemaal anders: Bridget had haar achtpersoonsservies in één keer gekregen – het stond allemaal op haar verlanglijstje voor de bruiloft. Hij had vijftienduizend pond uitgegeven aan de trouwerij, ze had een huwelijksreis ter waarde van drieduizend pond gemaakt en was thuisgekomen in een gang volgestouwd met een kant-en-klaar leven, met zorg ingepakt door het personeel van John Lewis. Ze lachten toegeeflijk naar hem wanneer hij zei dat de dingen waar je hard voor had moeten werken veel meer waarde voor je hadden.

'Oorlogskind,' noemde Susannah hem dan gemoedelijk.

Wat natuurlijk waar was. Hij was een jaar voor de oorlog uitbrak geboren. Zijn moeder had toen al vier kinderen en zijn vader was in 1939 van huis gegaan en zes jaar weggebleven. Misschien hadden ze wel gelijk.

Maar Bridget was pas drie jaar getrouwd en had al een glas en twee dessertbordjes moeten vervangen.

Weer oudjaar. Nicholas voelde zich oud en moe. De drie stellen in de kamer waren dezelfde zes mensen waarmee Anna en hij al eenentwintig jaar oud en nieuw vierden. Vier van hen zagen ze alleen maar op deze avond van het jaar.

Hij haalde een vinger achter zijn kraag door. Anna stond er altijd op dat ze een smoking droegen. Ze zei dat het de avond bijzonder maakte. En oncomfortabel, dacht hij. Hij had tegenwoordig waarschijnlijk boordmaat 42 nodig en zijn overhemd was oud en zat te strak. Wanneer ze met hem alleen was zei Anna dat ze het vertikte een vijfgangendiner klaar te maken voor mensen die aanschoven in spijkerbroek. Ze brachten oudjaar om de beurt bij een van de stellen door. Bij Brian en Margaret werd altijd een kerrieschotel geserveerd, die Margaret bestelde bij het restaurant bij de rotonde en die Brian al vroeg op ging halen, zodat hij 's avonds gewoon kon drinken, en vanuit de bakjes werd geserveerd aan de formica keukenbar. Ze waren een paar keer met Brian en Margaret op vakantie geweest toen hun zoons als kinderen bevriend waren met de meisjes. Margaret had dan vaak zonder beha rondgelopen, terwijl ze de veertig en dus de leeftijd waarop dat misschien een goed idee was geweest al ruimschoots voorbij was. Nicholas veronderstelde dat het net zoiets was als met het eten.

Losjes en gemakkelijk. Bij Shaun en Lindsay draaide het altijd om een thema. Thais, Schots, cowboy. Lindsay verkleedde zich en Shaun schonk bijpassende alcohol. Nicholas herinnerde zich het jaar dat Lindsay, theatraal buigend en schuifelend, tevoorschijn was gekomen in een kimono, en Shaun sake had geserveerd in eierdopjes. Ze hadden op de vloer moeten zitten en dat was funest geweest voor zijn knieën. Clive en Vicky waren veel conventioneler, maar ze aten er in de keuken en Clive droeg daarbij altijd een spijkerbroek.

Hij vroeg zich af waar de anderen over hadden gepraat terwijl ze eerder die avond hun pinguïnpakken aantrokken. Misschien vonden ze het wel leuk. Ze zaten in elk geval vrolijk te babbelen in de woonkamer – Anna zou nu wel de miniatuur *Yorkshire puddings* met kleine reepjes gebraden vlees ronddelen. Hij hoorde Clive en Shaun hartelijk lachen.

Nicholas zou het liefst naar boven gaan, zijn hoofd op het kussen leggen, gaan slapen en misschien nooit meer wakker worden. Of althans niet voor deze eindeloze nacht voorbij was. Meer dan wat ook wenste hij dat hij niet terug naar binnen hoefde met die namaakglimlach om zijn mond. Hij had geen zin in die verdraaide vijfgangenmaaltijd en wilde niet toekijken hoe zijn dure rode wijn door de kelen gleed van mensen die net zo lief goedkope supermarktwijn zouden hebben gedronken. En bovenal voelde hij niet de wens of de energie om te doen alsof hij gelukkig was; om naar al zijn bezittingen te kijken en deze ondraaglijke, zinloze schertsvertoning voort te zetten.

Hij schrok op toen de deur achter hem openging. Anna zei iets zangerigs terwijl ze achterstevoren de woonkamer uit liep. De anderen lachten. Toen ze zich met haar lege dienblad naar hem omdraaide, veranderde haar gezicht; de glimlach verdween en ze kneep haar ogen tot spleetjes. 'Wat sta je hier in godsnaam te doen, Nick? Ik kan daar binnen wel wat hulp gebruiken. Je bent verdorie de gastheer, niet een van de gasten.'

Ze waren niet aan de aardbeien toegekomen. Te veel late avonden en te veel champagne. Patrick kon zich niet herinneren hoe ze op de bank terecht waren gekomen, of wiens idee het was geweest om naar de alomtegenwoordige oudjaarsshow te kijken, maar ze zaten nu allebei onderuitgezakt half en half te luisteren naar de geforceerde vrolijkheid van een of andere duivelse Schotse die krijste om zich verstaanbaar te maken boven het gebrul van de menigte en een paar jengelende doedelzakken uit. Hij dacht dat Lucy misschien sliep, maar toen ze af begonnen te tellen, kroop ze onder zijn arm vandaan en gaf hem een zachte por. 'We moeten eigenlijk gaan staan.'

'Waarom?'

'Je weet wel. Het nieuwe jaar inluiden.'

'Je bent gek.' Ze deed dat ook voor het volkslied.

'Sta op.' Zij was al gaan staan en trok aan zijn arm.

'Drie, twee, een. GELUKKIG NIEUWJAAR!' riep-fluisterde Lucy met haar armen in de lucht. Het zou een ramp zijn als Ed nu wakker werd. Hij zou de rest van de nacht niet meer slapen. Met haar armen nog steeds boven haar hoofd voegde ze eraan toe: 'Nu voel ik me wel een beetje dwaas.'

Patrick zuchtte. 'Luce?'

'Wat?'

De telefoon ging. Het was natuurlijk haar beste vriendin Marianne, die belde vanaf een feestje. 'Gelukkig Nieuwjaar, Luce,' brulde ze.

Lucy voelde een steek van jaloezie terwijl ze naar de joligheid luisterde. Patrick had er niet heen gewild. 'Jij ook. Heb je plezier?'

'Heel veel plezier!' Ze was dronken. 'Hier heb je Alec.' Even dacht Lucy dat de lijn dood was of dat Marianne de hoorn had laten vallen. Toen hoorde ze Alecs stem.

'Hallo daar.'

'Gelukkig Nieuwjaar.'

'Ik wou dat je hier was.'

Bloosde ze? Ze hield de hoorn bij zich vandaan alsof hij in brand stond en riep: 'Ja, Patrick staat naast me. Hier komt hij.'

Patrick stond helemaal niet naast haar, maar ze wachtte met de hoorn tegen haar schouder terwijl hij opstond en naar haar toe kwam. Toen hij de telefoon van haar had overgenomen liep zij naar de keuken.

Ze was bezig aan het aanrecht toen hij binnenkwam en bleef met haar rug naar hem toe staan. 'Klonk behoorlijk ruig, hè?'

'Lucy?' Hij klonk gespannen. 'Ik ben ontslagen.'

*Anna*

Ze hadden pas vier gangen gehad toen de grote staande klok in de gang middernacht sloeg. Anna wilde niet dat de televisie aan werd gezet. Meteen hoorden ze buiten het geknal van vuurwerk boven de muziek van Mozart uit. Het leek niet gepast om op te staan, te zingen en elkaar te omhelzen, al blies Brian Margaret wel een kus toe en pakte Clive over de tafel heen Vicky's hand vast.

Anna excuseerde zich om het dessert te gaan halen en Nicholas schonk acht glazen vol champagne.

'We kunnen geen toast uitbrengen voor Anna terug is,' protesteerde Lindsay toen hij zijn glas hief. 'Wat is ze daar toch aan het doen? Zal ik even gaan kijken?'

'Nee,' zei Nicholas. 'Ik ga wel. En drink dat maar gewoon op, want het is heiligschennis om de bubbeltjes te laten verdwijnen. We brengen zo dadelijk wel een toast uit...' Hij opende de deur naar de keuken en zag Anna tegen de achterdeur geleund naar het vuurwerk van de buren staan kijken.

'Gaat het, Anna?' Ze haalde haar schouders op en maakte een vreemd, verstikt geluidje.

Hij liep naar haar toe en ze leunde openlijk huilend tegen hem aan. 'Wat is er, Anna? Wat is er in hemelsnaam met je aan de hand?'

Hij mocht haar de laatste tijd maar zelden aanraken, terwijl hij haar heel graag wilde troosten. Al maanden was ze onbenaderbaar, onherkenbaar, ongenaakbaar. Hij wist dat ze vaker huilde, maar ervoor zorgde dat hij het niet zag. Hij probeerde haar aan te kijken, met zijn vinger haar kin omhoog te brengen, maar ze draaide haar gezicht weg en begroef het tegen zijn schouder. Ze bleven zo lang zo staan dat hij zich zorgen begon te maken dat de anderen binnen zouden komen. Dat zou ze vreselijk vinden. En die mensen werden geacht hun vrienden te zijn... 'Je moet met me praten, lieveling. Dit kan zo niet doorgaan.' Hij voelde dat ze knikte en zich aan hem vastklampte.

'Het spijt me.'

'Dat weet ik.' Dat wist hij inderdaad. 'Ik wil je alleen maar helpen.'

'Je kunt me niet helpen.'

'Ik wil het graag proberen.'

Even zei ze helemaal niets, en wat ze toen zei bezorgde hem de koude rillingen: 'Waarom? Ik ben niets.'

*Natalie*

In de kroeg had Natalie moeite haar armen te kruisen voor 'Auld Lang Syne'. De man links van haar bleef haar verdorie de verkeerde hand toesteken.

'Kom hier.' Tom pakte haar rechterhand, legde die over haar borst en begon toen de linker te schudden. 'Should old acquaintance...'

Tss. Oude kennis... Oeroude kennis over en voorbij. En jawel, hij kon maar beter vergeten worden. Vanavond misschien nog niet. Ze moest zich hem immers herinneren om te kunnen zeggen dat hij vergeten moest worden? Maar morgen was ze hem zeer beslist 'vergeten', want ze had hier alles wat ze nodig had. Ze had goede vrienden, er was een onbeperkte voorraad witte wijn, en ze had Tom. Ach ja, Tom.

Het was erg lawaaierig. De eerste keer dat ze het zei fronste hij zijn voorhoofd. 'Wat?' bulderde hij.

'Jij gaat met mij trouwen, Tom.'

'Wat?' Alleen had hij haar deze keer wel verstaan.

'Ik zei dat jíj met míj gaat trouwen.' Ze had haar rechterhand losgemaakt van de man links van haar en gebruikte die nu om nadrukkelijk te wijzen.

'Natuurlijk.'

Van wat er daarna gebeurde herinnerde ze zich niet veel meer.

Tot Toms moeder de volgende ochtend aanklopte en zonder op antwoord te wachten binnenkwam en op de rand van het bed ging zitten. Ze had een mok thee bij zich. 'Gelukkig Nieuwjaar, lieverd! Ik moet zeggen dat dit me terugvoert in de tijd. Het is jaren geleden dat je hier bent blijven slapen, hè? Ik vind het geweldig. Ik wou alleen dat Tom me had verteld dat hij je meebracht. Dan zou ik een bosje anjers hebben gekocht en de boel wat hebben opgevrolijkt.'

Het was vrolijk genoeg. Natalie tuurde tussen oogleden door die dicht zaten geplakt met de mascara van gisteren. Limoengroen en violet. Het resultaat van een buitengewoon kleurrijke, afschuwelijke aflevering van *Changing Rooms* waar Cynthia halverwege de jaren negentig naar had gekeken en, erger nog, waardoor ze zich had laten inspireren. Natalie geloofde niet dat God een anjer had geschapen die hierbij paste.

Cynthia praatte nog steeds. Dat was het voordeel bij haar. Je hoefde niet te antwoorden. Natalie geloofde niet dat ze vanochtend iets zou kunnen zeggen. Had ze gerookt? Haar keel voelde droog, vies en schor aan, en haar hoofd bonkte.

'Hoe is het met je moeder, schat? Wat was dat vreselijk, zeg. Gelukkig bleek het uiteindelijk niets te zijn. Maar ze zal er wel flink van geschrokken zijn. Ik was nog wel van plan een keer bij haar langs te gaan, maar je weet hoe dat gaat, altijd wat te doen...' Haar stem stierf bijna weg, maar ze wist zich te redden. 'Maar goed, een nieuw jaar, een nieuw begin, zeg ik maar.'

Dat klonk gemakkelijk zat. Misschien moest Natalie haar moeder dat eens uitleggen. Ze waren nooit echt vriendinnen geweest. Cynthia was te luidruchtig naar haar moeders smaak, te zeer een type van eerst-praten-en-dan-pas-nadenken. Natalie had zich eerlijk gezegd altijd een beetje geschaamd voor haar moeders houding. Ze kon... hooghartig en superieur overkomen. Dat zou Cynthia echter nooit zijn opgevallen. Met een lichte huivering van afgrijzen realiseerde ze zich dat ze die dag naar haar moeder zou moeten. Met een kater. 'Waar is Tom?' kraste ze.

'In de douche, geloof ik. Hij is er niet veel beter aan toe dan jij. Lust je een paar gebakken eieren? Erop of eronder!'

'Klinkt heerlijk, Cynthia. Bedankt.'

Natalie was weer onder het dekbed gekropen en bijna weer in slaap gevallen, toen Tom aanklopte en binnenkwam.

'Wat is dat toch met jullie?' mopperde ze. 'Wachten jullie geen van allen tot je binnen wordt gevraagd?'

'Je hoeft tegen mij niet zo narrig te doen. God mag weten waar je terecht zou zijn gekomen als ik je vannacht niet praktisch hierheen gedragen had. Je was echt straalbezopen.'

'Hartelijk dank, sir Lancelot. Maar wiens schuld is dat?'

'Niet de mijne. Ik kan me niet herinneren dat ik je gedwongen heb tien glazen wijn te drinken.'

'Waren het er echt zo veel?'

'Nou, ik heb ze niet geteld, maar op het laatst wankelde je wel alsof het er tien waren geweest.'

'Gedroeg ik me gênant?' Ze sloeg haar handen voor haar gezicht.

'Ontzettend.'

Ze gooide een limoengroen kussen naar hem toe. Hij ving het met één hand op.

'En waarom zie jij er eigenlijk zo opgewekt uit?' vroeg ze. Hij zag er gewoonweg onbeschoft fit uit, met zijn haar nog wat vochtig van het douchen.

'Ik moet van alles doen, mensen spreken; er valt heel wat te regelen.'

Natalie begreep er niets van.
'Het gebeurt niet elke dag dat je als man een aanzoek krijgt.'
'Waar heb je het over?'
'Ik voel me gekwetst dat je het niet meer weet.' Hij zag er helemaal niet gekwetst uit. 'Gisteravond? Je hebt me gevraagd met je te trouwen. En ik heb ja gezegd.'
'Ach, onnozele hals.'
'Wil dat zeggen dat je van gedachten veranderd bent?'
'Het wil zeggen dat ik gisteravond niet bij mijn verstand was, en dus niet verantwoordelijk kan worden gehouden voor wat ik heb gezegd of gedaan...'
Cynthia riep naar boven. 'Hé, jullie daar! Het ontbijt staat klaar.'
Tom pakte de limoengroene kamerjas van het haakje aan de deur en gooide hem naar Natalie, knipoogde toen naar haar en verdween in de richting van de trap.

'Goed nieuws, mam en pap. Natalie en ik gaan trouwen. Ze heeft me gisteravond gevraagd en ik heb ja gezegd.'
Toms vader John liet een hoek van de krant zakken om hen aan te kijken. 'Geweldig. Welkom in de familie, lieverd.' Zijn ogen twinkelden van plezier.
Hij was vroeger beslist een knappe kerel geweest, dacht Natalie. Dat was haar niet eerder opgevallen. 'Dat is helemaal niet waar.' Ze probeerde Tom onder de tafel een schop te geven, maar raakte de mahoniehouten tafelpoot en dat deed zeer. Ze wreef over haar pijnlijke enkel terwijl Tom haar een gemaakt meelevende blik schonk die ze wel van zijn gezicht wilde slaan.
'En waarom niet? Dat zou ik wel eens willen weten. Hij is een prima vangst. Hij is knap, slim, succesvol, lief...'
'Oké, mam. Help me eraan herinneren dat ik je voortaan bij al mijn eerste afspraakjes meeneem.'
'Die zullen er niet meer zijn, wel dan? Niet nu je aan Natalie beloofd bent...'

Ze kon het geplaag niet verdragen. Ze had vreselijke hoofdpijn en was misselijk. Ze legde haar mes en vork neer, mompelde een bedankje tegen Cynthia en ging terug naar bed.

Enkele uren later stond ze op. Tom was met zijn vader in de garage. Aan het prutsen. Zo noemden zij het. Al zolang ze zich kon herinneren had John een Austin Healy, die hij onder een soort koepel bewaarde die Natalie altijd aan het einde van de film *E.T.* deed denken, om hem tegen de elementen te beschermen, en waarin hij maar één keer per jaar naar een Healy-rally reed, als er tenminste geen regen, hagel, sneeuw of sprinkhanenplaag was voorspeld. De rest van de tijd 'prutste' hij eraan, en als Tom thuis was 'prutste' hij mee. Het feit dat de garage een plek was waar Cynthia hen nooit zou volgen was waarschijnlijk een extra bonus. Ze luisterden naar een verslag van de paardenraces op de radio.

'Leuke overalls, jongens.'

'Hoe voel je je?'

'Beter.' Ze glimlachte zwakjes. 'Klaar om naar mijn ouders te gaan, denk ik.'

'Wil je een lift?'

'Wil je me naar de kroeg brengen, zodat ik daar mijn auto kan oppikken?'

'Geen probleem. Wacht even.' Tom trok de overall uit en legde hem op de werkbank.

John sloeg zijn arm om Natalie heen. 'Het was leuk om je weer eens te zien, lieverd, echt waar. We hebben je de afgelopen jaren niet veel gezien.'

'Ik weet het. Sorry.'

'Je hoeft je nergens voor te verontschuldigen, jullie hebben nu allemaal je eigen leven. We zien hem hier ook maar zelden.' Hij wees naar zijn zoon. 'Ik herinner me een tijd dat ik bijna over de kinderen viel. Jullie tweeën, Patrick, Genevieve. Het leek hier soms wel een jongerenclub. Dat mis ik soms wel een beetje.'

'Maar nu brengt Patrick Bella en Ed toch mee...'

'Dat klopt. Daardoor herinner ik me dat ook weer.'

'Tot straks, pa!'
John kuste Natalie op haar wang. 'Dag, meisje.'

'Wil je dat ik mee ga?' Ze stonden in het heldere zonlicht tegen Natalies auto geleund.
'Nee, dank je. Bridget heeft gezegd dat ze vanmiddag zou komen. Met een beetje geluk overlapt haar bezoek het mijne.'
'En dan?'
'Dan...' Ze zuchtte. 'Terug naar mijn nieuwe werkelijkheid, denk ik. Ik geloof wel dat ik nu blij ben dat we nooit zijn gaan samenwonen. Heb ik tenminste niet die ellende van een verhuizing, spullen verdelen en al dat gedoe.'
'Dat is waar.' Tom wist niet wat hij verder nog moest zeggen, dus omhelsde hij haar. 'Het komt wel goed met je.'
'Tss.' Zo voelde ze zich anders niet. Ze voelde zich zwaar, loom en afgepeigerd en helemaal niet goed.
Tom kuste haar op haar voorhoofd, opende zijn auto en stapte in. Terwijl hij startte, draaide hij het raampje open. 'En ik zie je over een paar dagen. Vrijdagavond.'
'Ben ik iets vergeten?' Het was lang geleden dat ze op een vrijdagavond plannen had gehad met iemand anders dan Simon.
'Nee. Maar je hebt toch wel tijd, of niet?'
Ze haalde haar schouders op. 'Ik denk het wel. Wat had je in gedachten?'
'Ik heb een plan bedacht...'
'Wat voor plan?'
'Nou, jij hebt niets beters te doen, geef het nou maar toe, en ik heb wel zin in een uitdaging, dus die heb ik bedacht.'
Natalie moest onwillekeurig glimlachen. 'En...?'
'En... aangezien jij er niet van overtuigd ben dat ik geschikt zou zijn als je vriendje, en ik denk van wel, heb ik bedacht dat ik je dat maar beter kan bewijzen.'
'En hoe denk je dat voor elkaar te krijgen?'
'Ik ga zesentwintig dagen met je doorbrengen. Heb je in de gaten wat ik zeg? Dat is het aantal letters in het alfabet.'

'En...'

'En, cynische dame, we gaan om beurten beslissen wat we op die dagen gaan doen. De ene keer jij, de andere keer ik. Ik begin, trouwens, met de A. Jij krijgt de B, ik de C, jij de D...'

'Ik ken het alfabet, Tom.'

'Juist. Het zou dus geen probleem voor je moeten zijn om activiteiten te bedenken, of wel?'

'En wat is de achterliggende bedoeling?'

'Dat jij voor me zult vallen.'

'Ja, hoor.'

'We gaan ons buiten de comfortabele zone begeven. We zullen elkaar zien op nieuwe plaatsen en in nieuwe situaties... en jij zult tot de ontdekking komen wat je mist.' Hij grinnikte, en Natalie wist niet of ze hem serieus moest nemen of dat hij haar zat te pesten.

'Je bent gek. We kennen elkaar al meer dan twintig jaar. Ik denk dat we het inmiddels wel zouden weten als er een vonk tussen ons kon overspringen, jij niet?'

'Misschien denkt een van ons tweeën van wel.'

Ze rolde met haar ogen, waarop hij vervolgde: 'En wat hebben meisjes toch met overspringende vonken? Daar zul je een kerel nooit over horen praten.'

'Kerels hebben geen vonk nodig. Die willen alleen maar tieten.'

Tom schudde zijn hoofd. 'Je stelt me teleur met je generalisering, Nat. Om nog maar te zwijgen van je grove taalgebruik.'

'Ach, hou je mond. Luister, ik weet het, oké? En jij weet het ook, als je even ophoudt de clown uit te hangen.'

'Eén vraagje, lieve meid. Heb je de komende maanden iets beters te doen?'

'Dat weet je heel goed.'

'Nou dan. Waarom zou je dan geen alfabetweekends spelen met je oude makker, Tom? Durf te leven.'

Daar had Natalie geen antwoord op.

'Tot aanstaande vrijdag dan,' zei Tom toen hij wegreed.

*Lucy*

Het had die nacht gesneeuwd. Lucy kon zich de laatste keer niet herinneren dat de sneeuw was blijven liggen, maar vanochtend lag er een paar centimeter. De wereld zag er mooi uit. Bella en Ed waren buiten, jassen en laarzen over hun pyjama's aan, een sneeuwman aan het maken, en ze luisterde naar hun opgewonden kreten terwijl ze wachtte tot het theewater kookte.

'Ik zal Marianne en Alec wel afbellen,' zei ze.

'Nee, doe maar niet. Dat is niet nodig.'

'Weet je het zeker?'

'Ik weet het zeker.'

Lucy was opgelucht. Ze wilde niet afbellen. Ze had hem al sinds het kerstconcert voor de vakantie niet gezien. Alec had haar wang gekust, net iets dichter bij haar mond dan hij had horen te doen, en haar hand net iets langer dan normaal vastgehouden toen ze afscheid hadden genomen en elkaar vrolijk kerstfeest hadden gewenst.

Ze wist dat ze eigenlijk niet zo naar een weerzien met hem hoorde te verlangen. 'En we praten er vanavond wel verder over, goed?' 'Er'. Klein woordje voor zo'n zwaar onderwerp.

'Natuurlijk.'

Ze ging naar boven en kleedde zich met zorg aan. Ze hoorde de kinderen pratend en lachend binnenkomen en hoorde Patrick ook lachen terwijl hij hen uit hun besneeuwde kleren hielp. Toen Bella de slaapkamer binnenkwam, lagen er diverse niet-uitverkoren kledingstukken op Lucy's bed en stond ze in haar beha en onderbroekje voor de lange spiegel. Ze glimlachte naar haar dochter en vertrok haar mond toen tot een grimas. 'Volgens mij ben ik tijdens de kerstdagen wel een paar pond aangekomen.'

'Mevrouw Smith zegt dat we beter niet kunnen weten hoe zwaar we zijn.'

'Mevrouw Smith heeft gemakkelijk praten. Zij weegt geen ons meer dan vijftig kilo.'

'Je ziet er fantastisch uit, mama.'

Ze kuste Bella op haar voorhoofd. 'Dank je, lieverd.' Ze haalde nog een rok en trui uit de kleerkast. 'Deze?' Bella knikte goedkeurend. 'Je ziet er zelf ook heel goed uit, schatje. Dat is het vest dat oma voor je heeft gekocht, nietwaar?'

Bella grinnikte en draaide tevreden heen en weer. Ze werd echt al groot. En ze leek op haar vader.

Lucy had lange tijd nauwelijks aan Will gedacht, maar Bella ging steeds meer op hem lijken. Ze had haar eigen haarkleur, maar de lange benen als van een veulen en de lange, krullende wimpers had ze van Will. Soms gebruikt Bella, als ze haar moeder iets uitlegde haar handen op dezelfde manier als hij om dingen met weidse gebaren te benadrukken. Ze had hem al jaren niet gezien. Dat was ook niet nodig geweest toen de echtscheiding definitief werd uitgesproken en hij er niet om had gevraagd zijn dochter te zien. Lucy wist niet eens waar hij woonde.

De laatste keer dat ze hem had gezien was de zomer dat hij ervandoor was gegaan. Hij had naar haar moeder gebeld en Lucy gevraagd naar het park te komen in de buurt van hun huis. Toen ze de bank naderde waar hij op zat, had hij verbaasd geleken dat ze de baby niet had meegebracht. Ze had tegen hem gezegd dat hij het niet verdiende haar te zien, en ze herinnerde zich dat ze had genoten van de gekwelde, gekwetste blik in zijn ogen.

Ze had zich sterk gevoeld, want ze had Patrick.

De eerste paar jaar na de scheiding was ze bijna constant bang geweest dat hij terug zou komen om Bella op te eisen – dat hij bezoekrecht of gedeelde voogdij zou aanvragen. Dat had ze niet kunnen toestaan. Ze had hem niet om advies, geld of hulp gevraagd. En hij kon haar maar beter niet om Bella vragen.

Er waren mensen die haar probeerden uit te leggen dat Will rechten had; wettelijke rechten. Weekhartige mensen, weldoeners en zelfs haar eigen moeder. Ze zeiden dat Bella hem hoorde te kennen. Dat Lucy om problemen vroeg voor zichzelf en haar dochter door hem niet te erkennen. Die opmerkingen maakten haar kwaad. Ze wilde zich niet redelijk en beschaafd gedragen. Ze wilde niet dat Will ooit de kans zou krijgen zijn daden tegenover Bella uit te leggen. De paddenstoelwolk van woede in haar binnenste was met de jaren kleiner en zwakker geworden en opzij geschoven, maar nooit helemaal verdwenen. Dat wilde ze niet.

Hij had natuurlijk niet voor Bella gevochten. Hij had niet voldoende interesse gehad om deel uit te willen maken van haar leven. Als er nog iets was wat ze niet begreep van Will, was dat het. Hoe had ze verliefd kunnen worden op iemand die haar in de steek liet nadat hij een kind bij haar had verwekt?

Toen Bella kleiner was, had Lucy uren naar haar zitten kijken als ze in haar bedje lag te slapen, toen ze haar eerste wankele stapjes op het gras zette of zelf probeerde te eten. Ze had haar kindje daarbij zwijgend haar excuses aangeboden: het spijt me dat ik zo iemand als je vader heb gekozen. Het spijt me.

De echtscheiding was definitief, lang voordat Bella oud genoeg was om zich de man te kunnen herinneren die haar had verlaten toen ze pas een paar maanden oud was. Bovendien was Patrick er geweest, die voor hen allebei had willen zorgen. Er was geen noodzaak geweest om Bella over Will te vertellen, en ze had altijd geweten dat Patrick dat ook liever niet had. Toen Ed geboren was, leek het nog minder een leugen – ze waren met hun vieren een gezinnetje: vader, moeder, dochter, zoon. Waarom zouden ze het ingewikkeld maken? Slechts een heel enkele keer lag ze zich in bed in stilte zorgen te maken.

Ooit zou Bella het moeten weten.

Ze huiverde. Nu ze hier naar haar kind stond te kijken dat haar zo aan Will herinnerde, leek dat moment plotseling veel dichterbij te komen.

'Je krijgt het koud, mama! Schiet op. Ik kan bijna niet wachten om Nina mijn nieuwe skates te laten zien.'

Lucy spreidde haar armen en Bella sprong in haar omhelzing. Ze legde haar hoofd tegen Lucy's maag en stak haar duim in haar mond. Ze bleven een minuutje zo staan en toen maakte Lucy zich los en begon ze zich aan te kleden.

Ze zou aan Patrick moeten denken, en aan het bommetje dat hij met Nieuwjaar had laten vallen, maar in plaats daarvan dacht ze aan Alec en Will.

*Natalie en Nicholas*

'Dag, pap!'

'Dag, lieverd! Gelukkig Nieuwjaar!'

'Ga je ergens heen?'

'Even een stukje wandelen. Loop je met me mee?'

'En mam dan?'

'Die slaapt.'

'Alles goed met haar?'

'Een beetje moe. Je weet hoe ze is... De laatste gasten gingen pas om twee uur weg en dan wil ze altijd per se alles nog afwassen voor ze naar bed gaat. Met de hand, omdat het het goede servies is. Het was bijna vier uur eer ze naar boven kwam. Ik heb haar net een kopje thee gebracht, maar ze was nog steeds uitgeteld.'

'Dan ga ik mee!'

Haar vader keek blij. Natalie haakte haar arm door de zijne en ze liepen de straat op.

'Hoe was jouw avond?'

'Nogal veel drank. Ik voel me eerlijk gezegd vandaag niet zo geweldig. Wat frisse lucht zal me ongetwijfeld goed doen!'

'Waar ben je heen geweest?'

'Naar de kroeg met Tom. Ik ben vannacht bij zijn ouders gebleven.'

'Ik had geen idee dat je zo dicht bij huis zou zijn. Waar was Simon?'

Natalie ademde diep in. 'Veertig voet onder water, vermoed ik.'

Nicholas keek haar perplex aan. Hij was stil blijven staan,

maar Natalie trok hem mee en praatte verder. 'Ik denk dat hij op de Malediven aan het duiken is, pap.' Ze lachte. 'Je dacht zeker dat ik hem uit zwemmen had gestuurd met betonnen flippers? Jammer genoeg niet. Hij heeft me gedumpt, pap.'

'Ach, lieverd!'

'Niet aardig tegen me doen, anders ga ik hier op straat lopen huilen. Schandalig.'

'Het kan me helemaal niet schelen wat schandalig is of niet.'

'Dat komt omdat jij al oud bent,' zei ze. Hij glimlachte. 'Nou, het kan míj wel schelen. Ik heb mezelf al genoeg voor aap gezegd, of niet soms?'

'Hoe? Tenzij je er niet over wilt praten...'

'Het is waarschijnlijk beter om erover te praten. Het zal wel geen zin hebben om alles op te kroppen...'

'Dat heeft het nooit.'

Natalie kneep in haar vaders arm. Hij was zo... zo sterk en betrouwbaar. Ze was plotseling heel blij dat ze gekomen was, blij dat ze het hem kon vertellen. Ze had vorige week met Kerstmis veel moeite gehad om het voor zich te houden.

Ze hadden de rand van het park bij het huis van haar ouders bereikt.

'Zullen we even gaan zitten? Het is niet al te koud.' Hij wees naar het bankje.

Ze liepen erheen en gingen zitten. Een jongen gooide een stok weg voor een labrador, en een paar kinderen speelden op de schommels en wiptoestellen in het omheinde gedeelte, waar vermoeid uitziende ouders een oogje op hen hielden.

'Waarom denk je dat je jezelf voor aap hebt gezet, lieverd?'

'Al die tijd dat hij zich voorbereidde om me te verlaten, dacht ik dat hij zich klaarmaakte om me ten huwelijk te vragen. Daar was ik echt van overtuigd. Hij deed de laatste tijd een beetje stiekem en ik dacht dat hij wat van plan was. En die keer in november, toen we hier waren voor mams verjaardag en hij je vroeg even met hem naar de kroeg te gaan... toen dacht ik dat hij je om toestemming zou vragen. Wat een idioot was ik!'

Nicholas kon zich niet herinneren waar ze die dag over hadden gepraat. Hij herinnerde zich wel dat hij blij was even thuis weg te kunnen, maar hij zou er nooit van genoten hebben om met Simon naar de kroeg te gaan. Hij was een van die jonge mannen die met bijna elk woord een ander kleineerden. Hij wist niet wat hij gezegd zou hebben als Simon hem om de hand van Natalie had gevraagd. Hij zou geen ja hebben willen zeggen, maar er werd tegenwoordig niet meer echt toestemming gevraagd.

Nicholas had Anna's vader echt nog om haar hand moeten vragen. Hij was net klaar met zijn dienstplicht en had een baantje als klerk bij de plaatselijke bank. Anna's vader was een angstaanjagende, indrukwekkende man geweest – heel groot, met een bulderende stem en een pijp. De vrouwen in zijn huishouden waren een beetje bang voor hem en die dag was Nicholas dat ook geweest.

'Wat is er gebeurd?' vroeg hij nu.

'Nou, ik heb een paar weken afgewacht. Elke keer als we afspraken om ergens te gaan eten dacht ik: vanavond gaat het gebeuren. Laten we wel wezen, we waren al lang genoeg samen en ik word er niet jonger op. Misschien begon ik een wanhopige indruk te maken of zo... Maar nee, dat is gewoon niet waar. Het was gewoon de volgende stap. De logische volgende stap. Hij wist dat ik het wilde... dat ik het verwachtte. Maar hij vroeg het steeds maar niet. Toen dacht ik, misschien met Kerstmis – dat zou een mooie dag zijn voor een verloving. God, het klinkt belachelijk.'

'Je klinkt helemaal niet belachelijk, lieverd.' Nicholas hield haar hand stevig vast.

'En toen begon hij over diepzeeduiken. Een vriend van hem die ook in het ziekenhuis werkt, was geweest met zijn vriendin en zei dat het fantastisch was en gaf Simon de brochures. Simon leek er echt zin in te hebben. Hij zei dat het al heel lang geleden was dat hij echt vakantie had gehad en vroeg wat ik ervan dacht.'

Nicholas knikte.

'Ik was zo opgewonden, pap. Ik dacht dat het eindelijk ging gebeuren. En ik was zo vreselijk gelukkig.'

'En?'

'En toen dumpte hij me. Zomaar ineens. Hij kwam de week voor Kerstmis een keer 's avonds laat naar mijn flat om me te zeggen dat hij niet toe was aan een vaste relatie. Hij zei dat het niet eerlijk was om me aan het lijntje te houden nu hij wist dat ik meer vastheid wilde en hij me die niet kon bieden. Hij zei dat het niet eerlijk zou zijn tegenover hemzelf – iets over dat hij nauwelijks klaar was met zijn jarenlange studie en nu druk bezig was zijn bevoegdheid te halen en zich te bewijzen, en dat een verloving en een huwelijk hem alleen maar nog meer onder druk zouden zetten, en dat hij gewoon vrij wilde zijn, wilde genieten, een beetje plezier wilde maken voor hij daar allemaal echt klaar voor zou zijn.' Natalies stem brak. 'Hij zei dat ik nog wel mee mocht naar de Malediven als ik dat wilde.' Ze fronste haar voorhoofd. 'Ik neem aan dat hij het als een soort afscheidscadeautje zag. Of misschien meer een *au revoir*. Hij had het lef niet om er resoluut een punt achter te zetten. Het was veeleer een vraagteken, of een dubbele punt.'

Nicholas snoof. Hij vermoedde dat Simon het als een kans had gezien om zonder inspanning en zonder verantwoordelijkheden seksueel aan zijn trekken te komen tijdens de vakantie. 'Ik hoop dat je zelf duidelijker was dan hij.'

'Natuurlijk. Ik heb gezegd dat als hij me nu niet wilde, hij het voor altijd kon vergeten. Alleen meende ik dat niet. Dat weet hij net zo goed als ik.'

Natalie begon stilletjes te huilen en legde haar hoofd tegen zijn schouder. Hij streelde met zijn andere hand over haar haren. Zijn arme meisje.

Ze was altijd de kwetsbaarste geweest. Susannah was heel sterk. Een schoonheid vol talent en zelfvertrouwen. De enige zorgen die Anna en hij over haar ooit hadden gehad waren van praktische aard: waar was ze? Hoeveel hoger konden haar schulden aan de toneelschool nog worden? En Bridget was simpelweg gelukkig, zelfs als kind al. Baby Bridget kon je in de woonkamer op een mat van nog geen vierkante meter zetten zonder dat ze eraf zou kruipen. Ze zat gewoon tevreden te spelen met wat er voorhanden was en had geen belangstelling voor wat buiten haar bereik lag. Ze maakte zich niet vies en huilde zelden. Als volwassen vrouw was ze nog steeds zo. Ze had Karl gevonden en was op een rustige manier indrukwekkend gelukkig met hem. Ze kroop nooit van de mat.

Natalie had hem altijd de meeste zorgen gebaard. Toen ze een jaar of tien was, werkte hij in Londen. Ze was in de zomervakantie een keer met Anna en haar zusjes naar Londen gekomen om met hem te lunchen en daarna naar Madame Tussaud te gaan of zo. Ze waren toen langs een dakloze man gekomen, die in een dunne slaapzak bij de ingang van de metro zat, met een magere hond op zijn schoot. Ze had de hele dag nergens anders over gepraat. Wat gaf hij de hond te eten? Waarom was er geen plek waar ze konden slapen? Hoe moesten ze zich wassen? Haar grote ogen waren wijd open van bezorgdheid en hij herinnerde zich dat hij haar had willen optillen en vasthouden, om haar te beschermen tegen de wereld. Dat gevoel had hij ook weer nu ze op een bankje in het park tegen zijn schouder aan zat te huilen.

Het werd niet gemakkelijker om haar te beschermen, alleen maar moeilijker. En ze had hem dit nu pas verteld.

'Waarom heb je niets gezegd toen je met Kerstmis thuis was?' vroeg hij.

'Ik weet het niet. Uit schaamte, denk ik.'

'Waarom zou jij je moeten schamen?' Nicholas klonk bozer dan hij bedoeld had.

'Ik voel me een mislukkeling, pap. Niemand wil me hebben.'

Nicholas' borst deed pijn. 'Dat is niet waar, lieverd.'

'Ik weet wat je gaat zeggen, pap, want je hebt het al eerder gezegd. Hij verliest het meeste, hij is dom, ik ben knap en lief en ergens wacht er een geluksvogel op me die me gelukkig zal maken. Ik heb het eerder gehoord. En ik heb het geloofd, maar nu geloof ik het niet meer.'

'En dat komt door Simon.'

'Ja. Ik hield echt van hem, pap. Ik hóu echt van hem. Zes jaar lang. Zes jaar heb ik alleen maar van hem gehouden.'

'En denk je echt dat het voorbij is?'

'Ik weet het niet. Misschien. Ik weet het niet. Maar het is verpest, niet dan? Zelfs als hij van gedachten verandert.' Ze haalde een pakje zakdoekjes uit haar zak en snoot haar neus. En ik wilde jullie kerstdagen niet verpesten met mijn slechte nieuws. Ik wist dat mam toch al van streek was omdat Suze zo ver weg is, en Bridge en Karl zijn zo gelukkig en...'

'Ik wou dat je het ons verteld had.'

'Ik ook. Het spijt me, papa.'

'Sst.' Papa? Hoe lang was het geleden dat ze hem zo had genoemd? 'Dat doet er niet meer toe. Je hebt het mij verteld. Daar ben ik blij om.'

'Zeg jij het tegen mam?'

'Natuurlijk doe ik dat, als jij dat wilt.'

Natalie knikte. Erover praten en nadenken was buitengewoon vermoeiend. En ze had geen idee hoe mam het nieuws zou opnemen.

'Weet Bridget het?'

Ze schudde haar hoofd. 'Alleen Rose. En Tom.'

'En daarom was je met hem op stap.'

'Ja. Mijn ridder op het witte paard... Hij heeft me gered. Hij weerhield me ervan alleen in mijn flat een fles wodka leeg te drinken en te stikken in mijn eigen braaksel.' Ze lachte. Een klein, triest lachje.

'Dat is niet iets om grapjes over te maken,' zei Nicholas. 'Godzijdank was Tom er. Ik mag die jongen graag.'

'Ik mag hem ook graag.' Natalie stond op en huiverde. 'Het is verdraaid koud, vind je niet?'

Nicholas merkte nu pas dat zijn voeten verkleumd waren. 'Een beetje fris, inderdaad.'

'Laten we naar huis gaan.'

Hij hield de hele weg terug zijn dochters hand vast.

Karl en Bridget parkeerden net aan de overkant van de straat toen ze bij het huis aankwamen. Christina sprong uit de auto en waggelde meteen kraaiend naar haar opa. Hij tilde haar op tot boven zijn hoofd en trok haar toen in een langdurige omhelzing. 'Gelukkig Nieuwjaar, kleintje!' Hij wilde haar niet neerzetten. Ze waren op deze leeftijd veel gemakkelijker te beschermen. Hij hield haar stevig vast tot ze zich los probeerde te wringen.

Natalie moest haar armen flink spreiden om haar zus te kunnen omhelzen. 'Alles goed, Moby?'

'Wacht jij maar!'

'Zeker een wilde nacht *chez vous* gehad, hè?'

'Waanzinnig! Karl heeft mijn voeten gemasseerd en ik heb een tas ingepakt voor het ziekenhuis.'

Natalie lachte. Dat klonk leuk.

'En jij?'

'Veel te veel wijn in de kroeg met Tom.' Bridget trok een wenkbrauw op. 'Lang verhaal. Ik vertel het je nog wel.'

'Oké.'

Karl kuste haar op haar wang. 'Gelukkig Nieuwjaar, Nat. Waar is Simon?'

Natalie keek van Bridget, die Karl intuïtief een waarschuwende blik toewierp, naar haar vader, die zijn wenkbrauwen optrok en toen naar haar knipoogde, Christina's hand vastpakte en naar het huis liep. Dat zou nu zij er waren in elk geval niet zo leeg lijken, dacht Nicholas.

*Patrick en Lucy*

'Je was erg stil,' zei Lucy toen ze naar huis reden. Bella en Ed waren na twee weken vol spanning en laat opblijven in slaap gevallen zodra ze in de auto zaten.

'Mmm.'

'Gaat het wel?'

'Ik had je misschien toch moeten laten bellen om het af te zeggen. Ik was niet in de stemming.'

Lucy legde haar hand op zijn bovenbeen. 'Ik weet het. Het spijt me.'

'Het is wel goed. Jij hebt het in elk geval naar je zin gehad. En de kinderen hebben genoten.' Hij keek over zijn schouder naar de achterbank. 'Ze zijn helemaal uitgeteld. Die wandeling heeft ze de das omgedaan.'

Ze hadden na de lunch door de bossen achter het huis van Alec en Marianne gewandeld. De kinderen waren in alle richtingen door de struiken weggestoven, hadden achter de hond aan gerend en kleine sneeuwballen gemaakt van het beetje sneeuw dat er nog lag.

Ed was gestruikeld en jammerend op het pad blijven liggen. Lucy was bij hem neergehurkt en Alec was met haar achtergebleven, zodat Marianne en Patrick een eindje voor hen liepen op het smalle pad. Ze liepen te praten, maar Lucy hoorde niet waarover.

Ed herstelde wonderbaarlijk snel van zijn levensbedreigende verwonding en ging de anderen achterna. Alec stak zijn hand uit en trok Lucy overeind. Hij liet haar niet meteen los. 'Het is fijn om je te zien.'

Ze probeerde het luchtig te houden. 'Ja, het was gezellig, hè?'

Zijn greep op haar vingers leidde haar af. Ze bleven elkaar even aankijken, toen liet hij haar hand los en begon hij te lopen. Maar toen hij weer sprak, was dat op gedempte toon, alleen voor haar oren bestemd: 'Ga je wel eens naar Londen?'

'Waarvoor?'

'Om te winkelen, of... zo maar.'

'Waarom?'

'Ik zou graag een keer met je lunchen.'

Ze staarde hem aan.

'Alleen maar lunchen, Lucy. Ik wil je graag zien, met je praten. Dat is alles. Daar is niets mis mee, toch? Twee vrienden die samen lunchen?'

'Zou je het Marianne vertellen?'

Hij aarzelde.

'Dan is er wel iets mis mee, Alec.'

'Het spijt me.'

Patrick draaide zich om. 'Komen jullie?'

Lucy versnelde haar tempo. 'Ja hoor. Ik wist niet dat het een mars was!'

Marianne lachte.

Ze waren nu thuis en de kinderen gaven geen kik toen ze de motor uitschakelde.

'Laten we eens kijken of we ze zo in bed kunnen leggen, dan kunnen we daarna praten.'

'Dat lijkt me prettig.'

Bella was voldoende wakker geworden om even te gaan plassen en haar pyjama aan te trekken, maar was toen dankbaar in bed gestapt. Wat Ed betrof, hem trok Lucy alleen zijn broek en trui uit en toen stopte ze hem in zijn T-shirt van de Power Rangers in bed.

Beneden maakte Patrick een fles wijn open. Lucy voelde een beginnende hoofdpijn opkomen en wist niet zeker of ze wel een glas wilde, maar nam er toch een aan en probeerde geruststellend te kijken in plaats van medelijdend. Ze deed alsof.

'Dus...'

'Dus.'

Ze wilde hem beschuldigingen in het gezicht gooien. Het deed pijn dat hij drie weken had gewacht voor hij het haar vertelde. Het deed pijn dat hij haar tijdens de kerstdagen in onwetendheid had gelaten, dat hij de last alleen had gedragen en er niet over had gepraat. Ze begreep niet waarom hij niet meteen op de dag zelf naar haar toe was gekomen om het haar te vertellen.

'Het spijt me dat ik zo lang heb gewacht met het je te vertellen.'

'Waarom heb je dat gedaan?'

'Ik wilde je beschermen, denk ik.'

'Ik ben een volwassen vrouw, Patrick. Je hoeft me niet te beschermen.' De toon waarop ze het zei was norser dan ze bedoeld had.

'Ik geloof dat ik dacht dat ik het wel zou regelen.'

'Het zou regelen? Je bent op straat gezet. Dat had je me moeten vertellen.'

Patrick wreef in zijn ogen. Hij zag er moe uit. 'Ik weet het. Ik kan het nu echt niet hebben dat je boos op me bent, Luce.'

Ze zette haar glas neer en liep naar hem toe. 'Ik ben niet boos, Patrick. Hoe kon je dat zelfs maar denken? Natuurlijk ben ik niet boos. Ik hou van je.' Ze was zich er sterk van bewust dat ze dat had gezegd omdat hij het nodig had, niet omdat het de overheersende gedachte in haar hoofd was. Ze sloeg haar armen om hem heen en voelde dat hij zich ontspande.

Hij begon bijna te huilen. 'Ik hou ook van jou.'

En toen kuste hij haar. Het voelde vreemd aan, na al die weken. Zijn handen duwden haar trui over haar schouders omlaag en zijn vingers frummelden met haar beha. Hij drukte hard tegen haar been. Hij had haar al zo lang niet aangeraakt dat Lucy bijna meteen opgewonden was. Ze trok hem de woonkamer in en op de bank. Hij gooide haar beha op de grond en zoog hongerig aan haar tepels. Even legde ze haar handen op zijn achterhoofd en hield ze hem aan haar borst gedrukt, voelde ze hem zuigen. Toen stak hij zijn hand onder haar rok, rukte hij aan haar slipje, stak hij zijn vingers in haar en wist hij hoezeer ze naar hem verlangde. Ze duwde haar heupen naar hem omhoog, wilde dat hij voortmaakte.

En toen kon hij het niet. Ze voelde dat hij tegen haar aan drukte, maar hij was niet stijf meer.

Hij hield zijn hoofd tegen haar hals gedrukt en bleef stoten, maar het was zinloos. Lucy liet haar handen naar zijn billen glijden en hield hem stil. 'Het spijt me.' Zijn stem klonk gedempt.

'Hé, dat hoeft toch niet. Laat mij maar...' Ze rolde hem op zijn zij, schoof omlaag op de bank en nam hem, klein en slap, in haar mond.

'Laat maar, Lucy. Er gaat niets gebeuren, daar geloof ik niks van.'

Lucy streek haar haren weg uit haar gezicht en glimlachte naar hem. 'Ach ja, te veel wijn bij de lunch, misschien.'

'Alles goed met jou?' Nee; ze voelde zich machteloos. Wekenlang had ze naar hem verlangd en nu had hij het vuurtje aangewakkerd en was toen opgehouden.

En toen hij later in bed van haar weg was gerold en in slaap was gevallen, en zij onder het dekbed zichzelf bevredigde, heel zachtjes om hem niet wakker te maken, was het Alecs gezicht dat ze zag en stelde ze zich voor dat het Alecs vingers waren die haar streelden.

Patrick en zij hadden nog steeds niet gepraat. En het nieuwe jaar was niet nieuw meer.

*Tom*

Tom duwde met zijn rug de deur open, met drie bekers koffie op elkaar in zijn handen. Hij vond het nog steeds een kick om het logo buiten op de muur te zien. Ze hadden het kantoor nu negen maanden. Ze hadden het gehuurd toen ze zich realiseerden dat ze hun idee ten uitvoer konden brengen. Hij had zes maanden daarvoor zijn baan al opgezegd en had een tijd vanuit de woonkamer van zijn flat gewerkt, maar dit was geweldig. Een echte kantoorruimte. Met een waterkoeler en een fantastisch espressoapparaat dat meer had gekost dan de vergadertafel en stoelen, omdat die van Ikea kwamen en het apparaat van Harrods. Rob was beter in dat soort dingen dan hij. Hijzelf had gemeend dat hij prima vanuit zijn flat kon werken. Rob was degene die hem had overgehaald deze ruimte te huren, en Robs vriendin Serena had hem ingericht. Hoewel hij het zelf een beetje kaal vond, kon hij aan de gezichten van de klanten die binnenkwamen wel merken dat het er goed uitzag.

Ze vormden met hun tweeën een goed team. Of met hun drieën, als je Serena meetelde, die alomtegenwoordig was. Maar goed dat hij ook dol op haar was, anders zou hij misschien behoorlijk jaloers zijn geweest. Een jaar geleden leidden Rob en hij een leven van relatieve losbandigheid in de vrijgezellenhemel die hun tweekamerflat was, en runden ze een steeds succesvoller website-ontwerpbureautje vanuit een hoek van de woonkamer die niet vol stond met X-box, dvd's en cd's, en genoten daar met volle teugen van.

Nu werden ze steeds volwassener. Rob was bij Serena ingetrokken, die hij tijdens een conferentie had ontmoet. Ze gaven etentjes en hadden fatsoenlijke handdoeken en belachelijk veel kussens. Ook al had ze een einde gemaakt aan enkele van de minder gezonde elementen van Toms leven met Rob, hij moest toegeven dat ze op zakelijk gebied een onmiskenbaar goede invloed op hen had. Ze was briljant. Haar ideeën waren origineel – ze zou zelfs eskimo's nog een koelkast kunnen verkopen – en iedereen die haar ontmoette werd een beetje verliefd op haar. Ze was aantrekkelijk, stijlvol en grappig, maar je wist gewoon dat je niets met haar moest uithalen. Tom was blij dat hij niet op haar viel. Hoewel hij zich realiseerde dat ze hem geen blik meer waardig zou keuren sinds ze Rob had ontmoet – ze noemde hem Achilles als ze samen waren, omdat hij haar enige echte zwakte was. Ze had een fascinerende lezing over internetcopyright gemist tijdens die conferentie omdat ze onder de lunch met hem had zitten kletsen. En zwakker kon het niet wat Serena betrof.

Tom genoot ervan de flat voor zichzelf te hebben. Hij was een beetje een sloddervos en een flamboyante maar morsende kok, en hij had soms last van slapeloosheid. De vrijheid om zijn vuile sokken op de vloer in de woonkamer te laten liggen en 's nachts om drie uur Thaise curry klaar te maken beviel hem dan ook uitermate goed. Ze draaiden bovendien een leuke omzet, dus dat was prima. Hij verdiende al meer dan zijn hoogst genoten salaris in dienstverband toen hij daar vorig jaar uitstapte, en volgens hem was dat helemaal niet slecht. Het leven was goed.

Serena was er die ochtend. Ze trok een wenkbrauw op toen hij haar een beker koffie gaf. 'Word ik te veel een deel van het meubilair hier?' vroeg ze.

'Maar goed dat je zo decoratief bent, meer zeg ik er niet van,' zei Tom met een knipoog.

'Sodemieter op! Decoratief!' Maar Serena lachte.

'Ik ben eigenlijk blij dat je er bent. Ik heb een nieuw project waar ik wel wat advies bij kan gebruiken...'

'Vraag maar raak. Rob is trouwens naar de bank, hij zal er over een minuut of tien wel zijn.'

'Meer heb ik niet nodig. Kijk, het punt is, het heeft niets met webdesign te maken...'

Toen Rob vijf minuten later binnenkwam hoorde hij Serena nog net zeggen: 'Ik weet niet of ik je een genie of een dwaas moet noemen, Tom...'

'De grootste genieën zijn altijd een beetje dwaas,' citeerde Rob hartelijk.

'Wat? Heb je je vaders spreukenkalender ingeslikt?' Serena gaf hem een klap op zijn dij.

Hij kuste haar in de nek. 'Wat heeft hij gedaan?'

'Hij probeert zijn oudste maatje te versieren.'

'En ik heb nog zo gezegd,' grapte Rob, 'dat ik al bezet ben.'

'Jij niet, makker.' Tom glimlachte. 'Er is iemand die ik langer ken dan jou. Natalie. En het is geen versieren, maar veeleer een experiment.'

'Dat heel goed in je gezicht zou kunnen ontploffen, beste vriend,' zei Serena met een wijs knikje en met een blik van Tom naar Rob over de rand van haar trendy zwartgerande bril.

Tom haalde zijn schouders op. 'Of twee mensen heel gelukkig kan maken.'

'Gaat iemand me nog vertellen wat je verdorie van plan bent?'

Serena wees naar Tom. 'Tom gaat zesentwintig dagen samen met Natalie allerlei alfabetische "activiteiten" ondernemen in een poging haar ervan te overtuigen dat ze bij hem hoort in plaats van bij Simon of bij wie dan ook.'

'Waar is Simon dan gebleven?'

'Die heeft haar gedumpt. Net voor de feestdagen, zo'n beetje op de dag dat zij verwachtte dat hij haar een aanzoek zou doen, of minstens met haar op een tropische vakantie zou gaan.'

'Wat een klootzak!' zei Serena vol overtuiging.

'Dus je denkt dat dit het juiste moment is om een zet te doen?' Rob klonk bijna als lieve Lita. 'Denk je niet dat Nat beter eerst een poosje haar wonden kan likken?'

'Dat ga ik voor haar doen.'

'Wat smerig.'

'Bij wijze van spreken.'

Serena lachte. 'Nou, goed dan, Tom. Je kunt op ons rekenen. We zullen toekijken terwijl jij jezelf belachelijk maakt en naderhand de scherven oprapen.'

Rob grinnikte. 'Het brengt wel wat leven in de saaie wintermaanden.'

'Maar...' Serena ging vlak voor hem staan, met haar neus bijna tegen de zijne, 'doe haar geen pijn, hoor je me? Waag het niet.'

'Ik beloof het je!' Tom kuste haar op haar wang.

Toen grinnikte hij, pakte zijn muis en klikte op de Encarta. Hij zou beginnen met de A.

*Natalie*

Christina, Bridgets achttien maanden oude baby, lag op de bank te slapen. Armen en benen uitgestrekt, haar T-shirt omhoog gekropen zodat haar zachte, ronde buikje zichtbaar was, lag ze volstrekt tevreden te snurken. Natalie keek even naar haar, pakte toen de afstandsbediening en zette *De Teletubbies* uit. 'Het is een schatje, Bridge.'

'Je timing is gewoon heel gunstig, zus. Ze is niet zo schattig als ze 's nachts om drie uur feest viert in haar bedje, geloof me.'

'Dat regelt Karl tegenwoordig toch meestal wel?'

'Hij doet het niet slecht, godzijdank, maar hij is afgepeigerd. En hij moet op tijd opstaan om te gaan werken. Ik kan tenminste thuisblijven met Christina en even een tukje doen als zij slaapt.' Ze trok een grimas. 'Nadat ik de wasmachine heb aangezet, alles schoongemaakt na het ontbijt, en dan bedoel ik de muren, de vloer én de tafel, en vooropgesteld dat ik een beetje een comfortabele houding kan vinden, wat eerlijk gezegd steeds moeilijker wordt.'

Natalie maakte meelevende geluiden. 'Zal ik weggaan?'

'Nee, nee... dat bedoel ik niet.' Bridget klopte naast zich op de bank. 'Kom me eens wat meer vertellen over dat alfabetspel. Ik kan alleen maar obscene dingen bedenken... zullen de hormonen wel zijn. De B van beffen... de C van...'

'Jakkes! Dat is een heel ander spelletje, waar jij aan denkt. En hoe kun jij er in jouw toestand over fantaseren "het" te doen?'

'Omdat ik van erover dagdromen in elk geval geen kramp in mijn benen krijg, of andere technische problemen, die zich voordoen als we het echt doen.'

'Te veel informatie. Hoor jij het niet bij zuivere gedachten te houden?'

Bridget lachte. 'Je hebt nog veel te leren, zusje.'

'Nou, dank je, ik heb geen haast. Ik ben waarschijnlijk zelfs verder van koters verwijderd dan in jaren het geval is geweest, niet dan?'

'Met Simon, misschien. Wat eerlijk gezegd voor ons allemaal een opluchting is. Ik had weinig zin om de rest van mijn leven het kerstdiner en de zomervakanties met hem door te moeten brengen.'

'Bridget!'

'Ik zeg gewoon de waarheid! Hij was de meest irritante, arrogante, zelfingenomen...'

'Oké, oké!' Natalie vond het fijn dat ze het zei, maar genoeg was genoeg. 'Maar daar hoef je je dus geen zorgen meer over te maken, wel? Hij is uit beeld.'

'Als we het daarentegen over Tom hebben...'

'Wat mankeert iedereen toch? Ik kreeg dezelfde reactie van Susannah toen ik het haar laatst aan de telefoon vertelde. Hij is verdorie als een broer voor ons.'

'Maar hij ís niet onze broer, of wel, Nat? Hoe was het trouwens met Suze?'

'Zoals altijd. Tien minuten over de soeks en de zon, vijf minuten over Casper, dertig seconden over ons allemaal.'

'Doe niet zo vervelend. Ze is gewoon opgewonden, dat is alles. Laten we wél wezen, haar leven is de laatste tijd een stuk opwindender dan dat van ons, nietwaar? En Casper heeft lang op deze kans gewacht.'

Bridget was altijd zo verdraaid redelijk – het was gewoon onnatuurlijk, zoals ze altijd naar het goede in iedereen zocht.

'Ik denk niet echt dat we hem snel in alle talkshows zullen zien. Hij mag nauwelijks tien zinnetjes zeggen.'

'Het is een begin.'

'Oké. Ik snap het al.' Bridget maakte altijd dat Natalie aardiger wilde zijn. Toen ze nog klein waren had ze het soms vreselijk gevonden, maar nu was ze bezoekjes aan haar zus min of meer gaan zien als een soort biecht – zij gooide al haar venijn, wrevel en sarcasme eruit en Bridget stuurde haar doezelig van warme gevoelens weer weg. Meestal. Daarom was ze zo geschokt door haar zusters kijk op Simon; het was helemaal niets voor haar om zo over iemand te praten.

'Terug naar Tom. Ik ga er van uit dat je het doet?' vroeg Bridget.

'Zoals Tom al zei heb ik de komende paar maanden niet bepaald iets anders te doen, wel?'

'Er vallen hier aardig wat boertjes te laten, je kunt voeden en luiers verschonen...'

'Hoe verleidelijk het ook klinkt, Bridge, ik kies toch maar voor zijn benadering. We zullen veel lol hebben, dat hebben we altijd. En als hij zijn best wil doen om mij op te vrolijken, dan vind ik dat prima. Maar er gaat niets gebeuren en er zal niets uit voortkomen. Dat weet je gewoon, niet dan? Ik bedoel, jij wist het bij Karl toch ook meteen?'

'Niet meteen. Pas na de eerste wasbeurt, geloof ik!'

Bridget was verpleegster geweest op een ic-afdeling in het ziekenhuis. Karl was met honderdzeventig kilometer per uur van zijn Ducati gevallen en was binnengekomen met een viervoudige beenbreuk, vijf gebroken ribben, een verbrijzelde pols en de helft van het grind van de M4 in zijn lijf. Tegen de tijd dat hij uit het tractie-apparaat mocht was hij zwaar aan haar verknocht, en hoewel Bridget aanvankelijk dacht dat het door de pijnstillers en de verveling kwam, waren ze getrouwd zodra hij van de pijnstillers en de krukken af was.

'Je wist het! Ik herinner me nog dat je die week helemaal anders was. Je was ontspannen, tot rust gekomen. Je had "de ware" gevonden. Dat weet je heel goed.'

'Oké, ik geef toe dat hij bijzonder was. Maar dat ging om mij. Jij bent heel anders dan ik. Niet iedereen wordt op dezelfde manier verliefd. Geef jezelf een kans, Nat. Simon heeft je echt belazerd. Weet je nog hoe zeker je van hem was, en kijk nou wat er gebeurd is. Je instinct had er niet verder naast kunnen zitten, wel dan? Dus wat heeft al die onzin over "de ware" en het "gewoon weten" je nou opgeleverd? Je zit alleen met een gebroken hart. Dat is niet bepaald een fantastische aanbeveling.'

Natalie leek nog niet overtuigd.

'En luister, al wordt het niets, prima. Maar ik sta aan Toms kant. Doe het, speel het spel mee. Om wat voor reden dan ook. Maak gewoon wat plezier. Wat kan dat nou voor kwaad?'

Ze glimlachten naar elkaar.

'En beloof me dat je langs komt als ik in deze bunker vastzit, tot mijn ellebogen in de babypoep en de melk en de onmogelijk kleine kleertjes!'

Later thuis ademde Natalie diep in en keek toen om zich heen. Haar flat moest echt ont-Simond worden. Het was niet zozeer dat het er vol stond met zijn spullen. Dat was juist niet het geval. Er waren alleen een hoop dingen die haar aan hem herinnerden. Die potplanten – daar had ze hem om half zes 's ochtends voor uit bed gesleurd om naar de bloemenmarkt te gaan. De geruite deken op de armleuning van de bank – die had ze de afgelopen jaren zo vaak over hem heen gelegd als hij na een lange dienst voor de televisie in slaap was gevallen. De kaarsen in de open haard – die staken ze vaak aan op zondagavond, dan dronken ze een glas rode wijn op de vloer ervoor, luisterden naar muziek en bedreven meestal de liefde en vielen in slaap, om een paar uur later koud en stijf wakker te worden. Aan alles hing een beeld van hem vast.

Ze dwaalde de keuken in. Die deed haar niet al te zeer aan hem denken; hij kwam er bijna nooit. Ze glimlachte even. Luie donder. Hij zei altijd dat als je goed thee leerde zetten, of gepocheerde eieren maken, je die voor altijd zou moeten blijven maken. Aan de achterkant van de keukendeur hing echter zo'n plastic zak met vakjes voor foto's, waar zo'n vijftig foto's van hen samen in zaten. Gezichten bij elkaar, glimlachend. In galakleding, in badkleding. Tegen een achtergrond van sneeuw. Tussen de kerstversieringen. Simon als travestiet, zij als sexy verpleegster... Ze haalde het ding zonder ernaar te kijken van de deur en stopte het achter de bank.

## Januari

# De A van Abseilen

Natalie hoorde Toms claxon om klokslag zeven uur. Hij kwam nooit te laat. Simon wel, die kwam altijd te laat. Niet bij patiënten, alleen bij haar. Ze was nog steeds op Simon ingesteld.

Om tien over zeven toeterde hij weer.

'Ja, verdorie, ik kom al,' riep Natalie naar de lege kamer achter haar terwijl ze de deur van haar flat dichttrok.

Ze had tenminste een reden om een weekendtas in te pakken, al was Tom het dan maar. Natalie vond het leuk om een weekendtas in te pakken. Ze hamsterde de kleine flesjes en flacons van de voordeeldrogist en monstertjes uit tijdschriften, en bewaarde die in een tas van Anya Hindmarch die Susannah ooit had gekregen toen ze op een vlucht van British Airways een betere zitplaats kreeg dan ze geboekt had. Die tas stond altijd klaar. Dat gaf haar een gevoel van luxe: het idee dat ze elk moment naar Babington House of naar Gleneagles zou kunnen vertrekken. Nu zat hij in haar weekendtas (namaak-Mulberry, M & S), tussen een reisföhn en twee setjes bij elkaar passend ondergoed. Altijd bij elkaar passend ondergoed in de weekendtas.

Als hij één kamer had geboekt, kon hij het wel vergeten. Ze wilde twee meter bedlinnen voor haar alleen. Godzijdank had hij wel geld. Hij mocht het proces van haar opvrolijken dan vermomd hebben als dat belachelijke alfabetspel, ze wist dat ze heel wat af zouden lachen. Ze verheugde zich erop om een beetje in de watten te worden gelegd. Misschien gingen ze zelfs wel naar een kuuroord...

Tom had de kofferbak opengezet en leunde tegen het passagiersportier. 'Kom op.'

'Ta-da!' Natalie spreidde haar armen en draaide een keer in het rond. 'Ik ben klaar voor de A. Of moet ik zeggen, ik ben Alleszins Aan de A toe, Als jij Al zover bent...'

'Je bent de L van Laat.'

Ze negeerde hem. 'Kom op, dan. Waar gaan we heen? Hou me niet in spanning!'

'We gaan abseilen.'

'Je houdt me zeker voor de gek?'

'Nee, de uitrusting ligt in de auto.'

'Uitrusting?'

'Slaapzakken, klimschoenen. Jij hebt maat 37, als ik dat vorige week tenminste goed heb gezien op je schoenen, Rescue Remedy, ingrediënten voor een lunchpakket...'

'Het is toch echt een grapje, of niet?'

'Ik ben volkomen serieus. We slapen vannacht in een barak op Dartmoor, en het duurt nog uren voor we daar zijn, dus kun je misschien je mond houden en instappen? We hadden een afspraak.'

'Ik kan me niet herinneren dat ik ermee heb ingestemd om levensgevaarlijke dingen te doen.'

Tom glimlachte. 'Je bent hartstikke veilig. Vertrouw me maar.'

'Ja, nou, dat klinkt niet erg geloofwaardig, vind je wel? Dankzij mijn vertrouwen in jou zit ik nu hier.'

Tom startte de auto en voegde in.

Natalie keek naar hem. Hij had zijn voorhoofd gefronst in concentratie, zijn ene wenkbrauw – die met het kleine litteken van toen hij op zijn veertiende van een duikplank was gevallen – iets hoger dan de andere. 'Abseilen? Echt waar?'

'Echt waar.'

'In januari? Echt?'

'Echt.'

Een uur later, op de M5, geloofde ze hem nog steeds niet. Misschien werd het Exeter of zo. Of Topsham. Er waren daar vast volop hotels, van het soort met linnen lakens, dure shampoo en een sauna. Hij meende het vast niet serieus.

En als hij het toch meende, bewees dat alleen maar wat ze al die tijd al had gezegd, sinds dat idiote gesprek in de kroeg met oudjaar. Hij was beslist niet de juiste man voor haar.

Ze werd wakker van haar eigen gesnurk, trok met een ruk haar hoofd recht en realiseerde zich dat de auto stilstond. En dat het bijna pikdonker was. De slagregen bemoeilijkte het zicht op wat duidelijk het enige gebouw in een omtrek van kilometers was, met zwakke verlichting vanachter de kleine raampjes.

'We zijn er.' Tom rekte zich naast haar uit, zijn onderarmen plat tegen het dak van de auto. 'Bedankt voor het geweldige gezelschap.'

'Ik was moe.'

'Maar goed ook, eigenlijk. Ik heb sterk het vermoeden dat je je zult gedragen als de prinses op de erwt nu je de barak hebt gezien.'

'Dat zit er dik in.'

De geur van nat neopreen kwam hen tegemoet toen de ze deur opendeden. Meteen links van hen was een droogkamer vol druipende wetsuits die als karkassen in een slachterij hingen te bungelen. Rechts van hen was de huiskamer met een stel beschimmeld uitziende banken, een paar formica tafels en stoelen en een gezin in allemaal dezelfde fleecetruien, verdiept in een spelletje scrabble. Overal hingen bordjes die hen opriepen 'de lampen uit te doen', 'rekening te houden met anderen' en 'verantwoordelijk om te gaan met afval'.

Tom keek naar Natalie.

'Scoutingkamp-flashback. Wat bezielde je in hemelsnaam, Tom?'

'Het komt wel goed. Laten we onze kamer gaan zoeken.'

'Onze kamer?' Ze liep achter hem aan de trap op.

Ze wilde hem arrogant noemen, maar toen zag ze de stapelbedden. Je moest een slangenmens zijn om daar in te komen. Het matras was ongeveer zestig centimeter breed, er was geen opstaande rand en zo te zien ook geen ladder naar boven. Jeetje.

Natalie bleef in de hoek staan terwijl Tom hun slaapzakken uitrolde en klaarlegde. 'Wil jij boven?' Hij trok een paar keer zijn wenkbrauwen op. Ze was te geschokt om zelfs maar in het aas te happen en haalde haar schouders op.

'Nou, waar heb je zin in, de bar, of een magnetronmaaltijd bij de familie Scrabble daar beneden?'

'Bar.'

'Ga je dit weekend nog tegen me praten in volledige zinnen, of blijft het bij eenlettergrepige uitspraken?'

'Als je hele zinnen wilt, kun je me maar beter wat te eten geven en me dan naar huis brengen.'

Hij duwde haar de trap af.

De bar hielp een beetje. Een open vuur en een groot bord chili. Diverse glazen whisky.

'En,' vroeg ze, 'heb jij het ooit gedaan, abseilen?'

'Nee. Wel gebungeejumpt toen ik in Australië was. Weet je nog?'

Het jaar dat Tom ertussenuit was geweest. Haar eindexamenjaar. Hij had haar een keer straalbezopen om drie uur 's nachts gebeld vanuit een bar in Queensland om haar succes te wensen met haar examen. Ze knikte.

'Het lijkt me dat dit niet moeilijker kan zijn dan dat.'

'Je bent anders wel zo'n vijftien jaar ouder,' zei ze.

'Dat klopt. Maar ik vind toch ook weer niet dat ik op mijn retour ben. Jij wel?'

'Dat weet je heel goed!'

'Maar heb je je niet altijd al afgevraagd hoe het zou zijn?'

Ze keek hem aan alsof hij krankzinnig was. 'Ik kan je in alle eerlijkheid vertellen dat ik daar tot zeven uur vanavond nog nooit over heb nagedacht. En nu ik dat wel doe, ben ik alleen maar doodsbang.'

'Daar gaat het nou juist om, Nat. Dat je de angst voelt en het dan toch doet.'

'Hou je mond. Je klinkt als zo'n belachelijk zelfhulpboek.'

'En jij klinkt als een slappeling.'

'Ga je me dwingen om het te doen?'

'Nee, dat beloof ik je. Als je het echt niet wilt, dan doe je het niet. Daar zul je mij dan verder niet over horen.' Hij keek plotseling ernstig.

En Natalie voelde zich een beetje veiliger. Dan was het goed. Ze hoefde het niet per se te doen.

Ze werd na een bijzonder oncomfortabele nacht gebroken wakker. Telkens wanneer Tom zich boven haar bewoog, kraakten de latten van het krakkemikkige stapelbed angstaanjagend. Ze had een hekel aan slaapzakken, omdat je daarin niet uitgestrekt kon liggen. Ze klaagde echter niet. Ze at zwijgend haar galgenmaal, terwijl Tom geanimeerd kletste met de fleecefamilie. Daar was hij goed in: hij kon met iedereen praten. Ze probeerde zich Simon in de barak voor te stellen. Hij zou natuurlijk niet gebleven zijn, maar als hij wel was gebleven... Hij zou vreselijk grof en grappig zijn geweest over die mensen. Over hun kleren, hun frisgewassen enthousiasme en hun accent. Grappig, maar gemeen.

Ze zag het viaduct van ongeveer een halve kilometer afstand, en het werd steeds hoger toen ze er in de smerige landrover van de instructeur heen reden. Clive, een van de jonge kerels die hen begeleidde en die er, net als veel politieagenten tegenwoordig, ongelooflijk jong uitzag, vertelde hen dat het ongeveer dertig meter hoog was, maar hij zat duidelijk te liegen – het was minstens driehonderd meter. De jongens begonnen, volstrekt blasé over de klus die voor hen lag, hun knopen te leggen en touwen te rangschikken. Het voelde voor Natalie nog steeds onwerkelijk. Ze was hier niet het type voor – ze deed dit soort dingen nooit.

'Hoort er niet een muur of zo te zijn voor je voeten?' vroeg ze aan Clive. 'Nee!' zei hij grijnzend. 'Zo is het veel leuker, geloof me. Alleen jij en het touw en de lucht... het heerlijkste gevoel op aarde.'

Dat betwijfelde ze. Een muur was veel beter geweest. 'Dit is echt typerend voor jou,' beet ze Tom toe, die zijn harnas aan het aantrekken was.

'Hoezo?'

'Herinner je je die duikplank nog?'

Natalie was toen elf geweest. Het was een van die eindeloos lange, hete zomers geweest die tegenwoordig niet meer leken voor te komen, zo'n zomer dat al het gras bruin werd en je ouders 's avonds buiten nog wat dronken en vergaten je in bed te stoppen. Susannah, Bridget en Natalie waren gaan zwemmen. Mam was niet meegegaan – ze wilde in de tuin blijven zitten, zei ze, niet in een lawaaierig, zweterig binnenbad dat naar chloor en hormonen stonk. Ze waren op de fiets gegaan en Suze had wat te eten en te drinken in een rugzak gestopt. Bridget noemde het telkens een avontuur en Suze zei telkens dat ze haar mond moest houden. Haar idee van avontuur was heel wat minder tam.

Onderweg hadden ze Tom en Genevieve gezien, die lusteloos op de lage muur voor hun huis zaten – Patrick was op kamp in Dorset met de scouting – en hadden hen toegeroepen dat ze ook moesten komen.

Tom had haar gedwongen van de hoge duikplank te gaan. Hij had haar uitgedaagd en opgejut en geïntimideerd.

'Verdorie, Nat. Neem je me dat nou nog steeds kwalijk?'

'Ik herinner het me nog als de dag van gisteren.'

'Maar dat was het niet. Het was 1978 of zoiets, belachelijk lang geleden. Ik wist dat niet eens meer, tot jij het net zei. En zelfs nu kan ik het me nauwelijks herinneren.'

'Dat komt omdat jij niet plat op je buik terechtkwam, wat trouwens erg zeer deed, én het bovenstukje van je bikini verloor.'

Tom lachte. 'Was je dat verloren? Echt waar?' Hij krabde op

zijn hoofd. 'Dan zul je wel niets gehad hebben dat het bekijken waard was, anders had ik het me wel herinnerd!'

'Ik had... het was wel de moeite waard. Maar daar gaat het niet om. Het is niet grappig!'

'Luister eens. Dit is heel wat anders. Je mag al je kleren aanhouden, oké? Je zou wel heel rare toeren uit moeten halen om hierin wat bloot te laten zien.' Hij trok aan het harnas, dat strak om zijn dijbenen en middel zat.

'Het is helemaal niet anders. Het gaat erom dat jij me dingen laat doen die ik niet wil... die ik niet kan.'

'Daar zit verschil tussen, Nat. Niet willen... prima. Ik heb je niet gedwongen van die duikplank te springen en ik dwing je ook niet van dat viaduct omlaag te gaan. Maar vertel me niet dat je dit niet kunt. Dat is niet waar.'

'Hoe weet jij dat nou?'

'Omdat ik je ken. En omdat ik weet dat je tot veel meer in staat bent dan je zelf denkt.'

Clive gaf aan dat hij klaar was en Tom sprong zowat over de leuning van het viaduct, leunde toen vol vertrouwen achterover tot hij bijna in het harnas zat. Het zag er ergerlijk eenvoudig uit. Hij glimlachte ondeugend naar haar. 'Stelt niets voor.'

Natalie stak haar tong naar hem uit. Ze wilde niet glimlachen. Ze was zo bang dat ze het gevoel had dat ze zou gaan huilen.

'Nou, Nat, als je het doet, wacht ik je beneden op en zul je je verdomd fantastisch voelen, dat garandeer ik je. En als je het niet doet, kom ik terug naar boven en dan zal ik het er nooit, echt nooit, meer over hebben. Aan jou de keus. Ik ben weg.' Daarop pakte hij het touw minder stevig beet, waardoor dat met alarmerende snelheid door zijn vingers gleed, en hij naar beneden stoof.

Natalie haastte zich naar de kant en keek naar het topje van zijn helm. Sodeju! Ze haalde pas weer adem toen ze zag dat hij beneden werd opgevangen. Tom draaide joelend in het rond, zijn armen triomfantelijk boven zijn hoofd.

Clive keek Natalie vragend aan.
'Ik zal hem eens wat laten zien...'

Twintig minuten later hing Natalie met haar billen in het harnas dertig meter boven de grond tegen Tom te vloeken als een bootwerker. Hij was maar een stipje op het gras beneden haar, maar hij hoorde haar wel. Hij wist dat ze haar ogen dichtgeknepen zou hebben. Dat deed ze altijd als ze bang was.

'Doe je ogen open!' riep hij naar boven. 'Het is prachtig.'

Ze deed ze open. Het was helemaal niet prachtig. Ze kneep ze snel weer dicht. Ze leek nog niets dichter bij de grond en realiseerde zich dat ze in zichzelf zat te mompelen. 'Shit, shit, shit. Help. Alsjeblieft. Shit, shit, shit.' Een mantra van afgrijzen. Ze voelde het touw door haar vingers branden. Er kwam geen einde aan.

Natalie deed haar ogen weer open en hoopte wanhopig dat ze Toms gezicht van dichtbij zou zien. Ze was wel iets dichterbij, maar niet veel.

Het uitzicht was trouwens vrij aardig. Ze dwong zichzelf haar ogen open te houden, niet naar het touw of naar de grond te kijken, maar recht vooruit, naar de toppen van de bomen.

Tom praatte nog steeds tegen haar: 'Goed zo, Natalie. Het gaat goed. Je bent er bijna.'

Door zich op de horizon en op Toms stem te concentreren, wist ze de volgende drie, vijf, tien meter af te leggen en toen had hij haar te pakken, eerst bij haar voet, toen haar been en eindelijk maakte de instructeur haar harnas los van het touw en omhelsde Tom haar. 'Het is je gelukt!'

'Ja, hè, ik heb het gehaald, hè?' Natalie keek op naar waar ze vandaan was gekomen. Het leek nu al onwerkelijk.

'Het is me gelukt, ik heb het gehaald, hè?' zei ze weer en haar gezicht begon te stralen. 'Wat ben ik goed, hè?' Ze ervoer een geweldige kick. Wat een fantastisch gevoel!

Toms ogen sprankelden. 'Ik zei toch dat je het kon.'

'Wil je nog een kopje?'

Nicholas keek verbaasd op naar de serveerster.

'Nog een kopje thee?'

Hij keek op zijn horloge. Kwart voor twaalf. Hij zat hier al een uur. 'Ja, graag. Dat zou fijn zijn.'

Ze glimlachte naar hem en nam zijn kopje mee.

Hij vroeg zich vluchtig af wat ze van hem zouden denken. Hij kwam tegenwoordig vaak, bracht dan *The Times* mee, die hij van voor tot achter las terwijl hij twee kopjes thee uitspreidde over een paar uur.

Hij wist dat hij er netjes uitzag – ze zouden hem beslist niet aanzien voor een landloper die beschutting zocht voor het slechte weer. Hij betaalde altijd met een bankbiljet, nooit met een warme handvol kleingeld. En hij gaf meer fooi dan de meesten. Hij wist echter dat ze zich over hem verbaasden. Hij zag hen soms naar hem kijken terwijl ze met elkaar praatten.

Nou, hij vond het hier prettig, daarom kwam hij vaak terug. Hij vond de muziek die er gespeeld werd leuk, compilaties van rustige volksliedjes. De thee was goed en de tafeltjes waren groot genoeg om de krant op uit te spreiden. Het café was aan de voorkant van de zaak, niet de achterkant, zodat hij uit kon kijken op de straat en daar het komen en gaan van mensen kon gadeslaan. En het was er altijd druk, vooral vrouwen – vriendinnen, of moeders en dochters. Hij genoot van het ritme van hun gesprekken. Soms luisterde hij, maar meestal liet hij gewoon maar het geluid over zich heen spoelen. Anna was tegenwoordig zo stil en nu de meisjes steeds meer wegbleven, miste hij die vrouwelijke geluiden thuis. Sommige mannen maakten er grapjes over – een man alleen in een huis vol vrouwen. Ze zeiden dat ze onder het bombardement van hormonen en bioritmes hun toevlucht moesten zoeken in de kroeg of de schuur. Hij had dat nooit zo ervaren. Hij had het prettig gevonden. Ze waren zijn meisjes geweest, alle vier.

De vrouwen in het café praatten over hun lichamen en over

hun mannen, ze praatten over vakanties en over hun werk, en ze praatten over kanker. Ze negeerden hem weliswaar niet compleet, maar leken zich er niets van aan te trekken dat hij er was. Het klopt echt, dacht Nicholas, je wordt onzichtbaar als je oud bent. Oké, je lichaam liet zo nu en dan wel van zich horen – je voelde de pijntjes en kwaaltjes van je leeftijd, maar dat was allemaal niet ernstig en je verzette je er bovendien tegen, omdat je het gevoel had dat het het begin van het einde zou zijn als je dat niet deed, en daar was je nog niet klaar voor. De rest van de wereld besloot dat je oud was. Zij stuurden je met pensioen, stuurden je weg. Nicholas herinnerde zich de eerste keer dat hij in de bus was opgestaan voor een jonge vrouw die daarvoor bedankte... omdat ze meende dat hij het harder nodig had dan zij. Ze was beleefd geweest en niet onvriendelijk, maar haar glimlachende weigering, haar blik van jullie-oudjes-hebben-de-oorlog-voor-ons-gewonnen-dus-het-minste-wat-je-kunt-doen-is-op-je-oude-dag-blijven-zitten-in-de-bus had hem verafschuwd. Hij was nog niet eens zeventig. Het was verdorie een belediging.

Hoewel hij ook wel wist dat het afgelopen jaar een zwaardere tol van hem had geëist dan de meeste jaren. En de verwarring over wat er was gebeurd kwam voor hem nog het dichtste bij oud zijn. Hij begreep het niet. Hij had gedacht dat hij Anna zou verliezen, had te horen gekregen dat dat niet zou gebeuren, maar was haar vervolgens toch kwijtgeraakt. Niet haar lichaam, maar zijn Anna. Ze leek verloren voor hem en hij wist niet hoe hij haar kon bereiken. Hij wist evenmin waarom.

En het was niet eerlijk. Het had zo niet horen te gaan. Hij was een goede man geweest, dat wist hij. Een goede echtgenoot, een goede vader. Hij was haar volkomen trouw geweest sinds ze elkaar hadden ontmoet. Hij had voor hen gezorgd. Hij had op de bank en thuis hard gewerkt. En toen was hij gestopt met werken. En het hoorde niet te zijn zoals het nu was. Hun huis was hun eigendom, hij had een goed pensioen, ze waren fit, de kinderen hadden hun plekje gevonden in de wereld en hadden hen niet meer nodig – ze hadden nu weer tijd voor zichzelf en elkaar.

Maar ze waren nooit verder van elkaar verwijderd geweest.

# De B van Ballet

'Oké. Klaar voor je instructies?'

'Ik kan nauwelijks wachten! Kom maar op.' Ze hoorde een rimpel in Toms stem. Het lachen zou hem dadelijk wel vergaan. Ze had hem alleen maar verteld dat hij de vrijdagavond vrij moest houden. Nu was het vrijdagmiddag en had hij nog geen idee wat hem te wachten stond. 'Zorg dat je om zeven uur voor het Hippodrome in Bristol staat. Ik neem je mee naar het ballet. Tsjaikovski, *Romeo en Julia*. Daar!'

Toms stem bleef heel kalm. 'Het ballet. Heel goed. Leuk om te zien dat je de smaak van het spel te pakken krijgt. Ik zou zelf misschien voor Barcelona hebben gekozen.'

'Van mijn salaris, makker? Grapjas. Bovendien is de keus niet aan jou. De B is mijn letter, en ik heb gekozen voor ballet.'

'Absoluut. Ik zie je daar.'

'Is dat alles?'

'Dat is alles. Tot vanavond.'

Tom drukte de toets in zonder de hoorn eerst terug te leggen. Sneltoets drie, die Rob vijf keer per dag gebruikte.

'Serena!'

'Hoi, Tom.'

'Ik heb je hulp nodig... Wat weet je van ballet?'

Drie rijen mensen draaiden zich geërgerd naar Natalie om toen haar telefoon luidruchtig aangaf dat ze een sms'je had ontvangen. Ze doorzocht haar tas, die plotseling bodemloos leek, pakte hem toen op en kiepte hem op Toms benen leeg. De telefoon kwam er als laatste uit. Ze pakte hem op en liet het aan Tom over om haar portefeuille, borstel, agenda, make-uptasje, pepermunt en jawel hoor, dank u, Heer, de Tampax die op zijn schoot waren geland terug te stoppen.

Ze drukte op de LEES-toets: 'Heb je nodig in het ziekenhuis, Karl.' Hij had alleen geen hoofdletters en leestekens gebruikt. 'Ik moet weg,' zei ze tegen Tom, die knikte en opstond.

Het gemompel en de knieën in hun rij vergden enig manoeuvreren en Natalie werd onredelijk boos op degenen die afkeurend mompelden en met tegenzin hun jassen op hun schoot trokken. Dachten ze nou echt dat ze dit zomaar deed? Het sms'je maakte haar bang.

In de lobby vroeg Tom: 'Wat is er?'

'Bridge. Ze moet in het ziekenhuis liggen. Karl zegt dat hij me nodig heeft.'

'Kom mee dan.' Tom pakte haar hand vast en trok haar mee naar buiten. Hij had al een taxi aangeroepen voor zij op het idee was gekomen haar hand op te steken en duwde haar erin. 'Het ziekenhuis, alsjeblieft, kerel. Zo snel je kunt.' De chauffeur knikte en keek even naar hen in de achteruitkijkspiegel.

Nu Natalie stilzat werd ze bevangen door angst. Ze liet zich tegen Toms schouder aan vallen. 'Als er nou iets mis is, wat dan?'

'Trek niet te snel conclusies, Nat. We zijn er zo. Wacht het even af.'

'Laat er alsjeblieft niets met mijn zus aan de hand zijn, alsjeblieft,' mompelde Natalie zacht. 'Laat er alsjeblieft niets fout gaan met de baby.'

Tom was degene die de taxichauffeur naar de afdeling Gynaecologie dirigeerde, hem betaalde en haar hand vasthield toen ze naar de balie liepen.

Voor ze de kans had gehad naar Bridget te vragen zagen ze

Karl. Hij kwam bleek en met wijd geopende ogen naar hen toe. Natalie spreidde haar armen voor hem. Hij liep in haar omhelzing en legde zijn hoofd tegen haar schouder. 'Wat is er aan de hand, Karl?'

'Het ging zo goed, Nat. Het begon vanmiddag en ze wilde niet dat ik iemand inlichtte – ze wilde iedereen verrassen. Mam kwam om op Christina te passen en we reden hierheen, en het ging zo goed. Ik had gedacht dat het nu allemaal wel achter de rug zou zijn.' Hij keek plotseling om zich heen, zocht de muur af naar een klok alsof hij geen idee had hoe laat het was.

'En toen?' vroeg Tom.

'Toen raakte de baby... ik weet het niet... klem of zo. Ze kon hem er niet uit krijgen. Ze hebben van alles geprobeerd om hem om te draaien, zodat ze hem eruit konden halen. Arme Bridge. Ze had het echt zwaar. Toen heeft ze me gevraagd contact met jou op te nemen. Ze wilde dat je hier was. Maar het lukte niet met de baby en toen kreeg die het heel moeilijk. Ze hadden zo'n monitor op haar aangesloten en de baby zat flink in de problemen... En toen hebben ze haar meegenomen voor een spoedkeizersnee. Eerlijk, Nat, ik heb nog nooit mensen zo snel zien lopen.'

Tom klopt Karl op diens rug. 'Dat is juist goed, kerel. Ze lopen zo snel omdat ze weten wat er moet gebeuren.'

'Waarom ben je niet bij haar, Karl?' vroeg Natalie.

'Ze zei dat ik maar buiten moest wachten, dat ik het vreselijk zou vinden. Er hangt wel een scherm voor, maar toch... Het is toch je vrouw die ze opensnijden, nietwaar? Ze zei dat ik hier op jou moest wachten.'

Echt iets voor Bridget. Ze had natuurlijk gelijk. Natalie was dol op Karl, en hij hield ongetwijfeld heel veel van Bridget, maar ze zou daarbinnen niets aan hem hebben gehad. Zelfs hier in de gang stond hij te beven. 'Hoe lang geleden hebben ze haar meegenomen?'

'Een minuut of tien.'

'Laten we dan maar gaan zitten.'

Natalie pakte zijn hand beet en ze liepen langzaam naar de rij stoelen voor de operatie-afdeling. Tom volgde hen.

'Het komt toch wel goed met haar, of niet?' vroeg Karl.

Natalie wist niet wat ze moest antwoorden. Ze was er vrij zeker van dat Bridget het wel zou redden: ze was gezond en was hier op de goede plek. Maar de baby? Dat wist ze niet zo zeker.

Tom antwoordde: 'Natuurlijk, kerel.'

Natalie gaf alleen een kneepje in Karls hand.

De tijd verstrijkt langzaam in het ziekenhuis. Het leek uren te duren, maar het was waarschijnlijk maar een paar minuten later toen een verpleegster in operatieschort de dubbele deur openduwde. 'Meneer Murray?' Ze sprak met een Iers accent.

Karl sprong overeind. 'Ja.'

Ze glimlachte. 'Uw vrouw maakt het prima, meneer Murray. Ze heeft zich kranig geweerd. Jullie hebben een zoontje. Hij maakt het ook uitstekend. Ze hebben hem voor de zekerheid naar de intensive care gebracht, omdat hij het nogal zwaar te verduren heeft gehad, maar het komt helemaal in orde met hem.'

Natalie voelde de lucht en de spanning uit Karl weglopen. Hij zakte naast haar in elkaar. 'Godzijdank.' Toen begon hij te huilen, zijn gezicht in zijn handen verborgen. Gedurende enkele seconden snikte hij luidruchtig. Ze legde haar hand op zijn schouder.

Achter haar woelde Tom door haar haren. Ze draaide zich om en glimlachte naar hem, zelf ook met tranen in haar ogen. 'Het is in orde,' zei Tom geluidloos en ze knikte heftig.

De verpleegster liet hen even bijkomen en voegde er toen aan toe: 'Ze zijn bijna klaar met haar. Daarna brengen ze haar terug naar de afdeling. Ze krijgt gelukkig een kamer alleen. Ze heeft het zwaar gehad. Wilt u daar op haar wachten?'

'Ja, alstublieft,' antwoordde Karl. De paniek was uit zijn gezicht verdwenen, maar hij was nog steeds van streek: hij bleef zijn hand door zijn haren halen en nerveus aan zijn neus krabben.

'Waarom gaan jij en ik niet naar de kantine om koffie en zo te halen, Nat? Dan kunnen Karl en Bridget even alleen zijn.'

'Bedankt, Tom,' zei Karl, en toen: 'Bedankt dat jullie gekomen zijn.'

'Graag gedaan. Wil je dat ik mam en pap dadelijk bel?'

'Dat zal ik even aan Bridget vragen. Daarstraks wilde ze niet dat ik je moeder belde.'

'Oké. We zien je dadelijk weer.'

In de kantine dronken ze smerige koffie uit styrofoam bekertjes.

'Alles goed met je?' vroeg Tom.

'Met mij wel. Potverdorie.' Natalie wreef over haar ogen. 'Maar het is allemaal wel verdomd echt, hè?'

Tom knikte.

'Dank je,' zei ze.

'Waarvoor?'

'Dat je bent meegegaan.'

Tom haalde zijn schouders op.

'Je bent behoorlijk goed in een crisissituatie, weet je.'

'Ik ben over het algemeen behoorlijk goed.'

'Oké, meneer de Praatjesmaker. Dat was een compliment. Het is de bedoeling dat je dat welwillend aanvaardt.'

Tom tilde een denkbeeldige pet op, 'Ja, mevrouw. Dank u, mevrouw.'

Natalie stak haar tong naar hem uit. 'En het spijt me van het ballet. Hoewel ik ervan overtuigd ben dat jij niet hevig teleurgesteld bent.'

'Nou, ik vind vooral de tweede akte erg mooi. Daar zitten een paar heel bijzondere muziekstukken in, en een schitterende solo.'

Natalie keek hem stomverbaasd aan. 'Ach, hou op.'

'Maar in feite weet ik al hoe het afloopt. Ze gaan zo'n beetje allemaal dood, weet je.'

'Echt waar?' Ze trok haar wenkbrauwen op.

'Ja hoor. Het is een echt doodsfestijn. Mercutio, Tybalt,

Julia, Romeo... In feite worden ze, zoals de *grand fromage* aan het eind van het stuk zegt "allemaal gestraft".' Hij zei het met een Frans accent en Natalie moest lachen. 'Ik ben niet zo'n culturele woestijn als je dacht, Nat.'

'Dat is duidelijk! Maar je hebt het nooit eerder gezien, is het wel? Geef maar toe dat je nog nooit van je leven zelfs maar in de buurt van een balletvoorstelling bent geweest.'

'Dat is iets tussen mij en mezelf, schattebout. Als jij me niets vraagt, zal ik niet tegen je liegen.'

'Nou, officieel zou ik, omdat we het niet af hebben kunnen kijken, nieuwe kaartjes moeten kopen...'

'Daar wil ik niets over horen. Van jouw salaris? Je zit nu al bijna aan de grond! Ik leer wel leven met de teleurstelling. En wie weet? Misschien doen zich tijdens het verloop van het spel nog andere mogelijkheden voor...'

'Juist ja!' Natalie accepteerde haar verlies: ze zou hem nooit zover krijgen dat hij toegaf dat hij een hekel had aan ballet.

En bovendien was het niet langer de B van Ballet, maar de B van Baby toen Karl, Tom en Natalie een half uurtje later gedrieën aan het bed van Bridget stonden om haar zoon te bewonderen, die er glad, roze en opmerkelijk rustig uitzag na zijn moeilijke geboorte.

*Patrick*

Hij had zelf vast wel honderd ontslaggesprekken gevoerd. Een kans voor de toekomstige ex-werknemer om – onverbloemd – te zeggen wat die vond van het bedrijf waar hij of zij wegging.

Hij nam aan dat hij niet per se hoefde te gaan, maar hij wist dat hij het wel zou doen.

Dus zat hij hier met zijn pak en stropdas aan te wachten tot ze hem zouden zien. Te wachten op haar.

Hij speelde met zijn trouwring, trok hem tot aan het puntje van zijn vinger, draaide hem rond en duwde hem weer terug. Hij had zijn ring nooit mogen afdoen van Lucy; en ze had zelf ook nooit haar eigen smalle gouden ring afgedaan. Daar was ze bijgelovig over. Ze had Wills ring ook nooit afgedaan – tot hij haar verlaten had, en toen waren haar vingers nog zo gezwollen na haar zwangerschap dat ze naar een juwelier in de stad had gemoeten om hem eraf te laten zagen.

Hij wou dat Lucy nu bij hem was. Maar dat was ze niet: zij zat zich thuis zorgen om hem te maken en hij zat hier alleen.

Hij probeerde zijn gedachten te ordenen, maar er bleven zich halve zinnen vormen in zijn hoofd. Eerlijk gezegd had hij weinig te zeggen. Hij werkte graag bij het bedrijf dat hij ging verlaten. Hij wilde niet weg. Hij had verloren.

Nieuwe baas. Nieuwe baas nam nieuwe personeelsfunctionaris aan. Nieuwe personeelsfunctionaris kreeg nu zijn baan. Hoewel de bedrijfsjuristen het natuurlijk grondig hadden bekeken en er wel voor zouden zorgen dat het daar niet naar uitzag. Er zou sprake zijn van een andere titel, subtiele wijzigingen in de functieomschrijving. Maar iedereen wist wat er gebeurde.

Patrick was er niet eens van overtuigd dat het onterecht was. Ze was goed, die Miranda Clarke, heel goed. Mensen zeiden vaak een hoop onzin over gedwongen ontslag, nietwaar? Ze dachten dat ze filosofisch waren en je troostten, en laten we wel wezen, het was in zo'n situatie heel wat gemakkelijker om het verkeerde te zeggen dan het juiste, maar waar het feitelijk op neer kwam was dat degenen die de leiding hebben zich niet van hun beste mensen ontdoen. Ze ontslaan degenen die ze kunnen missen. De ook-wel-goede-maar-niet-zó-goede mensen.

Hij had op weg naar haar kantoor een kartonnen doos naar zijn auto gebracht. Ze zat twee verdiepingen hoger, maar hij had eerst de lift omlaag genomen naar de parkeergarage. Dat had hem wat extra tijd gegeven. De doos was een beetje een tragisch geval. Een foto van Lucy en de kinderen. Een miniatuur Zen-tuintje met een piepklein harkje dat Bella hem vorig jaar voor Kerstmis had gegeven. Ze zou blij zijn dat ze het terugkreeg – zij was de enige die het ooit verzorgd had. Een zwarte stropdas die aan de achterkant van zijn kantoordeur had gehangen, voor het geval dát. Alsof iemand aan wie je slecht nieuws meedeelde dat zou merken. Een halve fles Famous Grouse en twee glazen.

Miranda Clarke kwam hem halen. Hij was blij dat ze niemand had gestuurd om hem binnen te roepen. Ze gedroeg zich ongewoon zenuwachtig. Hij had haar nooit eerder zo gezien.

Ze was waarschijnlijk een jaar of tien jonger dan hij. Wanneer was hij plotseling zo oud geworden dat veel jongere mensen zijn werk beter konden doen dan hij? Ze was een knappe meid. Te netjes en sjiek om sexy te zijn, maar wel knap. Ze had grote, ver uit elkaar staande ogen en droeg haar lange blonde haren altijd in een lage paardenstaart.

Dit was de vrouw die hem had ontmand. Het was in zijn ogen niet melodramatisch om het zo te noemen. Hij zou het natuurlijk nooit hardop zeggen, maar zo voelde het voor hem. Alsof ze hem veeleer zijn mannelijkheid had afgenomen dan zijn baan. Hij kon sinds het was gebeurd niet eens meer de liefde bedrijven met zijn vrouw. Toen die gedachte door hem heen ging, haatte hij haar, heel even. Hij zou Miranda Clarke wel voorover op haar bureau willen leggen en haar hard willen neuken. Hij dacht aan de macht. Het idee alleen al gaf hem het gevoel een verkrachter te zijn en hij vroeg zich af of hij bloosde.

Ze had een reputatie en zulke mensen stellen meestal teleur, maar hij had haar in het begin aardig gevonden; en ook al wist hij dat ze in staat van oorlog verkeerden, een oorlog die zij had gewonnen, hij vond haar ook nu nog aardig. Hij zou nu niet graag in haar schoenen staan.

Hij nam aan dat andere mannen het haar misschien moeilijk zouden hebben gemaakt, maar hij was dat niet van plan. Wat had het voor zin? Zelfs in zijn eigen gedachten klonk hij verslagen. Hij ging in de zwarte leren stoel zitten.

'Ik vind dit vreselijk, Patrick. Het spijt me echt. Wil je dit gesprek niet liever overslaan?'

'Het gaat prima.' Dat zei Ed altijd als je vroeg hoe het met hem ging. Prima. Het antwoord van een kind. Inaccuraat en ontoereikend.

Miranda's handen beefden lichtelijk. Ze zat met dingen op haar bureau te schuiven. Hij had verwacht dat ze hier professioneler mee zou omgaan, ingetogener. Nu bleek duidelijk hoe jong ze was. Voor het laatst nam hij de leiding. 'Ik heb de papieren doorgenomen en heb er natuurlijk een jurist naar laten kijken. Het klopt allemaal. En het is geen slechte regeling.'

'Goed. Ik zou niet graag gehad hebben dat het anders was.'

'Ik vertrek eind deze week, zoals afgesproken.'

'Prima. Is er nog iets wat je tegen me zou willen zeggen?'

Hij glimlachte. 'Ik geloof het niet.'

'Natuurlijk.' Dit was moeilijk voor haar. Vreemd genoeg had hij een beetje met haar te doen.

'Heb je al plannen gemaakt?'

'Nee. Ik denk dat ik wat tijd nodig heb.'

'Natuurlijk.' Ze staarde naar haar handen, die voor haar op het bureau lagen. Ze had een manicure gehad – zo een waarbij ze je nageluiteinden vierkant en onmogelijk wit maakten. 'Patrick. Ik... ik wil graag zeggen hoe erg ik het vind... Ik...'

Patrick stak zijn hand op om haar te onderbreken en glimlachte. Al dat geglimlach opeens. Wat vreselijk beschaafd. 'Nooit je excuses aanbieden, nooit iets uitleggen. Dat zeggen ze toch? Dat is vooral toepasselijk in zo'n situatie, vind je ook niet? Jij hoeft nergens spijt van te hebben en ik heb echt geen uitleg nodig. Het is me volstrekt duidelijk wat er gebeurd is.' Iets beters kon hij haar niet geven. Had hij moeten zeggen dat hij wist dat ze beter was dan hij? Misschien, maar dat kon hij niet. Hij schoof zijn stoel naar achteren en stond op. 'Volgens mij zijn we klaar hier.'

Ze schudden elkaar formeel de hand. Miranda deed haar mond een paar keer open en weer dicht. Hij wist dat ze zocht naar de juiste woorden... en daarin faalde.

‘Ze geven kennelijk een feestje voor me. In de kroeg aan de overkant van de straat. Donderdagavond. Je bent welkom.’

Ze keek weifelend. ‘Dank je.’

Ze wilde er waarschijnlijk net zo min heen als hij.

# De C van Canoa

Rob en Serena hadden over de C geredetwist.

'Je zult je hersens wel flink moeten pijnigen, Tom. Ik bedoel, ballet was nogal een intellectuele keus, nietwaar? Ze geeft signalen af.'

'Nee, dat doet ze niet. Ze probeerde hem gek te maken, door hem te dwingen die voorstelling uit te zitten. Ik neem aan dat ze je van het idee af probeerde te brengen, makker.'

'Maar dat is haar niet gelukt.' Rob vouwde een papieren vliegtuigje. Hij lanceerde het en Serena ving het nonchalant met haar linkerhand uit de lucht en verfrommelde het. 'Hoe oud ben jij eigenlijk?' vermaande ze hem.

'Het is me alleen gelukt omdat Serena me een paar heel goede tips heeft gegeven over ballet.'

'Ga weg!'

'Echt waar. Ik heb natuurlijk het merendeel van mijn jargon niet kunnen gebruiken, omdat Karl de voorstelling onderbrak.'

'Maar hij heeft je wel nog eens twee uur van mannen in maillot bespaard,' zei Rob lachend.

'Het was niet zo erg als ik verwacht had. Ik zeg niet dat ik elke vrijdag zou willen gaan, maar het ging best... als het een meisje gelukkig maakt, dat mij gelukkig kan maken!'

De mannen lachten en Serena onderdrukte een glimlach.

'Maar denk je niet dat het tijd wordt om iets te kiezen waarvan je weet dat ze het leuk vindt? Als je weer iets kiest dat ze verafschuwt, zoals dat abseilen, dan denkt ze vast en zeker dat jij niet de juiste man voor haar bent.'

'Geen sprake van, Serena, daar is het veel te vroeg voor. Bovendien dacht ze alleen maar dat ze abseilen vreselijk zou vinden. Het was een ware triomf, dat kan ik je wel vertellen. En niet alleen voor mij, maar voor haar ook. Geloof me, ik heb gelijk... Ik moet haar eerst uit haar comfortzone zien te krijgen. Het heeft geen zin om allerlei meisjesachtige dingen met haar te doen – dat zal haar Simon niet doen vergeten, en zal haar niet op de juiste gedachte brengen wat mij betreft, of wel dan?' Serena keek nogal weifelend. 'Bovendien heb ik te veel plezier met die andere dingen.' Hij grinnikte. 'Is er een vechtsport die met een C begint?'

'Volgens mij niet.' Rob tikte iets in op zijn computer. Hij zweeg even en zei toen: 'Wat dacht je van Copuleren? Of Cunn...'

'Dankjewel, Rob,' onderbrak Serena hem streng.

'Meisjes vinden dat fijn, hoor. Jij in elk...'

'Ja. Dankjewel.' Ze bloosde. 'Als jullie pervers gaan zitten doen, denk ik dat ik heel dringende zaken in mijn eigen kantoor heb...'

'Ga niet weg, Serena. Hou je mond, Rob. Als en wanneer ik ooit het stadium mocht bereiken dat ik behoefte heb aan jouw advies over seks, zal ik je wel bellen. Maar voorlopig heb ik veel meer aan Serena dan aan jou, ook al ziet ze de dingen nog niet helemaal hetzelfde als ik...'

'Wil je me nou zo vreselijk graag in een wetsuit zien, of ben je gewoon een sadist?'

'Allebei een beetje. Hoewel... als ik echt een sadist was, zouden we dit buiten doen.'

'Dan zou je het alleen doen!'

'Nou, we doen het niet buiten, en ik doe het niet alleen, toch?'

'Waarom dan eigenlijk?'

'Omdat Rob zegt dat leren eskimoteren een van de grote

triomfen van het leven is. Weet je nog hoe geweldig je je aan de voet van dat viaduct voelde? En je ziet er trouwens verdomd goed uit in een wetsuit.'

Het was al een poos geleden dat hij de contouren van Natalies lichaam van zo dichtbij had gezien. Ze had een vreselijk smalle taille die hij volgens hem met zijn twee handen kon omvatten. Haar borsten waren in verhouding fors en haar heupen waren niet meer zo jongensachtig smal als hij ze zich herinnerde. Ze had de rits van het pak niet helemaal tot boven dichtgedaan en hij zag iets van haar decolleté, wat hij behoorlijk opwindend vond.

'Er zit verdorie een tutu aan!' Natalie wapperde met het stuk neopreen rond haar heupen.

'Een spatzeiltje.'

'Ik voel me net een van de nijlpaarden uit *Fantasia*.'

Waarom zagen vrouwen zichzelf altijd zo? Ze was verdorie hartstikke tenger. Het meisje naast haar, daarentegen...

'Kanoën schrijf je trouwens helemaal niet met een C, dus eigenlijk is dit niet eens geldig.'

'Ik geef toe dat het een beetje creatief denken vereist, maar kano is oorspronkelijk afgeleid van het Braziliaanse woord "*canoa*", dus ik vond dat het wel kon,' pareerde hij en ze zweeg.

Hij had de cursusorganisatoren verteld dat ze dit al eerder hadden gedaan – als je geen ervaring had, mocht je kennelijk niet gaan eskimoteren. Hij had ook gezegd dat ze deze zomer tijdens hun huwelijksreis in de Rockies gingen wildwaterkanoën, maar dat had hij niet tegen Natalie verteld.

Ze stond nu met het nijlpaard te praten. Typisch Natalie – ze kon overal vrienden maken. Ze was een van die meisjes waar mensen graag bij wilden zijn... aan wie ze dingen wilden vertellen. Hij herinnerde zich haar op school, altijd er middenin. Niet noodzakelijkerwijs de leider – dat waren vaak degenen die ruzie maakten en Natalie was nooit bazig genoeg geweest om de spil te zijn. Maar ze was wel populair, het soort dat altijd naast de jarige mocht zitten.

Goed met vriendinnen, belabberd met vriendjes.

Hij dacht ongewild aan Mark Johnstone. De eerste van een reeks waardeloze vriendjes. Hij en Natalie 'gingen met elkaar' in het jaar van hun eindexamen. Dat betekende, voor zover Tom het kon bepalen, dat je overal rondliep alsof je aan elkaar vastgelijmd zat, zodat je eigenlijk helemaal niets kon doen, en dat je overal en altijd liep te zoenen, zonder rekening te houden met mensen die misschien in de buurt een boterham zaten te eten. Ze was die zomer helemaal niet leuk geweest, veel te volwassen. Vreemd genoeg was dat een van de enige keren in zijn jeugd waarvan hij zich kon herinneren dat hij had gehuild, behalve van de pijn als hij weer eens iets gebroken had. Zijn been, sleutelbeen, pols, zijn andere been... Alles veranderde in dat jaar en hij vond dat niet leuk. Het joeg hem angst aan. Hij veronderstelde nu dat het te maken had gehad met niet volwassen willen worden, maar destijds had hij gemeend dat het met Natalie te maken had, en waarom ze niet meer met hem wilde gaan fietsen en hutten bouwen in het bos. Zijn moeder had hem huilend in bed aangetroffen toen hij dacht dat er niemand thuis was. Snotterige en agressieve, boze-jongenstranen. Maar hij had zich door haar laten vasthouden en troosten. Ze had hem verteld dat meisjes eerder volwassen werden dan jongens, en dat ze op een andere manier veranderden dan jongens. Ze had hem verteld dat de Natalie van wie hij hield terug zou komen. Of beter gezegd, dat hij haar uiteindelijk zou inhalen.

Hij had Mark Johnstone gehaat. Niet omdat hij jaloers was – hij wist nu dat hij toen niet tot dergelijke gevoelens in staat was geweest – maar omdat hij alle lol uit Natalie had weggezogen terwijl hij in de gemeenschappelijke ruimte haar gezicht aflebberde, en omdat Tom zijn beste maatje was kwijtgeraakt.

Uiteindelijk waren ze natuurlijk opgehouden met elkaar te gaan. Mark Johnstone vertelde tegen iedereen dat Natalie belabberd kuste en gigantische onderbroeken droeg, maar Susannah had Tom verteld dat het in werkelijkheid was uitgeraakt omdat hij in de bioscoop had geprobeerd Natalies hand in zijn broek te stoppen en zij dat niet gewild had.

'Waar sta jij om te lachen? Om mij? In deze wetsuit?'

Tom wreef in zijn ogen. 'Nee, natuurlijk niet. Ik dacht alleen ergens aan, dat is alles.'

'Nou, ik denk aan de D, en het ziet er niet goed voor je uit, makker.'

Uiteindelijk was in de kajak komen nog het moeilijkste, zelfs in het ondiepe gedeelte. In vergelijking daarmee stelde het eskimoteren (omslaan en met kajak en al doordraaien en weer bovenkomen) weinig voor.

En het mooiste was nog dat zij er veel beter in was dan Tom. Zij was voorzichtig, en zich meer bewust van haar evenwicht. Tom probeerde steeds harder te gaan dan de rest en strekte zijn armen en de peddel te ver uit, waardoor hij omsloeg. Hij kwam dan proestend en spetterend weer boven en keek daarbij als een zeehond die in shock verkeerde.

Natalie lachte zich slap om hem. 'Ik kan niet geloven dat ik je al een poepie laat ruiken terwijl we pas bij de C zijn! Geweldig! Ik kan nauwelijks wachten om het aan Rose te vertellen... en Serena... en Rob... en Lucy.'

'Als je het tegen iedereen vertelt, neem ik je mee om te gaan putjescheppen.'

'De P is mijn letter!'

'Aha, dus je hebt het al uitgevogeld, hè?' Dat deed hem plezier. Genoeg om de pijn van de vernedering in het zwembad te verzachten. Zelfs het dikke meisje had het beter gedaan dan hij.

*Anna*

Anna pakte het tengere lilakleurige Lladro-beeldje op en haalde de stofdoek eronderdoor. Ze zuchtte. Sommige van deze voorwerpen stofte ze al veertig jaar af. Natuurlijk hadden ze nu veel meer. Meubels en boeken, foto's en versieringen.

Ze herinnerde zich nog dat ze in ongeveer een half uur klaar was met het huishouden. Hun eerste huis was praktisch leeg geweest, maar altijd smetteloos schoon. Een mattenklopper, bijenwas en een doek, en afwasmiddel. Meer had ze niet nodig gehad. Anna herinnerde zich dat ze pasgetrouwd was, en zich verwonderde over de brede lakens aan de waslijn en de kussenslopen naast elkaar, waar ze sentimenteel naar staarde. Het was toen allemaal routine. Op maandag deed ze de was, op dinsdag streek ze, op woensdag bakte ze, op donderdag deed ze boodschappen en op vrijdag maakte ze schoon. En ze had het heerlijk gevonden. Haar vorige thuis, bij haar moeder, was chaotisch geweest – lawaaierig, rommelig en vies – en ze herinnerde zich nog steeds de vreugde die ze had gevoeld toen ze voor het eerst haar eigen huis binnenstapte, de bungalow die Nicholas en zij hadden gekocht, en zich realiseerde dat zij kon bepalen wat daar gebeurde.

Ze waren belachelijk gelukkig geweest. Het was begin jaren zestig, maar ze hadden vrij ouderwets geleefd. Wat haar nog het beste bijstond was hoe eenvoudig het leven toen was. Nicholas kreeg zijn loon contant uitbetaald – zij had geen stuiver van zichzelf. Ze had drie oude theeblikjes op de vensterbank in de keuken voor het huishoudgeld, de rekeningen en het droomfonds, dat ook dienst deed als noodfonds. Daar deed ze geld in als ze wat over hadden en dan dagdroomde ze over een nieuw driedelig pakje of een uitstapje naar Schotland. En dat was het. Nu duwde de postbode elke morgen een berg papier door hun brievenbus: verzekeringen, pensioenen, investeringen. Nicholas betaalde de rekeningen en borg ze op in ordners. Zij hoefde daar niet naar om te kijken zolang hij er was om dat te doen. Ze had onlangs een kaart gezien in een winkel. Er stond op dat als je bad om regen, je rekening moest houden met modder. Ze had geglimlacht toen ze het las. Ze hadden de welvaart en de geborgenheid waarvan ze hadden gedroomd, dus de bijkomende verwikkelingen waren de modder. Ze had de kaart gekocht en hem op de vensterbank in de keuken gezet, waar veertig jaar en vijf huizen eerder de theeblikjes hadden gestaan. Hij was een goede echtgenoot. Een heel goede echtgenoot. En ze hield van hem. Nog steeds.

Ze hadden veel plezier gehad toen ze arm waren. De meisjes geloofden het niet wanneer ze hun vertelde dat er weken waren geweest dat Nicholas niet genoeg geld had gehad om even naar het café te gaan – je moest genoeg hebben voor twee glazen bier, zodat je iemand anders kon trakteren. De meisjes waren van het pinautomaat- en creditcardtijdperk – hoe konden ze het ook begrijpen? Wat je niet had, kon je niet uitgeven. Dat was voor hen een vreemd concept. Ze hadden een auto gehad, wat meer was dan de meeste mensen konden zeggen, en soms geld genoeg om in het weekend naar de kust te rijden, een deken op het zand uit te spreiden en het meegenomen brood op te eten.

Toen ze Susannah daar eens over vertelde, noemde ze haar Ma Larkin. En in zekere zin had ze gelijk: het leven was toen beter.

Als ze een perfect jaar zou moeten noemen, zou dat 1972 zijn. Ze was begin dertig. De meisjes waren allemaal al geboren. Nicholas deed het goed op zijn werk – hij had het merendeel van de bankexamens waarvoor hij 's avonds laat in de voorkamer had zitten studeren gehaald. Hij ging iets bereiken bij de bank, zei hij, en zijn vreugde had aanstekelijk gewerkt. Ze had haar prachtige, prachtige meisjes. Drie kinderen onder de vijf, en geen droogtrommel. Wat zou Bridget daarvan zeggen? Bridget, wier buggy bijna een auto was, die al haar boodschappen via internet met een creditcard deed en liet thuisbezorgen door mannen die ze zelfs in de keuken neerzetten – en ze binnenkort waarschijnlijk ook zouden uitpakken en het eten klaarmaken. Een paar jaar geleden had Nicholas haar meegenomen naar de Cariben. Ze had nooit verwacht dat te zullen meemaken. Ze hadden op Antigua gezeten, in een kamer aan het strand. Ze was nooit eerder ergens geweest waar het zo verbijsterend mooi was en had elke ochtend urenlang naar de verbazingwekkende kleuren van de zee, het water en de lucht zitten kijken, met een boek ongelezen op haar schoot.

De laatste dag hadden ze een autorondrit over het eiland gemaakt. Hun chauffeur heette Christmas en op de terugweg waren ze bij zijn huis langsgegaan om kennis te maken met zijn kinderen. Het was meer een schuurtje dan een huis en Anna had vol verbazing toegekeken toen negen onberispelijke kinderen in witte jurkjes en met witte linten in hun vlechtjes naar buiten kwamen. Het was bijna grappig, al die kinderen die uit dat kleine huisje tevoorschijn kwamen. De vrouw van Christmas kwam als laatste naar buiten en ging trots tussen haar kroost staan.

We zijn hetzelfde, jij en ik, had Anna gedacht. Ze had een oude schoolfoto van de meisjes in haar tas en had die aan de vrouw van Christmas laten zien. De twee vrouwen hadden geknikt en naar elkaar geglimlacht.

Ze had Nicholas gevraagd hun laatste geld voor die vakantie als fooi aan Christmas te geven.

Er stond een afdruk van twintig bij vijftien centimeter van diezelfde schoolfoto op de boekenplank. Ze stofte hem zorgvuldig af en keek naar de gezichten van haar dochters. Susannah, Bridget en Natalie. Ze voelde nog steeds trots en liefde opwellen als ze naar hen keek, maar er was ook iets anders, en hoewel ze haar best deed er een vinger op te leggen en het te begrijpen, lukte haar dat niet.

# De D van Doe-het-zelf

Natuurlijk belde Tom om klokslag tien uur aan. Zaterdagochtend tien uur. Vroeger – was dat al vroeger? – als Simon niet hoefde te werken, was ze soms uit bed gesprongen, had wat kleren aangetrokken en was de straat op gelopen om de kranten, twee grote cappuccino's en Deense gebakjes te halen. Om tien uur lag ze dan weer bij hem terug in bed, warmde ze haar koude handen aan zijn borst en drukte ze zichzelf tegen zijn rug aan tot hij wakker werd en zich loom naar haar omdraaide. De zaterdagochtenden waren altijd vol van belofte, zijn pak hing over de stoelleuning en ze hadden een lege dag voor henzelf.

Toen ze elkaar gisteren spraken, vroeg Tom wat hij moest aantrekken.

'Gewoon iets comfortabels.'

'Je maakt het spannend.'

'En het moet je niet te veel in je beweging beperken.'

'Zijn dat de enige aanwijzingen?'

'Ik ga de verrassing toch zeker niet bederven, of wel dan?'

'Zie je wel? Je krijgt er zin in. Ik wist het wel!'

'Wat ken je me toch goed, Tom.'

'Dat bedoel ik maar, Nat.'

Natalie giechelde nu en drukte op de knop om hem binnen te laten. 'Kom maar naar boven.' Dit werd leuk. Ze pakte haar tas en deed haar voordeur open.

'Goedemorgen, schat.' Tom kuste haar op haar wang. 'Jeetje. Ben je al klaar? Waar gaan we heen?'

'Ik, Tom. Waar ga ík heen? Nu je het toch vraagt, ik ga naar Inner Peace. Een kerstcadeautje van Bridge. Een hele dag Inner Peace. Alleen toegankelijk voor vrouwen. God weet wat ze daar allemaal uitspoken, maar Bridge heeft me verzekerd dat het meer om yoga en reiki draait dan om darmspoelingen, dus ik wilde het toch maar eens proberen.'

'Ik begrijp het niet.'

'O, sorry. Natuurlijk. Yoga is een oude oosterse bewegingsvorm, reiki is een geneeswijze en bij een darmspoeling worden er...'

'Haha, dankjewel. Dat begrijp ik allemaal wel. Wat ik niet begrijp is hoe de letter D en ik in dit fantastische plannetje passen om jou ontspannen, geheeld en schoongespoeld te krijgen.'

'O, dat. Sorry. Alweer. Dat had ik uit moeten leggen.' Natalie wenkte hem naar binnen. 'Die planken. Ik heb ze eeuwen geleden gekocht, maar ben er nooit aan toe gekomen ze op te hangen. Eerlijk gezegd weet ik ook niet goed hoe. Lijkt me een mannenklus. Dat is waar jij en de D in het geheel passen. DHZ. Doe-het-zelf. Staat bij iedere vrouw vrij hoog op het wensenlijstje voor een geschikte levenspartner, denk je niet? Ik moet het weten, Tom. Oké? Daar staat de gereedschapskist. Ik weet niet precies wat erin zit, ik heb hem van pap gekregen toen ik hier introk. Pak zelf maar thee en koffie. Het kan zijn dat de melk op is. Dat spijt me voor je. Ik denk dat ik rond vijf uur terug ben, tenzij het echt een nachtmerrie is om mijn chakra's weer in evenwicht te krijgen. Tegen die tijd zul jij wel ruimschoots klaar zijn.'

Ze blies hem een theatrale kus toe en vertrok voor hij iets kon zeggen. Pas vier huizen verderop wist ze zeker dat hij haar niet achterna zou komen om zich te beklagen. Ze liep glimlachend verder.

Tom keek haar door het raam na. *Touché*. Nu begon het ergens op te lijken.

'Je ziet er leuk uit, lieverd.' Cynthia glimlachte haar schoondochter toe. 'Heb je iets anders met je haar gedaan?'

Lucy voelde er wat verlegen aan. 'Alleen gewassen.'

'Het ziet er mooi uit.'

'Bedankt dat je dit wilt doen.'

'Het stelt niets voor, lieverd. Ik zat toch maar televisie te kijken; dat kan ik hier net zo goed als thuis. En Patricks vader zegt dat het niet uitmaakt hoe laat jullie thuis zijn. Hij komt me toch wel halen.'

'Je had ook kunnen blijven slapen.'

'Dat weet ik, lieverd, maar ik lig tegenwoordig het liefst in mijn eigen bed.'

Lucy knikte afwezig. 'Ed slaapt al en Bella ligt te lezen. Er is thee en koffie en nog wat taart. Er was vandaag taartverkoop op school, dus het is veilig; ik heb hem niet zelf gebakken. Pak maar wat je wilt. En je hebt onze mobiele nummers als er iets is.'

'Maak je maar geen zorgen.' Cynthia legde haar hand op Lucy's arm. 'Vermaken jullie tweeën je maar, jullie hebben het verdiend. En geef Patrick een verjaardagskus van zijn oude moeder.'

'Dat mag je straks zelf doen wanneer we terug zijn.' Lucy glimlachte flauwtjes. 'Hoe stelde Cynthia zich dat voor, dat ze zich geen zorgen zou maken? Ze had een man zonder werk, die niet meer met haar kon vrijen, laat staan kon vertellen wat hij voelde. Ze had iemand aan de zijlijn van haar leven, die steeds dieper in haar hoofd kroop, en het verlangen naar hem toe te gaan groeide met de dag. En daar zat zij tussenin.

Patrick had gezegd dat hij haar in het restaurant zou ontmoeten. Hij had gemompeld dat hij nog iets moest doen, maar ze wist dat hij niet thuis wilde zijn wanneer Cynthia kwam. Hij wilde er met zijn ouders niet over praten. Ze veronderstelde dat haar dat enige troost zou moeten schenken, maar dat was niet zo.

Hij was er al toen zij binnenkwam, stond op en kuste haar. Ze herkende hem echter niet in de omhelzing. Hij voelde teer en iel aan.

'Gefeliciteerd met je verjaardag, Patrick.'

Hij haalde zijn schouders op. 'Het is een beetje zuur om boven op de rest nu ook nog negenendertig te worden, maar misschien moet ik maar blij zijn dat ik geen veertig word.'

Hij had wijn besteld, en de halve fles al leeggedronken. Hij schonk een glas voor haar in en morste daarbij wat op het tafelkleed. De kelner stond nog bij hun tafeltje en probeerde de vlek op te deppen met een doek, maar Patrick wuifde hem weg. Zijn lach klonk hol. 'Ik schijn de laatste tijd niets goed te kunnen doen, is het wel?'

Lucy pakte zijn hand beet. 'Zeg dat niet, lieverd. Je hebt gewoon pech gehad, een tegenslag gehad. Daar hoef je je niet voor te schamen. Dat overkomt zo veel mensen.'

Hij leek ineen te krimpen bij haar woorden. 'Het overkomt nooit de beste mensen.'

'Wat?'

'Het overkomt nooit de beste mensen,' herhaalde hij, 'alleen degenen die vervangbaar zijn. Zodra zij het kantoor binnenkwam, zodra ze haar deftige hoge hakjes op het tapijt van de vierde verdieping zette, waren mijn dagen geteld en werd ik de op een na beste, tweede keus.'

'Dat is niet waar. Je reageert veel te emotioneel, Patrick. Zaken zijn zaken, lieverd.'

'Het minste wat ik nu kan doen is het toegeven. Dan behoud ik tenminste het enige wat me nog rest: mijn eerlijkheid.'

'Er is verschil tussen eerlijkheid en de waarheid.'

Hij schudde zijn hoofd. 'Ik weet niet wat je zegt.'

'Dat komt omdat je moe en gestresst en een beetje dronken bent. We moeten maar iets te eten bestellen en zorgen dat je wat nuchterder wordt, zodat we een fatsoenlijk gesprek kunnen voeren.'

'Tweede keus.'

Hij had helemaal niet geluisterd. Zijn ogen waren neergeslagen en zijn stem was niet veel meer dan gemompel. Lucy vroeg zich af of ze wel moesten blijven, nu hij er zo aan toe was.

'Waarschijnlijk altijd al geweest. Ik was nooit zo pienter als Tom, of zo populair als Genevieve.' Hij lachte. 'Hé! Misschien was ik thuis wel derde keus.'

Lucy begon geïrriteerd te raken. Het was zijn verjaardag, en ze had echt haar best gedaan. Hij verpestte het echter met zelfmedelijden en hoewel ze zich voorhield dat het haar plicht was ernaar te luisteren, had ze daar helemaal geen zin in. Hij haalde zichzelf vreselijk naar beneden.

'En ik weet dat ik voor jou ook tweede keus was.'

De irritatie grensde nu aan boosheid. 'Waar heb je het in godsnaam over, Patrick?'

'Nou, dat is toch duidelijk? Je zou nog steeds bij Will zijn als die er niet vandoor was gegaan. Ik was je tweede keus. Je veilige haven in stormachtige zeeën. Alleen ben ik nu natuurlijk niet zo veilig meer. Verdomd ironisch, vind je niet?'

'Heb je al gedronken voor je hierheen ging?'

'Een paar biertjes. Het was immers mijn afscheidsfeestje.'

'Je wat?'

'Ja, de afdeling personeelszaken was heel genereus. Ze hadden vooruitbetaald bij de kroeg tegenover kantoor. Ik weet niet hoeveel. Genoeg, neem ik aan. De jongeren waren gekomen om zo veel mogelijk te drinken. De ouderen waren er omdat ze blij waren dat het niet hun afscheid was. Ik was er omdat... Weet je wat? Ik heb geen flauw idee waarom ik erheen ben gegaan. Om te drinken op het feit dat ik tweede keus ben.' Hij lachte.

Het klonk bozer dan Lucy het had bedoeld: 'Ik kan het een en ander hebben wat dit betreft, Patrick, hoewel het grote onzin is, maar waag het niet om te zeggen dat je voor mij tweede keus bent. Waag het niet!'

Hij keek haar lang genoeg aan om haar een onbehaaglijk gevoel te bezorgen. Hij klonk vreemd toen hij 'Oké' zei.

Ze had geen honger, maar wilde niet nu al terug naar huis, waar Cynthia zat, en ze kon nergens anders heen. Dus bestelden ze een voor- en een hoofdgerecht en koffie na, en stuurden borden terug die onrust veroorzaakten in de keuken: er werd een kelner naar hen toe gestuurd om te vragen of alles wel naar wens was geweest. En ze hadden een o zo beleefd gesprek over Patricks plannen – waar hij zijn cv heen zou sturen, welke headhunters hij het beste dacht te kunnen benaderen, enzovoort. Het was het geraamte van een gesprek waarvan Lucy al weken had geweten dat ze het moesten voeren, maar zonder bloed, spieren en huid eromheen.

En het enige waaraan ze kon denken terwijl ze op het voedsel kauwde dat naar zaagsel smaakte, de wijn dronk, luisterde en knikte, was dat hij gelijk had. Hij kwam op de tweede plaats. Niet vergeleken met Will, dat zeker niet. En misschien ook niet vergeleken met Alec. Maar wel met wat ze wist dat ze wilde. Hij was tweede keus.

*Anna*

Je kon waarschijnlijk nergens beter gaan zitten dan in de gemiddelde huisartsenwachtkamer als je ziek wilde worden. Diverse mensen zaten die dag hun longen uit hun lijf te hoesten. Wat deed ze in vredesnaam hier? Ze had Nicholas beloofd dat ze zou gaan. Hij had erbij willen zijn, maar dat had ze niet gewild. Ze had hem er echter niet van kunnen weerhouden haar met de auto te brengen. Dus nu zat hij in de auto de krant te lezen. Ze had hem gevraagd niet mee naar binnen te komen, en hoewel hij haar weer zo triest had aangekeken, was ze blij dat hij er nu niet bij was. Anna bladerde door een nummer van *Hello!* van drie jaar oud. Bijna alle stellen op de foto's in het blad, die elkaar het jawoord gaven tijdens absurd dure bruiloften, schaars gekleed over het strand dartelden of designerbaby's in hun armen hielden, waren nu gescheiden en leidden een ander leven.

Een oudere man duwde zijn vrouw in een rolstoel de wachtkamer binnen en parkeerde haar op de enige vrije plek, naast de lego-tafel. Misschien zou hij ook liever in zijn auto *The Times* willen lezen. Maar dat kon immers niet, want zijn vrouw had hem nodig.

Toen Jim Callaghan, de voormalige Labour-minister was overleden, had het overlijdensbericht hoog opgegeven over zijn huwelijk. Hij had zijn vrouw maar elf dagen overleefd en had de laatste tien jaar voor haar gezorgd terwijl zij steeds zwakker en zieker werd. Maar hij had kennelijk nooit geklaagd. Hij had eens gezegd dat ze vijftig jaar voor hem had gezorgd en dat het nu zijn beurt was om voor haar te zorgen. En Anna wist niet of dat het liefste of het meest trieste was dat ze ooit had gehoord. Misschien wel allebei. Ze vroeg zich af of Audrey Callaghan gewild had dat het zo zou eindigen. Verzorgers vinden het moeilijk om verzorgd te worden, nietwaar? En hij was zo kort na haar gestorven – ze waren twee helften van een geheel geworden, met elkaar verbonden als tweelingen die niet zonder elkaar kunnen leven.

Anna vroeg zich af wat voor soort verzorger Nicholas geweest zou zijn als dat nodig was geweest. Het was ongeveer een jaar geleden dat ze hier hadden zitten wachten tot ze binnengeroepen werden. Hij was die keer wel met haar naar binnen gegaan, en had aan de andere kant van het gordijn zitten wachten terwijl zij haar blouse en beha uittrok en die zorgvuldig over de stoel hing. Ze had het koud gehad en zich kwetsbaar gevoeld, zoals ze daar half naakt achter dat gordijn stond te wachten tot de dokter haar zou komen vertellen dat ze dood zou gaan.

Het was vast babyspreekuur vanochtend. Vier of vijf moeders zaten aan een kant van de wachtkamer met hun rode boekjes te wachten om iedere gram die hun kind was aangekomen te laten bijtekenen in de grafiek. De baby's zaten in hun maxi-cosi en hun moeders hadden hun dikke pakjes uitgetrokken en hun mutsjes afgezet.

De dokter kwam haar volgende patiënt roepen, zag Anna

zitten en glimlachte geruststellend. 'Jij bent hierna, Anna, oké?'

Misschien dacht ze dat het knobbeltje terug was. In zekere zin zou Anna dat wel willen. Daar kon je tenminste iets aan doen. Je kon er een naald insteken en het wegzuigen, of het eruit snijden met een scalpel en het bestoken met medicijnen en bestraling. Je kon je ertegen verzetten. Je kon natuurlijk verliezen – het kon je te grazen nemen, hoe hevig je je ook verzette – maar je kon er iets tegen doen. Je wist in elk geval wat de vijand was.

Wat zou ze gaan zeggen?

Ze deed haar best niet naar de jonge moeders te staren. Ze wilde niet overkomen als een krankzinnig oud mens. Toen ze echter in de middellange afstand staarde, zag ze alleen maar een lange waslijn vol zuiver witte luiers voor zich. Ze pakte *Homes and Antiques* op van het tafeltje en probeerde zich te concentreren op Victoriaanse naaidozen.

Toen was ze aan de beurt.

'Anna? Kom maar binnen.'

De dokter had vier kinderen. Blond, blauwe ogen, tenger. Twee jongens en twee meisjes. Er hingen elk jaar nieuwe foto's. De jongste moest inmiddels ook op school zitten – daar stond ze met haar vlechtjes en haar te grote schooluniform trots tussen haar broertjes en zusje. Anna mocht dokter Jackson graag – niet alleen in een arts-patiëntverhouding; als ze tijdens een etentje bij elkaar hadden gezeten, of als ze hun kinderen in dezelfde periode hadden gekregen en elkaar op het schoolplein hadden getroffen, zou ze haar aardig hebben gevonden. Gewoon als persoon. Ze was blond, net als haar kinderen, maar minder tenger. Ze droeg altijd zwarte broeken – wol in de winter, linnen en katoen in de zomer – die net iets te strak zaten, zodat er een vetrolletje boven de tailleband uit piepte dat Anna vertederend vond. Ze kwam uit het westen van het land en met haar licht brouwende accent klonk ze wat peinzend, maar haar ogen gaven blijk van een scherp verstand.

'Hoe gaat het met je, Anna?'

Tot haar schrik en afgrijzen barstte Anna in tranen uit. Echte, luidruchtige tranen. Ze wist niet waar die vandaan kwamen. Ze sprongen gewoon in haar ogen en rolden over haar wangen. Ze kon niet ophouden. Ze probeerde iets te zeggen, zich te verontschuldigen, maar kon geen woord uitbrengen.

Dokter Jackson wachtte een paar minuten. Ze gaf Anna alleen maar een tissue en wendde toen haar blik af, keek naar haar computer en hield zichzelf even ergens mee bezig. 'Oké?'

Anna snoot haar neus. 'Het spijt me.'

'Nergens voor nodig. Risico van het vak. Pieker er maar niet over.'

Anna knikte.

'Wil je me vertellen wat er aan de hand is?'

'Ik wou dat ik dat kon.'

'Heb je weer een knobbeltje gevonden?'

Anna schudde haar hoofd. 'Nee, nee. Niets van dien aard. Ik ben niet ziek.'

Dokter Jackson reed haar stoel achter haar bureau vandaan, zodat ze vlak bij Anna zat, en wachtte.

Anna was bang dat ze weer zou gaan huilen. 'Het spijt me van dat huilen. Dat heb ik nog nooit gedaan. Ik ben... ik ben niet echt mezelf, vrees ik.' Ze voelde zich zo vernederd alsof ze in de kamer van de dokter in haar broek had geplast.

'Is er iets gebeurd?'

Dokter Jackson was vriendelijk en bezorgd, maar had maar zeven minuten de tijd. Anna was boos op zichzelf. 'Nee. Niet echt. Ik... ik kan niet slapen.' Dat was een goed punt om mee te beginnen. En het was waar. Ze viel wel gemakkelijk in slaap, maar werd altijd rond twee of drie uur in de ochtend wakker en kwam dan niet meer in slaap.

'Maak je je ergens druk over? Ik neem aan dat je de gebruikelijke dingen geprobeerd hebt: warme melk voor het slapengaan, niet lezen of televisie kijken, zorgen dat de kamer goed gelucht is, lavendel in bad...'

Dat had ze allemaal niet geprobeerd, maar ze wist dat het geen verschil zou hebben gemaakt. Het waren haar gedachten die haar wakker hielden. 'Ja.'

'Nou, dan vermoed ik dat er sprake is van onderliggende stress. Denk je dat het te maken heeft met wat er vorig jaar is gebeurd? Dat is echt niet ongebruikelijk.'

'Ik geloof niet dat het daarmee te maken heeft.'

'Dat doet mij vermoeden dat je wel weet waar het om gaat, Anna. Je hoeft het me niet te vertellen, maar ik ben er geen voorstander van om je voor langere tijd slaaptabletten voor te schrijven.'

'Ik weet het inderdaad. Ik gruw van mijn leven, dokter. Ik heb het gevoel dat ik afgeschreven ben... dat ik volstrekt geen nut meer heb sinds de meisjes jaren geleden het huis uit zijn gegaan.'

De dokter knikte wijs. Dat is niet goed, dacht Anna, terwijl ze paniek voelde opkomen. Ze denkt dat ik last heb van het lege-nestsyndroom. Dat is het niet! Dat is het niet! Ze wrong in haar handen, die in haar schoot lagen, en scheurde reepjes van de tissue die de dokter haar had gegeven.

'Ik ben jaloers op mijn kinderen. Ik ben jaloers omdat ze datgene hebben waarvoor ik zo hard heb gewerkt om het ze te geven, en soms haat ik ze bijna omdat ze hebben wat ik niet heb. Ik had een ander leven kunnen hebben. Ik had iemand kunnen zijn, iets kunnen bereiken, en heb dat niet gedaan. En zij doen het wel. En dat vind ik vreselijk. Ik vind het vreselijk omdat het me verteert, en ik vind het vreselijk omdat het inhoudt dat ik zelfs geen goede moeder ben. Want een goede moeder zou zoiets niet denken.'

Ze had eindelijk kunnen benoemen wat er mis was, en iemand had haar woorden aangehoord.

Anna begon weer te huilen.

Anna zat al een uur met de baby tegen haar schouder, zijn hoofdje in haar hals.

'Ik moet hem eigenlijk neerleggen, mam. Ik wil hem niet verwennen.'

'Waarom niet?'

Bridget voelde zich geïrriteerd. Haar moeder had gemakkelijk praten: zij had niets anders te doen. Het zou een ander verhaal zijn als Toby verwachtte te worden geknuffeld terwijl zij Christina eten probeerde te geven, of de was moest wegwerken, of eten moest koken voor Karl en haar. 'Omdat hij moet leren in zijn eentje in te slapen.'

'Dat zegt een of andere expert zeker, is het niet?'

'Dat zeg ík, mam. Geef hem nou maar hier.' Bridget nam haar zoontje uit de armen van haar moeder over en legde hem in een vloeiende beweging in de reiswieg naast de bank. 'Zo, lieverd. Brave jongen.'

Ze had werktuiglijk geklonken en Anna voelde zich beroofd. Er hing een reeks kleine truitjes te drogen aan het rek. Ze begon ze zorgvuldig op haar schoot op te vouwen.

'Dat hoef jij niet te doen, mam.'

'Ik wil helpen.'

'Je hebt ook geholpen. Je hebt Christina in bed gestopt voor haar middagdutje terwijl ik Toby te eten gaf, en je hebt op hem gelet terwijl ik opruimde na de lunch.'

'Dat zet geen zoden aan de dijk.'

'Ik wil niet dat je hierheen komt om te werken, mam.' Bridget probeerde het ongeduld uit haar stem te weren, maar wist dat ze daarin faalde. Ze was gewoon vreselijk moe. De kinderen kon ze wel aan, maar mam ook nog... Ze was de tranen nabij en keek naar de klok op de haardmantel. Nog drie uur voordat Karl thuiskwam.

'Ik ben niet ziek, weet je. We waren alleen bang dat het kanker was, maar het wás geen kanker.'

Nu moest Bridget zich echt inhouden. Ze wist verdorie dat

het niet echt kanker was geweest, maar ze waren zich allemaal rot geschrokken. Zij was echter niet degene die zich gedroeg alsof het einde van de wereld nabij was. En haar zussen of haar arme vader ook niet. Mam gedroeg zich zo, al maanden.

'Dat weet ik, mam.' Ze ademde diep in. Ze had helemaal geen zin om dit nu te doen, maar misschien was het wel beter dan deze sfeer. 'Dat weet ik echt wel. Je gedraagt je sindsdien alleen zo...' Ze moest zoeken naar het juiste woord. 'Vreemd. We weten nooit wat we van je kunnen verwachten.'

'Wat bedoel je?'

'Je stemmingen wisselen verschrikkelijk. Het ene moment is alles prima, het volgende snauw je iedereen af. Of erger nog, je doet net alsof je iedereen tot last bent. Dat is eerlijk gezegd nogal vermoeiend, mam...'

Bridgets stem stierf weg. Haar moeder keek vreselijk triest en ze wilde maar dat ze er niet over begonnen was. Wat bezielde haar? Ze was zelfs nauwelijks in staat haar gezicht te wassen en haar tanden te poetsen, laat staan om dit gesprek te voeren.

'Wilde je me er daarom niet bij hebben in het ziekenhuis?'

Bridget was van plan geweest het te ontkennen, maar zei toen zacht: 'Ja.'

'En heb je me daarom niet gebeld om op Christina te passen?'

'Nee, mam. Dat heb ik je uitgelegd. Karls moeder had er specifiek om gevraagd dat te mogen doen. Dat begrijp je toch zeker wel van haar? Karl is enig kind, ze heeft zelf geen dochter en ze wist dat ik jou had...'

'Maar dat was niet zo, of wel? Je had me helemaal niet nodig.'

'Ik had mijn moeder nodig. Maar daar lijk je de laatste tijd helemaal niet op.'

'Dus belde je liever Natalie?'

'Mam!' Bridget was boos. 'Het heeft niets met "liever" te maken. Je bent gewoon zó onvoorspelbaar!'

'Je praat over me alsof ik geestesziek ben. Bedoel je dat soms?'

'Nee, natuurlijk niet. Ik wéét niet wat er met je aan de hand is. Evenmin als Nat en Suze... en pap. We weten geen van allen wat we moeten doen! Pap is aan het eind van zijn Latijn... dat zie je toch zeker zelf ook wel?'

Natuurlijk zag ze dat. Als je veertig jaar met een man samenleeft, weet je heus wel wanneer hij aan het eind van zijn Latijn is. 'Praten jullie over mij?'

'Natuurlijk doen we dat.' Bridget schreeuwde nu bijna, en Toby begon te draaien en te snuffen in zijn reiswiegje. 'We houden van je, mam.' De tranen die bij een jonge moeder altijd op de loer liggen, sprongen nu in Bridgets ogen. Ze dacht aan de vorige zomer.

Borstkanker. God, het woord alleen al. De ziekte waaraan hun grootmoeder op vierenvijftigjarige leeftijd was overleden.

Er was niet veel tijd verstreken van knobbeltje tot biopsie tot uitslag, maar het was lang genoeg geweest, omdat ze allemaal dachten dat het niet anders kon of de oncoloog zou zeggen dat het hem heel erg speet, maar dat het knobbeltje inderdaad kwaadaardig was. Ze waren er zeker van geweest. Anna's moeder had het immers ook gehad. Het enige waar ze die dag aan hadden gedacht terwijl ze wachtten op de uitslag – Nicholas in het ziekenhuis en de meisjes in hun eigen huizen – was de onverbiddelijke progressie van de ziekte en Anna's dood. Hun vaders eenzaamheid. Een begrafenis. Kleinkinderen die opgroeiden zonder haar te hebben gekend. Ze hadden het zo zeker geweten.

Maar ze hadden het mis gehad. Het was geen kanker, maar een cyste die eenvoudig kon worden verwijderd, zonder neveneffecten, zonder bestraling, zonder chemotherapie, kaalheid, misselijkheid... zonder overlijden.

En het leven kon weer doorgaan.

'Het spijt me, lieverd, huil maar niet. Kom hier.' Anna was plotseling weer mam, en Bridget legde haar pijnlijke hoofd tegen Anna's borst en liet zichzelf troosten.

*Natalie*

Het rook altijd zo lekker in dit soort zaken, kuuroorden, sauna's en schoonheidssalons. Natalie vond dat heerlijk, ook al ging ze niet vaak. En het effect van het plaatselijke fitnesscentrum was toch anders; dat rook meer naar natte luiers en puberjongens en had niet het kalmerende effect dat ze nu ervoer. Susannah nam haar soms mee, als ze thuis en goed bij kas was. Susannah zei altijd, met een uitgestreken gezicht, dat mooi zijn essentieel was voor haar werk en dat het dus eerder een investering dan een traktatie was om het geld voor de huur uit te geven aan een dagje Inner Peace. Natalie was het best eens met die theorie, ook al maakte het bij de radiozender niet veel uit of ze er goed uitzag, omdat ze daar zo'n beetje onzichtbaar was. Ze verlangde plotseling naar haar extravagante, uitbundige, theatrale oudste zus. Ze zag haar veel minder vaak sinds Casper ten tonele was verschenen. Nu was het zelfs al weken geleden. Ze had mam kennelijk beloofd dat ze met Pasen thuis zou zijn, maar dat leek nog erg ver weg.

Natalie ademde de zuiverende aromatherapie-achtige lucht diep in en kroop nog iets dieper weg in de zachte, dikke handdoek. Naast haar lag het lijstje van activiteiten waaruit ze kon kiezen, maar ze genoot er al van om hier gewoon maar te liggen. Ze had rustig tien baantjes gezwommen in het zwembad, had in het bubbelbad gezeten tot ze helemaal gerimpeld was, en haar neusharen verschroeid in de sauna. Nu lag ze tevreden in de stilteruimte. De muren waren aubergine geverfd en het vertrek werd zwak verlicht door kleine spotjes in de vloer. Op de ligstoelen, die van de deur af gericht stonden voor optimale privacy en rust, lagen dikke, crèmekleurige kussens. Bridget had gezegd dat ze Rose of zo mee moest vragen, maar Natalie was blij dat ze alleen was gegaan. Ze had geen zin om te praten. Ze lag stil, met haar ogen dicht, en liet haar gedachten dwalen. Het duurde niet lang voor die bij Simon uitkwamen. Ze had hem nog nooit zo'n lange tijd niet gezien. Ze realiseerde zich dat ze niet meer elke keer dacht dat hij het was als de telefoon ging, of dat elke mysterieuze envelop bij de post van hem was, maar dat ze het nog steeds niet helemaal had geaccepteerd. Voor haar gevoel was het verhaal nog niet afgesloten – ze zouden elkaar vast weerzien. Ze wist alleen niet goed wat er zou gebeuren als het zover was.

De afgelopen maanden had ze het weggestopt. Hier in de stilteruimte – waar niemand je kon horen schreeuwen, zoals Tom waarschijnlijk zou zeggen – voelde ze zich sterk genoeg om haar herinneringen aan hem toe te laten.

Simon en zij hadden elkaar ontmoet toen zij eenentwintig was. Ze kende hem dus, hoewel aanvankelijk vaag, al haar hele volwassen leven. Hij was de broer van de vriendin van een vriendin van de universiteit. Hij was als introducé van de vriendin op een bal en toen ze hem die eerste keer zag, leek hij op een jonge Sean Connery met zijn donkere ogen en smoking. Die ogen volgden haar door de menigte. Ze kon zich herinneren dat ze die op zich gericht voelde, als een aanraking – en dat ze zich daarnaar gedroeg: ze deed gewoon de dingen die ze ook zou hebben gedaan als hij er niet was geweest, maar concentreerde zich er wel op hoe ze ze deed omdat hij naar haar keek. Ze vond het sexy: de zekerheid dat ongeacht wanneer ze zich naar hem omdraaide, hij naar haar zou kijken.

Aan het eind van de avond had ze per ongeluk-expres bij de uitgang rondgehangen toen hij wegging en zijn ogen hadden haar toegelachen. Hij had al diverse meisjes goedenacht gekust, maar had zijn duim onder haar kin gelegd en haar gezicht opgetild en de kus was bijna boven haar lippen terecht gekomen. Toen hij terugweek, had er iets van spijt in zijn ogen gelegen.

Ze was hem niet vergeten. Ze zou het geen smachten willen noemen, en ze had ook geen dappere pogingen gedaan hem weer te zien, maar was jarenlang af en toe over hem blijven dagdromen. Ze wist zeker dat hij in haar gedachten donkerder en knapper was, en dat zijn ogen aandachtiger en aan het eind triester waren dan in werkelijkheid het geval was geweest. Maar dat was niet erg. Hij was immers maar een dagdroom. Hij kon in een dagdroom de prins op het witte paard zijn als zij dat wilde.

Ze was hem bijna vergeten toen ze hem weer tegenkwam. En ze had de willekeur van het noodlot schitterend gevonden. Het had niets te maken gehad met hun respectievelijke vriendinnen en hun broers en zussen op de universiteit. Al die kansen – als ze ooit al hadden bestaan – waren vervlogen. Een vriendin van haar werk, Stella, had haar gevraagd meter te worden van haar baby. Stella's man Ross, had Simon als peter gevraagd. Was dat niet geweldig? Natalie vond het een verdraaid goed ontmoetingsverhaal. Het klonk in elk geval fantastisch als ze oefende hoe ze het aan hun kleinkinderen zou vertellen. Als ze alleen was, natuurlijk.

Hij was laat geweest. De rest van de gasten had zich bij het huis van Stella en Ross verzameld en was vandaar gezamenlijk naar de dorpskerk gewandeld. Simon arriveerde toen ze hymne 321 stonden te zingen. Stella had niet veel over de peters verteld, behalve dat de ene haar broer was, en de andere een oude schoolvriend van Ross, die ze 'nogal vol van zichzelf' had genoemd. De late binnenkomer liep langzaam het middenpad door en ging aan het eind van de bank voor haar zitten. Ross gaf hem een open gezangenboek aan en rolde met zijn ogen toen de brede schouders verontschuldigend werden opgetrokken. Het was zijn haarlijn, recht en strak als van de held in een stripverhaal, en de kleur van zijn haar, het bijna blauwe zwart. L'Oréal noemde het Raven, maar dit was ongetwijfeld zijn natuurlijke kleur. Natalie voelde zich opgewonden. Toen had ze, zoals je dat in muziekvideo's en films zag, gewacht op het moment dat hij zich zou omdraaien en ze een ander gezicht zou zien.

Ze liep achter hem aan naar de doopvont en toen ze daar omheen gingen staan, zag hij haar gezicht. Er sprak vreugde en verbazing uit zijn ogen en hij trok een wenkbrauw naar haar op. Ze ervoer het bijna als een schok dat hij haar herkende. Als een Exocet-raket ging haar blik naar zijn ringvinger.

Leeg. Had hij haar zien kijken? Hij glimlachte nu en Natalie voelde dat ze bloosde. Zoals het een romantische heldin betaamde.

De baby, Hector, was groot en vertoonde een griezelige gelijkenis met de acteur Alexei Sayle. Hij jammerde en kronkelde in Simons armen en slaagde er diverse keren bijna in zich uit de ongeoefende greep van zijn peter te bevrijden. Hij leek in de doopvont te willen springen. Natalie giechelde en zijn donkere ogen twinkelden. De jaren vlogen voorbij.

Naderhand, toen de vaste kerkgangers enthousiast 'He's got the whole world in his hands' zongen, fluisterde hij: 'Jezus, ik dacht dat dat kleine beest zich helemaal onder zou dompelen.'

'Je hebt het wel over ons petekind, hoor.'

'O, ja, ons eerste kind samen.'

Ze wist niet wat ze moest zeggen.

'Bij wijze van spreken, natuurlijk.'

Ze was nog steeds perplex. Gewoonlijk was ze hier beter in, maar dit was een frontale aanval... en ze waren nog niet eens de kerk uit.

Met zijn mond nog dichter bij haar oor zei hij: 'Die van ons zouden natuurlijk veel en veel knapper zijn.'

Nu glimlachte ze. 'Kan het nog afgezaagder?'

Hij lachte. 'Waarschijnlijk wel. Wacht maar tot ik een paar glazen champagne op heb.'

Stella keek hen verbaasd en lichtelijk geïrriteerd aan. Natalie hield het gezangenboek tussen hen in omhoog en zong met haar mooiste schoolmeisjesstem.

Buiten de kerk pakte Stella haar bij haar arm en vroeg vinnig: 'Waar ken je hem in hemelsnaam van?'

'Ik ken hem niet echt. We hebben elkaar jaren geleden eens ontmoet en herkenden elkaar.'

'Dat zal dan wel. Ik had niet verwacht dat de lucht op het altaar tijdens de doop van mijn eerste kind met zoveel seksuele spanning geladen zou zijn.'

'Wat kan ik zeggen? Ik ben onvergetelijk en onweerstaanbaar.' Op dat moment voelde ze zich ook zo.

Stella werd geroepen voor de foto's en Simon kuierde naar haar toe. 'En, wat is jouw connectie met de ouders van het olifantenkind?'

'Stella is een vriendin; we werken samen.'

'Als wat?'

'Radioproducers, bij de BBC.' Ze meende dat hij een beetje onder de indruk was. Ze ging hem niet vertellen dat ze maar assistent-producer was, en nog regionaal ook. 'En jij?'

'Ik heb met Ross op school gezeten.'

'En nu?' Als hij economisch kon praten, kon zij dat ook.

'En nu wil ik wat te drinken. Sinds wanneer is een doop net een trouwpartij? Hoe lang moeten we hier buiten blijven wachten terwijl ze kiekjes van de jonge Algernon maken alsof hij verdorie David Beckham is?'

'Hector. En we wachten pas tien minuten. Ben je altijd zo ongeduldig?'

'Ja.'

Hij was chirurg, althans bijna. Hij bleek jonger te zijn dan zij. Daar had hij in 1989 niet naar uitgezien en hij had zich ook zeker niet zo gedragen. Hij was bijna negentien geweest en stond op het punt in het St.-Thomas in Londen aan zijn pre-klinische studies te beginnen toen ze elkaar ontmoetten. Nu was hij arts-assistent, zei hij, en zou hij spoedig aan zijn opleiding tot chirurg beginnen. 'Weer een lange ruk. Daarom ben ik er even tussenuit geweest,' zei hij. Nadat hij zijn bevoegdheid had gehaald had hij een tijd door Australië en Nieuw-Zeeland gezworven en voor uitzendbureaus gewerkt om duikcursussen te kunnen volgen en lange vakanties in de Whitsundays en bij het Barrier Reef te bekostigen. Hij was pas drie maanden terug – dat verklaarde zijn bruine kleurtje: hij had het soort huid dat lang bruin bleef. 'Theorie, praktijk, specialisatie... Het duurt nog wel een paar jaar voor ze me in mijn eentje mensen laten opensnijden.'

'Dus jij wordt zo'n dokter die zich niets van zijn patiënten hoeft aan te trekken omdat ze toch allemaal bewusteloos zijn?'

Hij kneep zijn ogen iets samen en glimlachte toen. 'Wat heb je dat verschrikkelijk goed opgemerkt.'

'En is het een roeping?'

'Het brengt geld in het laatje.'

'Aardig wat, neem ik aan.'

'Nu nog niet. Ik ben behoorlijk blut op het moment. Maar dat komt nog wel.'

Dat was de eerste keer dat zij voor het eten had betaald. Let wel, het waren twee simpele lunches in een Little Chef langs de snelweg, dus het had haar nog geen tien pond gekost.

Hij had haar om een lift naar Bristol gevraagd, nadat Hector het feestje ten einde had verklaard door zo hard te gaan schreeuwen dat hij zijn drie generaties oude doopjurk van Belgisch kant helemaal onder kotste. Simon had zelf geen auto. Wat hem er niet van weerhield te laten merken dat haar rode Fiat Uno in zijn ogen geen echte auto was. Zijn superioriteit en zelfverzekerdheid waren aantrekkelijk, en dat verbaasde haar: ze had niet geweten dat arrogantie haar aansprak. 'Je krijgt zeker een volwaardig god-complex als je straks afgestudeerd bent?'

'Absoluut.' Hij grinnikte haar toe. Ze voelden allebei dat er iets tussen hen was, en vonden het allebei een prettig gevoel.

In de stad had Natalie hem afgezet bij de bushalte. 'Ik ga niet jouw kant op.'

'Ik kan jouw kant op gaan, als je wilt.'

Ze wist niet hoe ze het had gedaan, maar ze had de verleiding weerstaan. 'Je zult harder je best moeten doen.'

'Ik zou graag jouw kant op willen gaan. Alsjeblieft.' Hij trok een gezicht als een trouwe hond.

Natalie lachte. 'Vandaag niet, Josephine.'

Hij erkende zijn nederlaag met een hoofdknikje. 'Het is mijn eigen schuld, neem ik aan, hè? Ik heb je al die jaren geleden uit mijn leven laten verdwijnen, en nu ga je dat weer doen.'

'Alsjeblieft, zeg. Waar haal je die onzin vandaan? Heb je

soms een boekje uit de bouquetreeks onder je trui verstopt zitten? Of souffleert Barbara Cartland via een verborgen microfoontje?'

Hij lachte. Het klonk goed. Toen hij weer sprak, klonk hij jonger en kwetsbaarder. 'Ik mag je echt graag. Jij kijkt door al die flauwekul heen, hè?'

'Zelfs Helen Keller zou erdoorheen gekeken hebben.'

Hij schudde zijn hoofd. 'Nou dan, cynische dame, kan ik je nog eens ontmoeten? Dat zou ik echt graag willen.'

Natuurlijk kon hij dat. En in werkelijkheid kon ze alleen maar door zijn bruine ogen heen kijken. Wat ze daar zag was de rest van haar leven, samen met hem. En dat wist hij beter dan zij, zelfs toen al.

Februari

# E van Equus

Tom had Natalie gebeld en haar een lift naar huis aangeboden. Hij zei dat hij toch in de buurt van het radiostation moest zijn.

Het was een saaie middag geweest en het was al tijden geleden dat hij had gebeld. Natalie had last van haar hormonen, verveelde zich en was prikkelbaar. Ze at een hele chocoladereep met vruchten en noten terwijl ze op hem wachtte.

Tom had een betere middag gehad. Hij had tijdens een vergadering een nieuwe klant binnengesleept en voelde zich tevreden en uitgelaten. Wat betekende dat hij niet zag dat het meisje met de chocolade op haar lippen dat bij hem in de auto stapte niet de vrolijke, lachende meid was die hem vorige week in haar appartement had achtergelaten om planken op te hangen. Dit meisje had donkere kringen onder haar ogen, die helemaal niet vrolijk stonden, en haar schouders waren gespannen opgetrokken onder haar jas.

'Ik wilde eigenlijk voor Eten kiezen. Het is immers bijna Valentijnsdag, Ik dacht misschien een leuk, romantisch diner bij kaarslicht...'

'Klinkt prima.' Natalie veegde over haar mond, keek naar haar vingers, en veegde nog eens, tot de chocolade verdwenen was. 'Ik ben uitgehongerd.'

'... maar toen herinnerde ik me dat je me vorige week onder valse voorwendsels naar je toe had gelokt en je me de hele dag had laten aanmodderen met wat planken en vage instructies in onbegrijpelijk Engels, dus ik weet eigenlijk niet of je wel een lekker etentje verdiend hebt. Dus heb ik iets anders bedacht.'

'Klinkt onheilspellend.'

'Endoscopie. Ik had bijna een inwendig darmonderzoek voor je geboekt in de kliniek.'

'Jakkes.'

'Ja. En zo gemeen ben ik niet.'

'Gelukkig.'

'Niet helemaal zo gemeen.'

'Weet je heel zeker dat ik geen lekker etentje heb verdiend?'

'Kom niet met dat kleine-meisjesstemmetje bij me aan, Nat. Ik weet meer dan zeker dat je dat niet hebt verdiend.'

'Vooruit dan maar.' Natalie zuchtte, maar Tom hoorde het niet. 'Verlos me maar uit mijn lijden. Wat voor afschuwelijks heb je voor me in petto?'

'Wil je niet nog eventjes raden? Ik bedoel, er waren mogelijkheden genoeg. Ik heb nog even gespeeld met het idee van Eco-strijders...'

'Wat? Me drie dagen vastketenen aan een boom, samen met mensen wier persoonlijke hygiëne heel wat te wensen overlaat?'

'Daar zou je woest om geweest zijn.'

'Maar dan had jij het ook moeten doen, en dat trekt je niet.'

'Je hebt helemaal gelijk. Daardoor vielen diverse opties af. Tot ik iets perfects vond.'

'Tom!' Natalie was geïrriteerd, maar werd ook een beetje nerveus. Hij zag eruit alsof hij hiervan genoot.

Hij deed een denkbeeldige tromroffel met zijn hand op zijn been en beet daarbij op zijn onderlip. 'De E van... Equus caballus.'

Natalie trok haar wenkbrauwen op.

'Equus caballus... paard.'

'Wat is daarmee?'

'Niets bijzonders. We gaan paardrijden.'

'Nee, dat doen we niet.' Natalie schudde haar hoofd als een nukkige peuter.

'Zegt het meisje dat nog geen maand geleden van een viaduct sprong.'

'Dat was iets anders. Met viaducten heb ik nooit iets vervelends meegemaakt.'

Tom gniffelde. 'Ach, kom op. Dat is jaren geleden.'

'Het was genoeg voor mij.'

Ze had haar bekken gebroken – wat voor de meeste mensen genoeg geweest zou zijn – tijdens de zomer van haar eindexamen, toen iedereen aan het feestvieren was. Ze had gedacht dat ze dood zou gaan. De merrie waarop ze reed, was niet heel groot – hoewel het wel zo aanvoelde toen ze tijdens haar val boven op Natalie landde. Er waren niet veel dingen uit haar jeugd die ze zich zo scherp herinnerde. Perfect bewaard gebleven gekristalliseerde momenten. Bijna niets, eigenlijk. Ze herinnerde zich dat hun moeder op de trap had zitten huilen toen ze alle drie de waterpokken hadden... ze was toen vier of vijf. Ze herinnerde zich dat ze tijdens een verhuizing wegreden van hun oude huis en het steeds kleiner zagen worden tot hun vader linksaf sloeg en het helemaal uit het zicht verdween. Haar eerste vulling, haar eerste zoen, haar eerste menstruatie, de laatste keer dat mam haar een tik had gegeven. Maar ze herinnerde zich niets zo goed als de pijn en het afgrijzen van dat ongeluk. En het meisje dat dol was geweest op paardrijden en had gezegd dat het haar hobby was, zoals Susannah tapdanste en Bridget rustig stilzat, was nooit meer in de buurt van een paard gekomen.

Ze realiseerde zich nu dat Tom ontbrak in haar herinneringen aan de tijd net na het ongeluk. Het was aan het begin van de zomervakantie geweest – hij was waarschijnlijk met zijn familie in Cornwall. Ze gingen altijd twee weken naar dezelfde plek zodra de vakantie begon.

Nu ze zich concentreerde, herinnerde ze zich wel dat hij op bezoek was gekomen; dat hij op de rand van haar bed zat, haar over de cafés in Newquay vertelde en haar op de kast joeg.

'Toe nou, Nat,' vleide hij en toen knapte er iets in Natalie.

'Nee. Tom. Nee. Wat is er zo moeilijk aan "nee" dat je het niet begrijpt? Ik wil het niet. Dit is voor jou niet meer dan een stom spelletje, dat snap ik, oké, maar ik kruip niet op een paard. Ik doe het niet. Niet voor het spel en niet voor jou en bovenal niet om een of andere innerlijke duivel te bestrijden. Ik ben heel tevreden met mijn innerlijke duivel, dankjewel.'

Ze opende het portier voor hij de kans kreeg iets te zeggen.

'Je bent mijn vriend, Tom, niet mijn therapeut. Dat dacht ik, tenminste.' En daarmee stapte ze uit. Ze smeet niet echt met het portier, maar ze keek ook niet meer naar hem achterom toen ze haar voordeur binnenstapte.

Tom bleef een aantal minuten zitten, vreemd verlegen en te beschaamd om uit te stappen en bij haar aan te kloppen. Het was gemeen geweest, dacht hij. Hij had dit niet mogen voorstellen. Hij had niet meer geweten – of had dat misschien nooit echt erkend – dat het ongeluk zo veel impact op haar had gehad, en hij had wat hij over haar wist als een goedkope stunt gebruikt.

Natalie leek moe vandaag, gespannen, en hij had nog eens extra aan het probleem bijgedragen, in plaats van met een oplossing te komen. Dat was zo heel anders dan wat hij van plan was geweest, dat hij wel met zijn hoofd tegen het stuur wilde slaan. Wat een stommeling! Serena zou hem vermoorden.

Natalie kwam niet veel verder dan de gang. Ze zakte in kleermakerszit op de vloer neer en legde haar gezicht in haar handen. Ze had graag willen huilen, maar kon het niet. Het was net zoiets als wanneer je voedselvergiftiging had en maar bleef braken, terwijl je maag allang leeg was. Ze had al te veel gehuild sinds Simon haar had verlaten. Geen tranen meer – zoiets stond er op de shampoo die Bridget voor Christina gebruikte. Geen tranen meer. Ze had een slechte dag. Dat was alles. Je wist met zoiets dat er slechte dagen zouden komen. In het begin waren alle dagen moeilijk. Dan werd je verrast door een paar dagen die wel oké waren en dan kwamen er steeds meer goede en steeds minder slechte, en helemaal geen echt verschrikkelijke meer. Daarna werd je af en toe nog verrast door een slechte dag en had je niet eens tranen meer. Dit was gewoon een slechte dag geweest, dat was alles. Een heel beroerde dag.

Toen haar knieën na een minuut of vijf begonnen te protesteren tegen de ongebruikelijke houding, hief Natalie haar hoofd op en streek haar haren naar achteren. Soms miste ze het om de helft van een stel te zijn. En soms miste ze hem gewoon. Zijn geur, zijn aanraking, zijn stem.

Tom werd niet geacht het erger te maken dan het al was. Het was juist de bedoeling dat Tom het beter maakte, dat hij háár beter maakte. En dat hij dat vandaag niet deed was de laatste druppel geweest. Het ging niet eens om dat verrekte paard, niet echt. Hoewel het natuurlijk wel gemeen was, en ze hoopte dat hij er spijt van had. Het ging om wat hij geacht werd voor haar te doen.

Nog terwijl ze het dacht, zag ze in hoe zelfzuchtig dat klonk.

Toen herinnerde Natalie zich iets. Ze had een paar jaar geleden een fikse ruzie met Simon gehad. Hij had krankzinnig veel gewerkt, zoals altijd, en Natalie had het gevoel dat ze hem al weken niet had gezien. Niet echt. Ze had haar best gedaan om het gemakkelijk voor hem te maken. Ze had zelfs zijn was gedaan. Voor hem gekookt. Zichzelf geknepen zodat ze echt wakker was wanneer hij diep in de nacht thuiskwam, zodat ze een gesprek met hem kon voeren als hij dat wilde, of hij de liefde met haar kon bedrijven als hij daar de voorkeur aan gaf (hoewel hij, als ze het zich goed herinnerde, vaker wilde dat zij de liefde met hem bedreef).

En toen had hij op zijn eerste vrije avond in tijden verkondigd dat hij was uitgenodigd voor een diner met een stel vrienden van zijn opleiding – mensen die zij niet kende, zei hij, hoewel ze hen wel gezien had, en niet echt aardig had gevonden. Een kliek. Het soort mensen dat bijna elk gesprek lardeert met verwijzingen naar het verleden – een verleden waar jij geen deel van uitmaakte, maar dat kennelijk zoveel fantastischer was dan het heden dat jij je overbodig voelde. Ze was woedend geweest dat hij liever bij hen wilde zijn dan bij haar, dat zij kennelijk niet was uitgenodigd, dat hij er echt over dacht om te gaan en haar alleen thuis te laten.

Het was een heftige ruzie geweest: Natalie star en gekwetst, en Simon ongetwijfeld moe, maar ook verontwaardigd en defensief. 'Wat is nou het grote probleem, Nat?' had hij geraasd. 'Je mag hen verdomme niet eens. Dat heb je heel duidelijk gemaakt toen je hen de vorige keer ontmoette. Vraag me niet om te kiezen tussen jou en mijn vrienden.' Hij sprak op gevaarlijke, dreigende toon. 'We zitten toch niet aan elkaar vast, of wel? Het is niet alsof we getrouwd zijn of zoiets!'

En dat was het. Dat waren ze niet. Getrouwd. Of zelfs maar zoiets. Zij had haar hypotheek en haar zuster-flatgenotes. Hij had zijn huur, zij het van een ellendig flatje zonder iemand die op alle uren van de dag en nacht klaar stond voor de was, het eten en fellatio, zodat hij bijna altijd bij haar was. En getrouwd zijn, of zoiets, stond voor hem kennelijk gelijk aan vastzitten. Wat duidelijk niets goeds inhield. En ondanks de was, het eten en de fellatio vertelde hij haar dat als ze hem voor de keus stelde, hij voor hen zou kiezen... mensen die hij niet eens zo vaak zag. Hij zou kiezen voor de vrijheid.

Ze huilde niet vaak, maar toen had ze dat wel gedaan. Ze was huilend op de bank in elkaar gezakt. En daar was Simon ongelooflijk kwaad om geworden. Hij had haar iets gemeens toegeworpen over afhankelijke vrouwen en was toen weggelopen.

Ze kon aanvankelijk niet geloven dat hij was weggelopen tijdens zo'n belangrijke, hevige ruzie. Ze herinnerde zich nog dat ze half en half naar het raam gekropen was om te kijken of zijn auto buiten stond. Hij zou met zijn hoofd in zijn handen in de auto zitten, zich afvragend wat er mis was gegaan, hoe hij zo gemeen had kunnen zijn, en overdenkend wat hij zou zeggen wanneer hij weer naar binnen ging. Maar hij was natuurlijk vertrokken.

En hij was natuurlijk teruggekomen. Laat. Een beetje dronken (hij had de auto laten staan, en Natalie herinnerde zich dat ze hem er de volgende ochtend heen had gereden om zijn auto op te halen, en dat ze binnen waren gevraagd voor koffie, en dat de vrienden nog een half uur hadden zitten praten over de vorige avond). En vol berouw. Hij had knoflook, rode wijn, verontschuldigingen, liefde en excuses uitgeademd tegen haar achterhoofd terwijl zij gespannen op de rand van het bed lag.

En zij had zich natuurlijk omgedraaid en vergeving en verlangen uitgeademd.

Nu stond ze op en wreef ze over haar onderrug. Ze liep naar het raam, net zoals ze die avond had gedaan.

En Toms auto stond er nog.

Toen ze de voordeur weer opendeed, zag Tom dat ze haar haren had geborsteld en lippenstift had opgedaan. Hij draaide het passagiersraampje omlaag en ze stak haar hoofd naar binnen. Hij begon al zijn excuses aan te bieden, maar Natalie stak haar hand op. 'Veel te hevige reactie. Slechte dag. Geen slechte vriend. Slecht idee, misschien, maar geen slechte vriend.'

'Dineetje dan maar? Kies jij maar.'

'Sushi. Veel beter. De E van Eten.'

'Stap in.'

*Nicholas en Anna*

'Gefeliciteerd met je verjaardag, lieveling.'

Anna draaide zich om en zag Nicholas bij de deur staan met een dienblad op pootjes. Ze had dat gekocht toen Susannah haar examenuitslag thuis had gekregen. Ieder van de meisjes had een buck's fizz-ontbijt (verse jus met champagne) op bed gekregen, met een bloem in een vaasje en een enge bruine envelop ernaast. Ze was vergeten dat ze het nog hadden – hij moest naar de zolder gegaan zijn om het te pakken. Ze ging rechtop zitten en glimlachte hem toe. 'Wat is dit?'

'Ontbijt op bed voor mijn lieflijke vrouw.' Hij zette het dienblad neer.

Er lag een stapeltje kaarten op. Hij deed zo zijn best. De dokter had haar pillen gegeven, geen Prozac, maar wel zoiets, en had erop gehamerd dat een depressie niets was om je voor te schamen, dat het iets chemisch was en dat het net zo goed behandeld moest worden als een ingegroeide teennagel of zelfs borstkanker. Ze had haar een recept gegeven voor drie maanden en haar gevraagd in april terug te komen. Ze had er echter ook op aangedrongen dat ze met Nicholas zou praten over de oorzaak van haar ongelukkige gevoelens. Natuurlijk.

En natuurlijk had ze dat niet gedaan. Nog niet. Ze wist niet hoe. Ze had hem verteld over de pillen, die ze samen hadden opgehaald bij de apotheek, en ze had zijn schouders weer iets rechter zien worden van opluchting. Ze gebruikte ze nu een paar weken. Dwaas om te denken dat ze in een paar dagen tijd alle problemen zouden wegnemen, hoewel ze zich wel iets lichter en vrijer voelde. Ze sliep ook beter.

Er was drie deuren verderop een vrouw geweest, Sally-nog-wat, toen Natalie pasgeboren was, die duidelijk een postnatale depressie had. Zo werd het dertig jaar geleden natuurlijk niet genoemd. Althans niet voor zover zij wist. En niet hardop. Kraamvrouwentranen kwamen de vierde dag, net als de melk.

Anna herinnerde zich dat ze haar had geholpen. Ze had niet anders gekund. Sally zag er voortdurend vreselijk uit. Ze waste haar haren niet, en de huid onder haar ogen, die rood waren van het huilen, zag grauw. Ze nam Sally's baby Amanda naast Natalie in haar grote kinderwagen mee wandelen, of liet ze naast elkaar op een deken in de zomerzon liggen terwijl Susannah een oogje in het zeil hield. Bridget gaf geen problemen; die bleef altijd op haar plekje zitten.

Anna had Sally geholpen met praktische dingen, maar had het niet begrepen. Ze herinnerde zich dat ze dacht dat Sally zich moest vermannen en blij moest zijn dat ze een gezonde baby had. Ze vroeg zich nu af of Sally dat geweten had. Ze was uiteindelijk beter geworden. Zij en haar man waren verhuisd en de gezinnen hadden nog een paar jaar kerstkaarten uitgewisseld. Sally had geen kinderen meer gekregen: ze had een keer geschreven dat ze bang was voor wat er zou gebeuren. Nu begreep Anna dat. Als je er ooit in slaagde jezelf uit dit vreselijke moeras te trekken, zou je er alles – alles – voor over hebben om er niet weer in weg te zakken.

Vond Nicholas dat ze zich zou moeten vermannen? Vonden de meisjes dat?

Ze schonk hem een brede glimlach. 'Kom me helpen die toast op te eten.'

Ze opende de kaarten. Van Nicholas, van Susannah en Casper, Bridget en Karl, een zelfgemaakte van Christina, op computerpapier dat stijf stond van te veel verf, en een van Natalie. Voor mijn vrouw, voor mijn moeder, voor mijn lieve oma. Het leven van een vrouw in drie relaties.

Anna had niet echt behoefte gehad aan vriendinnen. Vriendschappen waren altijd van korte duur geweest. Voor ze met Nicholas trouwde, waren er meisjes geweest in de bakkerij waar ze werkte. Om mee te giechelen en over jongens te praten. Om mee uit te gaan en later te vergeten. Na de geboorte van de kinderen waren er andere moeders geweest. Ze had zich echter altijd wat beter gevoeld dan zij. Haar kinderen waren schoner, slimmer en knapper. Ze had nooit verlangd naar een relatie waarin je van elkaar afhankelijk was, zoals veel andere vrouwen. Ze had geen zin gehad om hele ochtenden bij iemand in de keuken thee te drinken en het over haar seksleven te hebben. Dat was privé, en zij was heel onafhankelijk. Hoe dan ook, de intensiteit van zulke vriendschappen was niet blijvend. De kinderen werden ook groter.

Ze hadden natuurlijk wel vrienden. De mensen die met oudjaar kwamen. De echtgenotes van de mannen die met Nicholas op de bank hadden gewerkt, die met hem gingen golfen. Hij had zelfs een vriend met wie hij in dienst had gezeten, hemeltje. Maar geen mensen die geheimen van haar kenden, omdat haar trots haar er altijd van had weerhouden die te vertellen.

Het sloeg allemaal nergens op. Dus zette Anna de kaarten – die van haar man, de drie van haar dochters en die van haar kleindochter – glimlachend op de haardmantel en praatte ze er niet met Nicholas over, want wat moest ze zeggen?

'Ik heb een verrassing,' zei hij nu. 'In plaats van steeds hetzelfde verjaardagsuitje, neem ik je een nachtje mee weg. Hierheen.' Met een zwierig gebaar gaf hij haar de brochure van een landgoedhotel. 'Dat leek me een leuke afwisseling. Alleen wij tweetjes.'

Zijn lieve vertrouwde gezicht, zo wanhopig verlangend haar een plezier te doen. Ze bracht haar hand naar zijn wang en streelde die. 'Dank je, lieverd.'

Nicholas trok haar tegen zich aan en hield haar stevig vast.

# De F van Familiefeestje

'Ik weet van het huwelijk van je neef omdat je moeder het met Nieuwjaar tegen me gezegd heeft, en ik weet dat het binnenkort is, en ik ben ervan overtuigd dat je een uitnodiging voor me kunt regelen. Ik weet trouwens dat jij een uitnodiging hebt ontvangen voor jezelf plus introducee, en ik wil je introducee zijn.'

'Zo simpel is het dus?'

'Niet helemaal. Ik wil dat je tegenover je neven en nichten, je tantes, oom Tom Cobbleigh en iedereen doet alsof we een stel zijn... Beschouw het maar als kijken of ik erbij pas.'

'Terwijl ik al weet dat je perfect past?'

'Niet zo banaal, kerel. Je weet dat ik dol ben op bruiloften. Ik ben dol op je familie. Lucy en Patrick zullen er ook zijn, toch? Ik heb hen al een hele tijd niet gezien.'

'Het klinkt alsof je je de moeite probeert te besparen zelf iets voor de F te verzinnen.'

'Wat een rotopmerking. Dat is helemaal niet waar. Familiefeestjes. Nummer drie op de lijst van dingen waar stellen ruzie over maken. Na geld en seks. Van cruciaal belang dus!'

'Hoe kom je aan die statistieken, Nat?'

'Trisha.'

'Dat moet het wel waar zijn. Kunnen we niet eerst nummer een en twee afhandelen?'

'Dat zou je wel willen. Ik heb geen geld en wij doen niet aan seks. Dus... mag ik mee?'

'Ik was zelf niet eens van plan om te gaan.'

'Nu dus wel. Bedenk maar hoe blij je je moeder ermee zult maken.'

'Jij wint. We gaan erheen. Joost mag weten waarom, maar we gaan erheen.'

'O, dit wordt nog leuker dan ik verwacht had!' zei Natalie verrukt.

'Het is niet de meest stijlvolle tak van de familie, moet ik zeggen. Je was gewaarschuwd...'

'Gewaarschuwd? We zouden het moeten filmen. Dan kon je het voor een fortuin aan Endemol verkopen.'

De bruiloftsgroep stond op de stoep voor het stadhuis een sigaret te roken. De bruid (die traditiegetrouw een wijd uitlopende japon droeg) was bang dat er as op haar polyester taffetas zou vallen, dus hield het bruidsmeisje, een droombeeld in strapless kastanjebruin, hun beider sigaretten vast en paften ze er lustig op los, zonder enige aandacht te besteden aan het bruidsjonkertje dat in zijn vestje en met zijn kaalgeschoren hoofd tussen hen in stond, aan hun rokken trok en 'wc!' zei.

Winkelpubliek slingerde tussen de groep door, en negeerde hen grotendeels. Op zaterdag trouwde er elk half uur wel iemand voor de burgerlijke stand en eerlijk gezegd vonden ze al die goede wensen en die confetti maar vervelend.

Tom en Natalie stonden aan de andere kant van de straat. 'Laten we tot het laatste moment wachten,' had Tom gesmeekt.

Het was al een tijd geleden dat ze hem in een pak had gezien, dacht Natalie. Hij zag er goed uit. Zij had haar outfit vorig jaar gekocht voor het jaarlijkse uitstapje van het radiostation – naar de avondraces in Windsor – en was toen net als nu veel te sjiek gekleed geweest, maar ze vond het prachtig. Bovendien speelde ze immers een rol, dus dit was haar kostuum. De jurk was vreselijk laag uitgesneden – Susannah had haar overgehaald hem te kopen – gemaakt van heel licht mintgroene chiffon met witte bloemen, en de mantel, echt iets voor de gravin van Essex, vond ze, was een tint donkerder. De hoed was wat Susannah fascinerend noemde, een ongelooflijk dure mengelmoes van veren, tule en parels, die schuin op haar hoofd stond. Toen ze destijds in de spiegel keek bij Dickins and Jones, had ze iemand anders gezien dan zichzelf (de vrouw van een chirurg, misschien?). Op deze bruiloft was ze verreweg de mooiste gast.

'Potverdomme,' had Tom gezegd toen hij haar kwam ophalen. 'Als wie ben jij verkleed?'

'Niet zo grof. Als je vriendin, natuurlijk.'

'Je lijkt eerder een Tory-echtgenote.'

'Donder op.'

Ze voelde zich nu echter niet helemaal op haar gemak. Hoewel de bruidegom en zijn getuige een kastanjebruine stropdas bij hun slecht passende gehuurde pakken droegen, liepen de meeste mannen met open kraag en gouden kettingen rond. En tatoeages, wat eigenlijk wel paste, aangezien de bruid het gezicht van Robbie Williams – zo groot als een hand – op haar linkerschouder droeg.

Toms neef, bij zijn doop David genoemd, maar om voor de hand liggende redenen bij iedereen bekend als Pinhead of Speldenkop, stak de weg over om hen te begroeten. 'Tom, hoe maak je het, kerel? Gezellig dat je er bent.'

'Prima, Pin... Dave. Dank je. Dit is Natalie, mijn vriendin.'

Ze voelde even een huivering nu ze na zo lange tijd weer zo werd genoemd. Ook al zei hij het een beetje vreemd.

Dave schudde haar enthousiast de hand. Hij had zweetplekken onder zijn oksels. 'Leuk om kennis met je te maken, schat.' Toen gebaarde hij over zijn schouder. 'Ziet er goed uit, hè, dat vrouwtje van me?'

'Ze ziet er prachtig uit.' Natalie keek hem oprecht aan. Tom keek aandachtig naar iets op de grond. Ze drukte zachtjes met een tien centimeter hoge mintgroene hak op zijn zwarte schoen.

'Zijn je vader en moeder er al?' vroeg Dave.

'Nee, nog niet. Ze komen met Patrick en Lucy en de kinderen mee. Ze zijn inderdaad aan de late kant.'

Pinhead knikte. 'Juist. Juist. Ik kan maar beter teruggaan. Ik zie je binnen wel.' Hij stak weer de straat over.

'Komt Genevieve niet?'

'Dat is zeker een grapje? Ze steekt nog liever cocktailprikkers in haar ogen. Hoewel ik geloof dat ze dit weekend legitiem afwezig is, voor haar werk of zoiets. Geluksvogel.'

'Hou je mond, Tom. Dit wordt geweldig. Ik ben dol op bruiloften!'

Toms ouders kwamen de hoek om, Cynthia met haar hand op haar hoed, en John met een groot, in zilverpapier verpakt cadeau in zijn handen. Achter hen droegen Patrick en Lucy ieder een kind.

Lucy's gezicht klaarde op toen ze Natalie zag. 'Nat! Fantastisch. Tom vertelde me dat je zou komen. Daar ben ik heel blij om... verbaasd, maar wel blij! Ik heb je al zo lang niet gezien.'

Cynthia trok de stropdas recht van ieder mannelijk lid van haar familie dat ze te pakken kon krijgen. Ed trok aan de kraag van zijn shirt en Cynthia streek zijn weerbarstige haren glad met een vochtige vinger. 'Hij is boos,' zei ze tegen niemand in het bijzonder, 'omdat we hebben gezegd dat hij tijdens de dienst niet met zijn Power Rangers mag spelen.'

'Maak je geen zorgen, knul.' Tom bukte zich naar zijn neefje. 'Het duurt maar een minuut of tien, en dan krijg je ze weer terug.' Ed glimlachte vol verering naar zijn oom.

'Natalie, lieverd! Je ziet er prachtig uit.' Cynthia kuste Natalie. 'Fijn dat je Tom hebt overgehaald. Ik vind het heerlijk om mijn familie om me heen te hebben. Wat jammer dat Genevieve er niet bij kan zijn.'

De moeder van Pinhead was Cynthia's zus. Ze hadden geen hechte band. Pinheads moeder was getrouwd met een man die de familie helemaal niet goedkeurde. Cynthia's vader had hem tot aan zijn dood altijd alleen maar Billy Bigelow genoemd.

'Laten we naar binnen gaan.' En met die woorden ging Cynthia hen voor over de oversteekplaats.

Volgens Natalie duurde de ceremonie nog niet eens tien minuten. Het was een nogal zielloze vertoning. Tenzij je het bijzonder krachtige emotionele effect van Atomic Kitten op de cassetterecorder meetelde toen Pinhead en zijn lieftallige bruid Mandy na de ceremonie grijnzend van geluk het vijf meter lange middenpad (of de opening tussen de stoelen) afliepen.

Cynthia boog voor haar echtgenoot langs en fluisterde tegen Tom: 'Waag het niet te proberen er met een burgerlijke inzegening van af te komen. Ik wil een kerk, met bloemen, een dominee en gezangen.'

Natalie keek hem zo stemmig mogelijk aan. 'Ik ook, Tom.' Hij tikte haar op haar been.

Cynthia fluisterde nu de andere kant op: 'Ik heb ze trouwens niet over jou verteld, Patrick. Nergens voor nodig, wel?'

Lucy kromp ineen. Soms moest Cynthia eens wat langer nadenken voor ze haar mond opendeed. Naast haar voelde ze Patrick iets in elkaar zakken. Ze gaf een kneepje in zijn hand, maar hij kneep niet terug.

De receptie werd gehouden in een hotel een stukje verderop in de straat. Ronde tafels met kastanjekleurige tafelkleden stonden om een dansvloer heen met aan de ene kant een disco-installatie. Het eten stond op een lange buffettafel aan de zijkant. Tom ging met zijn vader en broer naar de bar, terwijl Cynthia met wat oudere – om maar niet te zeggen stokoude – verwanten praatte die voor die dag uit Noord-Wales waren overgekomen.

'Wat doe je hier nou echt, Natalie? Kun je niets leukers bedenken op je vrije zaterdag?'

'De F van Familiefeestje.' Lucy begreep er niets van. 'Lang verhaal. Vertel ik je nog wel een keer. Ik heb Tom in feite uitgedaagd me mee te nemen.'

'Is er iets gaande tussen jullie tweeën waar ik van zou moeten weten?'

'Wat denk je nou? Kom op, Luce. Dat juist jij dat nou moet vragen! Maar het is leuk om je weer te zien. Hoe gaat het met jullie? Ik vind het jammer van Patrick. Tom heeft het me verteld. Ik hoop dat het geen probleem is dat ik het weet? Ik heb er niets van tegen Patrick gezegd. Maar ik hoorde Cynthia in de kerk. Ze verandert ook nooit, hè?'

'Het gaat niet geweldig. Ik denk dat Patrick veel meer van streek is dan hij laat merken, zelfs tegenover mij. En ik geloof dat ik niet zo veel geduld met hem heb als ik zou moeten. Ik wil verder, weet je, de praktische zaken aanpakken. Misschien heb ik hem niet genoeg tijd gegund om aan het idee te wennen.'

'Maar Tom zegt dat Patrick het volgens hem al voor Kerstmis wist.'

'Dat klopt. Hij vertelde het mij echter pas met Nieuwjaar en dat zit me behoorlijk dwars. Ik begrijp niet waarom hij er niet eerder mee kwam.'

'Ik neem aan dat hij niet wilde dat je je tijdens de kerst zorgen maakte.'

'We zijn getrouwd, Natalie. Zijn zorgen, mijn zorgen, onze zorgen; dat hoort toch allemaal hetzelfde te zijn?'

Nu haalde Natalie haar schouders op. 'Je hebt gelijk. Het klinkt inderdaad alsof hij moeite heeft het te accepteren. Je moet het gewoon wat tijd geven, Lucy. Het komt wel goed.'

'Dat weet ik. Het komt goed. Echt.' Ze glimlachte. 'Het huwelijk, dat is alles. Hoe zit het met jou? Is Simon definitief van het toneel verdwenen?'

'Ik weet het niet. Ik kan het me niet voorstellen, maar dat zal wel zijn omdat we zo lang samen zijn geweest.'

Lucy glimlachte. 'Macht der gewoonte!'

'Dat zal wel. Maar anderzijds heb ik al sinds voor Kerstmis niks meer van hem gehoord. En dat lijkt me vrij definitief.'

'Je ziet er geweldig uit.'

'Liefdesverdriet. Ik ben drie kilo afgevallen sinds hij bij me is weggegaan.'

'Dat is toch niet zo slecht, dan?'

Natalie lachte. 'Het gaat best met me, weet je.'

Lucy sloeg een arm om haar heen. 'Het komt helemaal goed.' Uit haar mond klonk het niet bevoogdend, maar oprecht en troostend. Natalie legde haar hoofd op de schouder van haar vriendin.

'En nu snel, voor de jongens terugkomen... wat is er tussen jou en Tom aan de hand?'

Vanaf de bar keek Tom heimelijk naar Natalie. Ze praatte met Lucy, hun hoofden samenzweerderig dicht bij elkaar. Ed kwam bij hen staan en Natalie trok hem zonder nadenken op haar schoot. Hij begon aan dat dwaze ding op haar hoofd te trekken en ze onderbrak haar gesprek met Lucy om in zijn nek te blazen tot hij giechelde. Cynthia kwam terug en ging tussen de twee vrouwen in staan en even later lachten ze samen ergens om.

Ze paste erbij. Een beetje een schot in eigen doel voor haar, dacht hij, de letter F.

Twee uur later was al het eten op, maar vloeide de drank nog rijkelijk. Pinhead had zijn jasje en stropdas uitgedaan, de bruid had zich voldoende ontspannen om eigenhandig haar sigaretten te roken en de vreselijke toespraken waren achter de rug. Groepjes kinderen renden rond, gleden over de dansvloer en werden tot de orde geroepen door hun ouders. De dj in zijn schreeuwerige Hawaïshirt, begon in de stemming te komen en schroefde het volume op, zodat iedereen boven de zestig naar de achterkant van de ruimte werd verdreven, waar het decibelniveau bijna draaglijk was.

Natalie moest op het puntje van haar servet bijten toen 'The Power of Love' van Jennifer Rush door de zaal schalde, de eerste dans van het gelukkige paar werd aangekondigd en Pinhead en Mandy een paar minuten ongemakkelijk over de vloer schuifelden. Toen hij op haar sluier stapte, sloeg ze hem. Mandy's vader stond toe te kijken met een pint bier in zijn hand en tranen van trots in zijn ogen.

Toen de eerste dans overging in de tweede – niet minder verschrikkelijk – riep de dj dat 'alle stellen, verliefd, jong en oud, mannen en vrouwen, wie dan ook' zich bij de pasgehuwden op de vloer moesten voegen. Cynthia trok John mee naar het midden van de vloer en Patrick en Lucy kozen een minder opvallend plekje aan de rand om Ed en Bella in de gaten te houden, die samen probeerden te dansen.

Mandy's moeder deed een ronde langs de tafels en trok mensen de vloer op. 'Kom op, jullie twee. Meedoen!'

Natalie trok een wenkbrauw op naar Tom, die een kippenvleugeltje zat te eten. Hij legde het met tegenzin neer en veegde zijn vingers af aan een kastanjebruin servetje. 'Kom, mokkel.' Hij pakte haar hand beet.

'Omdat je het zo lief vraagt.'

Vroeger hadden ze geweten wat ze deden, dacht Natalie. Moderne dans, zelfs het zogenaamd erotische wrijven en stoten met de heupen, was niet half zo sexy. De hand van een man om je taille, je dij die tussen zijn benen gleed, het chiffon dat langs je been iets omhoog kroop... dat was pas prettig. Zelfs met Tom.

'Wij hebben niet veel samen gedanst, is het wel?'

Natalie dacht even na. 'Nee. Schooldisco, studentenfeestjes. Hebben we gedanst toen Bridget trouwde?'

'Toen was je met Simon.'

Nee, dus. 'Sorry.' Ze trok een grimas. 'Wie had jij meegebracht?'

'Genevieve. Die ervandoor ging met een van Karls vrienden, als ik het me goed herinner. Weer zo'n geweldige bruiloft voor me.'

'Deze is toch wel leuk, of niet?'

Hij nam aan van wel.

'Ik dacht dat je je veel gênanter zou gedragen. Niet dat jouw idee van gênant hier zelfs maar zou worden geregistreerd op de schaal van Richter...'

'De nacht is nog jong, mijn lief. En dat klinkt als een uitdaging. Zie ik daar een karaokemachine staan?'

'Je zou niet durven.'

'Nog twee Bacardi Breezers en er is bijna niets wat ik niet zou doen.'

'Niets?'

'Bijna, zei ik.'

'Je kunt het een kerel niet kwalijk nemen dat hij het probeert.'

Dat was zo. Natalie trok hem naar zich toe en ze dansten verder.

*Anna en Nicholas*

'Er is nog iets.' Nicholas keek zo blij als een kind.

Ze hadden een heerlijke dag gehad. Toen ze had gecontroleerd of haar antidepressiva in haar toilettas zaten, had ze aan haar anticonceptie van eind jaren zeventig moeten denken. Niet dat ze toen zo vaak weggingen, natuurlijk. Een enkele keer een weekend wanneer de ouders van Nicholas op de kinderen pasten.

Het hotel met zijn grote open haarden en opgezette dieren aan de muren was prachtig. Ze waren in de namiddag aangekomen, hadden een poosje gezwommen in het zwembad en daarna was zij op een ligstoel naast het zwembad in slaap gevallen terwijl ze een ondoorgrondelijk boek probeerde te lezen dat Susannah haar gestuurd had. Daarna was een etentje gevolgd waarbij ze het merendeel van wat op de kaart stond niet kenden en vooral over het heerlijke eten hadden gepraat.

Anna was moe, ondanks haar middagdutje. Maar Nicholas had duidelijk nog plannen. Ze vroeg zich af of ze de liefde zouden gaan bedrijven. Hij liep echter naar zijn koffer en haalde er een prachtig ingepakt cadeautje uit. Het had de afmetingen van een cd en het verbaasde Anna dat hij er zo'n ophef over maakte. Ze schonk hem een dankbare glimlach en pelde het zilverkleurige lintje eraf.

Het was een dvd zonder etiket.

'Ta-da,' zei hij, terwijl hij de deuren van de zware mahoniehouten kast tegenover hun bed openschoof. 'Precies het juiste apparaat om hem af te spelen.'

'Wat staat erop?'

'Je vindt het beslist prachtig. Wacht maar af.' Hij pakte het schijfje, stopte het in het apparaat en worstelde even met de verschillende toetsen.

De televisie ging aan en het geluid stond vreselijk hard.

'Sst!' Anna giechelde.

Hij mompelde dat die apparaten van tegenwoordig zo ingewikkeld waren, maar kreeg het uiteindelijk toch voor elkaar. Mijn god, dacht Anna, we zijn oud.

Terwijl de beelden begonnen te verschijnen kwam hij naast haar zitten. 'Ik heb alle oude filmpjes op dvd laten zetten. Dat was ik al jaren van plan. Ik moest ze allemaal van de zolder halen zonder dat jij het merkte. Daar vond ik ook het dienblad op pootjes weer.' Hij knikte, als dr. Watson tijdens een zaak. 'Ik heb er nog niet naar gekeken. Dat wilde ik samen met jou doen.'

Het was maar ongeveer vijftien minuten en er waren grote gaten – periodes dat ze te arm, te moe of te druk bezig waren geweest om te filmen. Maar daar was het dan: de mooiste jaren van haar leven gleden op het televisiescherm aan haar voorbij.

Nicholas gaf voortdurend commentaar, alsof zij niet wist waar ze naar keek. 'Bridgets doop... Kijk eens hoe slank je daar bent... en die hoed... O, kijk nou. Ik was vergeten hoeveel haar ze had... Ik herinner me die dag nog. Pepperpot Hill. Kijk dan, ze was toen mollig hè? En kijk eens hoeveel groter Susannah is... Dat is de dag dat je met Natalie uit het ziekenhuis thuiskwam. God, wat hadden de meisjes je gemist. Weet je nog? En ik herinner me nog wat ze voor je hadden gemaakt...'

Toen ze hem helemaal hadden afgekeken, realiseerde Nicholas zich dat Anna zijn hand heel stevig vasthield, alsof ze op het punt stond omlaag te vallen en hij haar moest redden. Ze huilde, en toen ze zich naar hem toe wendde, zag hij de wanhoop op haar gezicht. 'Ach, mijn lieve meid. Wat is er aan de hand?'

En ze vertelde het hem.

# De G van Gejaagd door de wind

'Wat heb jij nou aan?

'Robs fietsbroek.'

'Waarom?'

'Zeemleer.'

'Moet ik het dan begrijpen?'

'Zeemleren kruis.'

'Ik snap het nog steeds niet, al ziet het er erg leuk uit.' Dat was zo. Tom had mooie benen. Alleen zagen ze nu blauw. Het was een gure zondag in februari en de wind huilde om hen heen tussen het grijze beton van de gebouwen in dit deel van de stad.

'Ingebouwd comfort, voor als je langdurig moet zitten.'

'Heb je aambeien?'

'Nee! Maar ik moet straks wel langdurig zitten.'

'Omdat?'

'Omdat we hierheen gaan.' Met een theatraal gebaar van zijn rechterarm zwaaide hij een deur open. Natalie stapte dankbaar naar binnen.

*Gejaagd door de wind*

ZONDER PAUZE. VANDAAG OM 12.00 UUR

Natalies lievelingsfilm. Ze draaide zich met open mond naar hem om.

Tom haalde zijn schouders op. 'Ik heb hem nog nooit gezien en dacht dat het eens tijd werd dat ik er achter kwam waar iedereen zo'n ophef over maakt.'

'Ik heb hem ook al jaren niet gezien.'

'Godzijdank. Het zou een beetje een domper zijn geweest als je er vorige week nog heen was geweest.'

'Ik kan me niet precies herinneren wanneer ik hem voor het laatst heb gezien; samen met Susannah, volgens mij, maar ik weet niet meer wanneer. Dank je, Tom. Ik vind dit geweldig!' Ze glimlachte met oprecht genoegen en opwinding, en Tom was blij. Dankbaar ook: Serena had de aankondiging in de weekendbijlage van de *Guardian* zien staan en zijn aandacht erop gevestigd.

De bioscoop zat tot zijn verbazing bijna vol. Natalie gaf hem een por toen ze in het donker naar hun stoelen zochten. 'Zie je? Ik ben niet de enige rare snuiter.'

'Nee, maar ik denk wel dat ik hier de enige heteroseksuele man ben.'

'Dat zeg jij met je zeemleren kruis!'

'Hou je mond en ga zitten.'

Tom deed nu zijn rugzak af en maakte de rits open.

'Wat is dat?'

'Je verwacht toch zeker niet dat ik hier vijf uur ga zitten, of hoe lang het dan ook mag duren, zonder iets te eten? En ik heb voor jou ook wat meegebracht.'

Hij begon haar dingen aan te geven. Het was donker en ze moest alles omhoog houden in het licht om te zien wat het was. Een flesje frisdrank. Een zakje muntendrop. Een zak chips en een chocoladereep met sinaasappelsmaak. Allemaal van haar favoriete merken.

Tom wou dat hij haar gezicht kon zien. 'Genoeg zo?'

'Genoeg,' was alles wat ze zei. Maar toen in het donker de eerste witte letters over het scherm rolden, die het verhaal vertelden van de Amerikaanse burgeroorlog, pakte ze even zijn hand vast.

Tom kon niet geloven hoe geconcentreerd ze zat te kijken. Natalie wendde haar ogen nauwelijks van het witte doek af.

Ze zat volkomen geboeid stil. Hij kreeg de kriebels. Hij at zijn snacks op en keek om zich heen naar de enge mensen die overdag naar de bioscoop gingen. En naar Natalies prachtige profiel met de lichtelijk opwippende neus, de volle lippen en de kin die altijd een beetje koppig aandeed, ook als die niet in beweging was doordat ze praatte.

Het was al donker buiten toen ze de bioscoop uit kwamen, maar de wind was gaan liggen.

'Vertel me nu maar eens dat dit niet de mooiste film is die je ooit hebt gezien.'

'Alsjeblieft zeg! *The Good, the Bad and the Ugly*, de eerste *Star Wars*-trilogie, alles wat de gebroeders Coen hebben gemaakt. Daar kan dit niet tegenop.'

Natalie trok de deur van het café open. Ze gingen naar binnen en bestelden een biertje en een glas witte wijn.

'Maar hij was niet zo erg als ik verwacht had.'

'Dat is al heel wat uit jouw mond.'

'Toen Atlanta in brand stond, dat was gaaf.'

'Wat ben je toch diepzinnig.'

'Wel een belabberd einde, trouwens.'

'Hoe had het anders kunnen eindigen? Verwachtte jij een ze-leefden-nog-lang-en-gelukkig?'

'Ik weet het niet, maar dit was gewoon waardeloos. Moesten we nou echt geloven dat voor hem de betovering verbroken was en dat hij er plotseling overheen was?'

'God, nee. Hij kon er alleen niet meer tegen. Maar hij zou haar nooit uit zijn hoofd kunnen zetten. Ze was de liefde van zijn leven. Ze zijn zelfs de grootste filmische voorbeelden van een stel dat bruist van liefde.'

'Had hij geen last van halitose?'

'Ik heb het niet over Vivien Leigh en Clark Gable. Ik bedoel Scarlett O'Hara en Rhett Butler. Bruisende liefde.'

'Maar vind je niet dat dat gedoe met Scarlett O'Hara en Ashley Wilkes het ultieme voorbeeld was van verliefd-zijn-op-de-liefde? En dat het Scarletts grootste fout was dat ze niet zag wat er pal voor haar neus stond en maar bleef dromen van een denkbeeldige romance die zich nooit zou kunnen meten met haar ideaalbeeld daarvan?'

'Jezus, Tom, je klinkt net als Germaine Greer.'

'Je kunt er niet tegen dat ik, een man, perfect begrijp waar die malle film van je om draait, is het wel?'

'O, jawel, daar kan ik best tegen. Maar waar hebben we het nou eigenlijk over? Over *Gejaagd door de wind* of over ons?'

'Zeer zeker *Gejaagd door de wind*. Ik heb geen idee waar je insinuaties over gaan.'

Natalie lachte en stompte hem zachtjes in zijn maag. 'Nou, ik vond hem prachtig. Het was echt lang geleden dat ik hem gezien had.' Het was hoe dan ook lang geleden dat ze een film gezien had die zij zou hebben uitgekozen. Simon hield van gewelddadige, luidruchtige, snelle films. *Die Hard*, *The Matrix*. En die verdraaide Tolkien-films. Ze had moeten wachten, als er iets was wat zij wilde zien, tot Bridget een avond vrij was, of tot ze Rose kon overhalen Peter eens een avond alleen te laten, of tot de film uitkwam op dvd en dan tot Simon weg was zodat ze hem kon kijken zonder zijn cynische commentaar. Wat een zielig figuur was ze eigenlijk. Ze moest er bijna om lachen.

'Wat?'

'Natalie schudde de herinnering van zich af. 'Niets. Gewoon bedankt, Tom.'

*Nicholas en Natalie*

Natalies telefoon ging om halfeen. Het was Donna van de receptie. 'Je vader is hier.'

'Godzijdank,' mompelde Natalie tegen niemand in het bijzonder. Haar baas Mike was vandaag in een buitengewoon slecht humeur – het soort humeur waarbij zij niets goed kon doen. Hij had haar zelfs op de radio te kijk gezet, omdat ze informatie door elkaar zou hebben gegooid, maar dat was niet eens haar schuld geweest. God, ze had een hekel aan die man. Ze pakte haar jas en ging ervandoor.

'Hé, pap. Hoe is het met je?' Ze omhelsden elkaar. 'Ik ben blij je te zien. Ik heb echt een rotdag.'

'Laat je niet klein krijgen, lieverd.'

Ze glimlachte naar hem. 'Dat doe ik zeker niet. Bovendien ben jij nu hier en gaan we samen lunchen, dus ziet mijn dag er alweer een stuk beter uit. En ik heb een paar relatiegeschenkjes achterovergedrukt die naar Mike waren gestuurd, dus ik heb al wraak genomen.'

'Nou, normaal zou ik misschien ethische bezwaren hebben, maar hiervoor zal ik een uitzondering maken.'

'Uitstekend. Die man is trouwens toch amoreel. Het heeft geen zin mijn scrupules aan hem te verspillen.'

'Nou, goed dan. Waar heb je zin in, mijn kind? Italiaans? Chinees?'

'Maakt niet uit. Als het maar warm is. Laten we hier naar binnen gaan.'

Aan een tafeltje in de hoek bestudeerden ze het menu.

'We hebben dit al een tijd niet meer samen gedaan, hè?'

'Het is eeuwen geleden. Ik vind het fijn. Weet je nog toen ik op de universiteit zat?'

Nicholas wist het nog. Hij was soms bij haar langsgegaan – hij moest er voor zijn werk wel eens in de buurt zijn – en trakteerde haar dan op een lunch in het restaurant op de campus. Hij kwam er altijd graag. Voor hemzelf was de universiteit geen optie geweest, maar de plaatsvervangende ervaring, zien hoe het eraan toe ging, dat had hij prachtig gevonden, evenals hij het prachtig had gevonden om zijn te magere dochter naar hartenlust te zien eten. 'Lang geleden.'

Hij was blij dat Simon van het toneel verdwenen was. Ze waren niet zo hecht met elkaar geweest toen ze met hem samen was. Hij wist dat het dwaas was, maar Nicholas had het geen prettig idee gevonden dat ze wat hij tegen haar zei misschien aan Simon zou doorvertellen. Misschien was dat hopeloos onzeker voor een volwassen man, maar zo had hij het nu eenmaal gevoeld.

'Ik wil met je over je moeder praten.'

Natalie had al gedacht dat het dat zou zijn toen hij belde.

'Maar ik geloof niet dat ze dat zou willen, dus ik moet vertrouwelijk met je kunnen praten.'

'Dus mam mag er niets van weten?'

'Mam mag er niets van weten.'

'Oké. Het is toch geen kanker, of wel?' Nat voelde een rilling van afgrijzen over haar rug lopen.

'Nee, nee. Lichamelijk is ze in orde.'

'Goddank. Wat is het dan?'

'Ze heeft een depressie. Natalie, een klinische depressie. Ze is naar de dokter geweest en die heeft haar antidepressiva gegeven.'

'Mam?'

'Ja, mam. En ze zou het waarschijnlijk vreselijk vinden dat je het wist, dus je moet me beloven...'

Natalie wuifde zijn bezorgdheid terzijde. 'Ik beloof het je, papa. Je weet dat je me kunt vertrouwen. Hoewel het niets is om je voor te schamen...'

'Maar zij schaamt zich wel.'

'Dat is stom.'

'Ze heeft het gevoel dat ze faalt, geloof ik, en het gevoel dat ze mij in de steek laat, en dat ze ondankbaar is... een hoop dingen. Ze zit er vreselijk mee.'

'Arme mam. Ik neem aan dat het wel verklaart... je weet wel... waarom ze de laatste tijd zo raar doet. Denk je dat het komt door wat er vorig jaar is gebeurd?'

'Dat zou misschien wel kunnen, maar ik denk dat het veel gecompliceerder is.'

Natalie luisterde.

'Je moeder heeft het gevoel dat ze niets is.' Nicholas begon bijna te huilen. 'Het spijt me. Ik vind dit zo moeilijk.' Natalie pakte over de tafel heen zijn hand vast. De serveerster arriveerde met hun eten en Nicholas keek omlaag terwijl ze hun mosterd aanbood en het bestek neerlegde. Daarna praatte hij verder.

'Het is heel moeilijk uit te leggen. Je zou denken dat er sprake is van een groot drama, of een groot geheim of zoiets, maar het is allemaal veel subtieler. Je moeder heeft haar hele volwassen leven jullie grootgebracht, en voor een deel komt wat ze voelt voort uit het idee dat er nu niets meer voor haar te doen is... afgezien van wachten tot Bridget haar vraagt om een keer op te passen of iets dergelijks. Ze houdt heel erg veel van jullie, maar heeft het gevoel dat het allemaal voorbij is, en ze weet dat ze zoveel meer had kunnen zijn. Ze is gefrustreerd, wrokkig, dwars en boos. En daarover voelt ze zich weer schuldig en stom, en ze heeft het idee dat ze het op mij en jullie afreageert zonder dat jullie begrijpen waarom. Voor een deel denkt ze dat jullie geen waardering hebben voor de persoon die ze is, of zelfs de persoon die ze had kunnen zijn. Ze zei dat ze zich eendimensionaal voelt, en dat ze zich nooit gerealiseerd had dat het niet genoeg zou zijn. En ik denk dat het idee, vorig jaar, dat ze kanker had en dat ze dood zou gaan haar aan het denken heeft gezet over haar leven, en nu heeft ze het heel moeilijk met het gevoel dat ze niet het leven heeft geleid dat ze graag zou hebben gewild.'

Het was heel wat en Natalie begreep het nog niet allemaal, maar ze begreep wel haar vaders bezorgde blik. 'Wanneer heeft ze je dit allemaal verteld?'

'Tijdens haar verjaardag. Ze stortte in en het kwam er allemaal uit.'

'Arme jij.'

'Arme zij. Ze weet dat we een zware dobber aan haar hebben. Ze denkt dat jullie allemaal genoeg van haar hebben.'

'Dat is niet waar. Het is alleen niet gemakkelijk; je weet nooit in wat voor stemming ze zal verkeren. En ik vind het niet fijn zoals ze jou behandelt. Zelfs nu je het me allemaal hebt uitgelegd. Het is immers niet jouw schuld, pap? En ze doet afschuwelijk tegen je.'

'Maak je daar maar geen zorgen over.'

'Dat doe ik wel. Ze vliegt je voortdurend naar de keel. Het is alsof ze je niet kan uitstaan. Alsof ze zich de hele tijd aan je ergert. Met Kerstmis kromp ik bijna elke keer dat ze haar mond opendeed ineen. Je zag eruit als een konijntje in een stroperslamp. God, pap, drie dagen was al erg genoeg... maar jij moet het voortdurend verdragen. Het is niet eerlijk tegenover jou.'

'Ik red me wel. En het is niet de hele tijd zo. Ze heeft gewoon slechte dagen. Sommige dagen is alles normaal. Net zoals het vroeger was. Jij en je zussen zien haar alleen op haar slechtst. En dat is een van de moeilijkste dingen van het geheel. Ik hou van haar, Natalie. Ik wil haar alleen maar helpen.'

'Hoe ga je dat doen?'

Nicholas legde zijn gezicht in zijn handen en wreef vermoeid over zijn ogen. 'Ik weet het niet.'

'Wat kan ik doen om te helpen?'

'Laat haar niet vallen. Hou niet op langs te komen alleen omdat ze moeilijk is. Ze heeft je nodig, Natalie, jullie alle drie.'

'Oké, pap. Oké.' Natalie had zijn hand weer vastgepakt, boven het eten dat ze waarschijnlijk zouden laten staan. 'Dat beloof ik.'

# De H van Hotel

'Ik dacht dat je blut was.'

'Dat ben ik ook. Het was een cadeautje dat iemand naar het radiostation heeft gestuurd. Omdat ze een of ander festival gesponsord hadden...'

'En hebben ze dat aan jou gegeven?'

Nou, laten we het erop houden dat ze niet hebben gemerkt dat het met de post is binnengekomen...'

'Dat had ik niet achter je gezocht.'

'Nou, als die luie donder nou eens zelf zijn post openmaakte, had hij het misschien wel gevonden.'

'Oké. Begrijp me niet verkeerd. Ik heb er geen probleem mee om van de rijken te stelen en de buit aan de armen te geven; erg Robin Hood. Ik vroeg me alleen af wat we in het hotel gaan doen. Waar is het in de buurt?' Tom hield de kaart vast en keek afwisselend daarop en naar de borden die met alarmerende snelheid voorbijraasden. Hij was vergeten hoe hard Natalie altijd reed. Alsof ze te laat was voor de belangrijkste gebeurtenis van haar leven zat ze ernstig als een oude dame over het stuur gebogen.

'O, dat doet er niet toe. We gaan met elkaar naar bed. Eerlijk gezegd hoop ik dat de omgeving op de tweede plaats komt.'

Tom had net een slok cola genomen en proestte die over het dashboard uit. 'Wat?'

'Nou, ik weet dat het een tijd geleden is dat je een serieuze relatie hebt gehad. Maar je bent toch vast niet vergeten dat het een vrij belangrijk onderdeel is; seks, bedoel ik. Ik weet dat ze zeggen dat het is als met fietsen, maar ik heb eerlijk gezegd heel wat meer dan drie versnellingen. Hoe weet ik nou hoe dat met jou zit als je me niet laat zien dat je weet waar Abraham de mosterd vandaan haalt, als je begrijpt wat ik bedoel?'

'Je houdt me voor de gek. Wat is dat voor flauwekul?'

'Ik ben volkomen serieus.' Ze keek hem over de rand van haar bril aan.

Ze geloofde zelf natuurlijk helemaal niet dat dat zo was. De gedachte aan seks met iemand anders dan Simon was beangstigend. Ze had natuurlijk eerder minnaars gehad, al gaf die benaming ze waarschijnlijk te veel eer. 'Prutsers' was wellicht beter. Ze hadden niet geweten wat ze moesten doen of hoe ze haar zover moesten krijgen dat ze deed wat ze wilden. Niet het type minnaars die je bij daglicht naakt zien. En eerlijk gezegd waren het er ook niet erg veel. Ze had het pas echt geleerd van Simon. Tot hem had ze seks niet eens echt lekker gevonden. Romantiek was belangrijker voor haar geweest. Ze zou het misschien nooit toegegeven hebben, maar voor haar was seks het zompige gedoe tussen de romantiek en het knuffelen. Natuurlijk had Simon haar duidelijk gemaakt dat ze dat alleen maar vond omdat de anderen het niet goed hadden gedaan. Hij zei dat dokters geweldige minnaars waren omdat ze veel meer van het menselijk lichaam wisten dan andere mensen. Natalie dacht dat het eerder te maken had met de hoeveelheid ervaring die hij had opgedaan: op zijn vijftiende had hij zijn maagdelijkheid verloren aan de jonge oppas. Zijn naieve ouders waren haar blijven betalen om te komen, nog lang nadat Simon een oppas nodig had, omdat ze een tien had voor Engels en Simon een beetje moeite had met dat vak. Zijn moeder had nooit begrepen waarom hij uiteindelijk toch maar een zeven had gehaald, maar als ze ooit te vroeg thuis zou zijn gekomen van een avondje uit, zou ze hebben ontdekt dat wat de oppas hem leerde niets met Engelse les te maken had. Nadat zij naar de universiteit was vertrokken was Simon doorgegaan naar het volgende meisje – en het volgende, en het volgende – en ieder meisje had hem weer iets geleerd, zodat hij een expert was tegen de tijd dat hij iets met Natalie kreeg. Met hem had ze vooraf zelden veel romantiek nodig en had ze naderhand vaak eerder zin om het nog een keer te doen dan om te worden geknuffeld.

Maar iemand anders? Na al die jaren met Simon? Misschien kon ze maar het beste dronken worden en het gewoon doen. Met wie dan ook. Dus waarom niet met Tom? Ze kende hem goed. Ze wist dat hij lief zou zijn. Waarom niet met Tom? Alcohol was de sleutel, misschien.

Hij lachte verrukt. 'Je bluft, Nat.'

'Wacht maar af. Ik heb een aktetas vol met mijn mooiste kanten setjes en een groot pak Durex bij me. Ik ben niet bang om ze te gebruiken. Hoe zit het met jou?'

Tom had sinds de vorige zomer alleen maar aan seks met zichzelf gedaan. Hij was een van die mannen die de zin niet inzagen van seks puur om de seks. Hij had ook nooit veel belangstelling gehad voor de pornovideo's waar diverse vrienden en huisgenoten zo hoog van opgaven. Na een tijdje zagen al die meisjes met hun onwaarschijnlijk grote, starre borsten en hun perfecte ronde billen er hetzelfde uit, en werd de daad zelf saai om naar te kijken. Eén buitengewoon weerzinwekkende vriend van een vriend op de universiteit had hem bespot met dat 'gebrek aan normale interesse' en hem uitgemaakt voor flikker. Dat had niet verder bezijden de waarheid kunnen zijn. Tom hield van vrouwen en hij hield van seks, als het ging zoals het hoorde. Het meest sexy deel van een meisje was volgens Tom haar gezicht wanneer hij de liefde met haar bedreef, of de geheime plekjes aanraakte die haar opwonden en die alleen hij kende – zoals wanneer hij de bovenrand van haar oorlelletje kuste, of haar knieholtes streelde.

Hij had heel wat vriendinnen gehad en had met diverse van hen geslapen, maar hij had niet gelogen toen hij jaren geleden tegen Natalie had gezegd dat hij nog nooit verliefd was geweest: je kon op heel veel manieren om iemand geven. Hij was pas op zijn vijfentwintigste verliefd geworden, en sindsdien nog één keer.

Hij was niet verliefd geweest op die vrouw van de afgelopen zomer, maar had haar wel fantastisch gevonden. Hij was gaan duiken in de Rode Zee, voor zijn open-watercertificaat, en zij volgde dezelfde cursus. Ze was Nederlandse, maar sprak vloeiend Engels met een rollend accent dat hij meteen aantrekkelijk vond. Wat hem het meest had aangesproken waren haar pit en enthousiasme. Ze was ouder dan hij, begin veertig; ze had vrij laat in haar leven leren duiken en vond het heerlijk. Ze dreunde vlot het cursusboek op in een taal die niet de hare was, en popelde elke dag om het water in te gaan. Na een duik terug op de boot was ze altijd een poosje stil, alsof ze zich weer moest aanpassen aan de lucht, en daarna vertelde ze uitgelaten over wat ze had gezien en hoe het voelde. Het was aanstekelijk, en zeldzaam onder de ervaren uitslovers en vrijgezelle macho's. Ze deed hem aan een zeemeermin denken.

Op een avond had ze hem mee uit gevraagd en na het eten hadden ze over het strand gewandeld en had ze gezegd dat ze hem erg aardig vond en gevraagd of hij mee wilde gaan naar haar kamer. Dat had hij gedaan en ze had de liefde met hem bedreven zoals ze ook dook: opgewonden en enthousiast, en had naderhand een tijdlang zwijgend en peinzend in zijn armen gelegen. Ze hadden het daarna elke avond gedaan, tot het einde van de vakantie. Toen ze die laatste avond naast hem lag, vertelde ze hem dat ze zich hem voor altijd zou herinneren en dat hij het tot een heerlijke vakantie had gemaakt. Haar man had haar het jaar daarvoor verlaten, zei ze, en Tom had haar laten zien dat haar leven toch nog iets anders voor haar in petto had. Het was de eerste keer dat ze ook maar iets zei over een leven weg van de Rode Zee, en Tom was heel blij voor haar geweest.

Ze hadden geen telefoonnummers en zelfs geen achternamen uitgewisseld en op de ochtend van haar vertrek had ze hem vluchtig op de lippen gekust en gedag gezegd. Sindsdien was er niemand meer geweest. En Natalie had – waarschijnlijk – de afgelopen jaren alleen met Simon geslapen.

Ze hield hem beslist voor de gek, maar dat maakte Tom niet minder nerveus. Hij wist niet zeker of het Natalies manier van rijden was of het idee dat zijn – toegegeven, enigszins roestige – techniek zo klinisch geëvalueerd zou worden.

Misschien had hij zich geen zorgen hoeven te maken: twintig minuten later reed Natalie triomfantelijk de brede oprijlaan op van een bekend kuuroord. Het soort waar ex-voetballers heen gingen om af te kicken en popsterren om fotoreportages te laten maken wanneer ze van hun overspelige echtgenoten waren gescheiden of het halve pond waren afgevallen dat ze tijdens hun zwangerschap waren aangekomen.

'Je zei dat het een hotel was!'

'Dat is het ook.'

'Het is een kuuroord.'

'Wat in zekere zin gewoon een hotel is met... wat extra's.'

'Ja, allerlei extra's voor meisjes!'

'Onzin. Er zijn vast ook massa's kerels.'

'Mannen, misschien wel, Natalie, maar geen kerels.'

'Doe niet zo kleingeestig. Misschien vind je het wel leuk.'

'Misschien ook niet. Misschien was ik liever thuisgebleven om cocktailprikkers onder mijn nagels te steken.'

'Waarschijnlijk hebben ze een dergelijke behandeling hier ook wel.'

'Behandeling? Het klinkt eerder als een gekkenhuis. Frontale lobotomie, juffrouw?'

'Behandeling. En we krijgen er ieder drie gratis, dus maak je borst maar nat.'

'En de seks dan? Je hebt me seks beloofd. Het is niet netjes om een man zo om de tuin leiden, Natalie.'

'Speel je kaarten goed, dan weet je maar nooit. Het blijft toch een hotel.'

'Kuuroord,' mompelde Tom zacht terwijl Natalie achteruit parkeerde tussen een Audi TT en een Kever. 'Een kuuroord vol rukkers.'

Het was heerlijk om hem zo slecht op zijn gemak te zien. De badjassen die ze bij de receptie ontvingen waren duidelijk maar in één maat verkrijgbaar, wat betekende dat ze voor Tom, en de helft van de aanwezige vrouwen, aan de korte kant waren.

'Het Engelse rugbyteam is hier ook geweest, weet je.'

'Maar ze zijn er nu niet, of wel soms?'

'Maar er zijn wel mannen.'

Er waren drie mannen om precies te zijn. Twee daarvan vormden een stel. Ze waren zo duidelijk en enthousiast homoseksueel dat ze zo ongeveer door de gangen paradeerden van de ene naar de andere 'behandeling'. De derde was een man van middelbare leeftijd met een buikje en met teenslippers aan, die als een tempeleunuch achter zijn kolossale vrouw aan sjokte.

Natalie bestudeerde hun schema als Indiana Jones op een missie. 'Je hebt een gezichtsbehandeling over een half uur, daarna een Indische hoofdmassage, en ik heb ondertussen een volledige lichaamsbehandeling. Daarna zien we elkaar in het thalassotherapie-bad.'

'Wacht eens even, Nat. Ik zie een paar problemen. Ten eerste, een gezichtsbehandeling? En wat is in godsnaam een thalasso-weet-ik-veel?'

Ze keek in de brochure. 'Het is een ontspannende en stimulerende krachtige massage door waterstralen in een bad dat rijk is aan zout en mineralen.'

'Bedankt voor de opheldering.'

'Graag gedaan. Je moet hier wachten tot iemand je komt halen en ik zie je over een uur in het bad.' Natalie knipoogde naar hem en verdween toen.

Hoe kon ze hem dit aandoen na *Gejaagd door de wind*? Tom schoof onbehaaglijk op zijn stoel heen en weer.

Anderhalf uur later zat hij op haar te wachten bij wat een gigantisch bubbelbad leek.

Natalie kwam binnen en keek hem stralend aan. 'Je haar zit leuk!'

Tom streek zijn krullen glad. Ze voelden vet aan. Hoe konden vrouwen dit gedoe nou leuk vinden?

'Dat was heerlijk.' Natalie snorde bijna als een poes. 'Ik voel me fantastisch. Hoe vond jij het?'

'Belachelijk!'

Natalie bekeek zijn gezicht van dichtbij. 'Ziet er goed uit.'

'Ik moet kennelijk vaker een peeling doen.'

'We halen wel wat in de boetiek, oké?'

'Juist. Wat is de volgende marteling?'

'De therapeutische waterstralen.'

'O, joepie.'

'En dan een diner.'

'En wat voor verrukkingen staan ons daarbij te wachten? Wortelsap en bleekselderij?'

'Doe niet zo raar. Kuuroorden zijn niet meer wat ze geweest zijn, weet je. Ik wed dat we zelfs een glas wijn kunnen krijgen.'

'Nou, ik tel de minuten af.'

Hun therapeute kwam binnen, gevolgd door een groep kwebbelende huisvrouwen. Ze gaf hun wat uitleg over de heilzame effecten van de komende behandeling, die volgens Tom een serieus wetenschappelijk onderzoek niet zouden doorstaan, stuurde hen toen de ruimte in en zei dat ze hun badjassen moesten uittrekken. Tom rilde bijna van afschuw. Die vrouwen waren toch zeker niet naakt?! Gelukkig droegen ze allemaal een badpak.

Tom was zich bewust van zeven paar ogen van middelbare leeftijd die hem openlijk waarderend bekeken, en was blij dat hij sinds Nieuwjaar weer regelmatig naar de sportschool ging. Zo moesten de Chippendales zich voelen. Zelf kon hij zijn ogen niet van Natalie afhouden. Ze zag er fantastisch uit. Haar borsten waren voller dan hij zich herinnerde, rond en stevig. Haar huid was lichtgekleurd, smetteloos en glad. Hij wilde haar aanraken. En haar billen, toen ze zich omdraaide om haar badjas op te hangen...

Tom was blij dat ze het water in mochten. Hij was ook maar een mens.

Het bad was echter niet bepaald veiliger. Natalie ging op een soort ligstoel in het water liggen en de luchtbellen stegen om haar heen op. Haar hoofd lag achterover en ze had haar ogen dicht. Haar borsten dobberden tussen de bubbels. Potverdorie. Geen wonder dat kerels niet naar kuuroorden gingen. Hij deed zijn ogen dicht, stak zijn hoofd onder een krachtige waterstraal en probeerde aan iets anders te denken.

Ze mochten een glas wijn bij het eten, maar het menu 'adviseerde' er niet meer dan twee per dag te nemen en de serveerster haalde bereidwillig hun lege glazen weg, wat de pret wel enigszins drukte. Tom voelde zich vreemd moe.

'Dat komt door al dat ontgiften en de lavendelolie en zo.'

'Natuurlijk.'

'Heb je zin om nog even te zwemmen?'

Dat had hij niet, maar zij wel, dus tien minuten later kwam ze weer tevoorschijn in haar badpak en liep ze naar het zwembad.

'Heb je wel een vol uur gewacht na het eten?' sprak hij met echte kuuroordstem.

'Veertig minuten, maar we hebben niet veel gegeten. Waarom drink je je koffie niet bij het zwembad? Dan zie je het meteen als ik gered moet worden.'

Dus keek hij toe. Het zwembad was leeg. Natalie bleef even op de rand staan en maakte toen een perfecte duik. De rimpels vingen het maanlicht op dat door de dakramen naar binnen scheen, en ze gleed sereen en gelijkmatig door het water heen en weer. Prachtig.

Tom zat in de problemen. Hij had gemeend dat hij wist wat hij voelde. Hij had niet verwacht te worden overspoeld door golven van lust. Hij probeerde zichzelf voor te houden dat het iets biologisch was, dat het niets met Natalie te maken had. Maar natuurlijk was dat wel zo. Ze had hem die middag de adem benomen, en nu kreeg hij weer geen lucht.

De andere keren – op Dartmoor, en in het zwembad met een wetsuit aan – waren anders geweest. Ze had hem aan het lachen gemaakt, had ervoor gezorgd dat hij om haar gaf, misschien zelfs nog meer dan hij al meende te doen. Maar hij had niet dit verlangen gevoeld.

Terug op hun kamer trok Natalie een degelijke flanellen pyjama aan, die hem van gedachten had moeten doen veranderen, maar dat niet deed. Hij kon haar borsten zien bewegen onder de stof en toen ze haar armen omhoogstak, ging het jasje mee omhoog en zag hij haar navel en de ronding van haar heup, en het was een kwelling.

'Waarom kijk jij nog steeds zo nors?' vroeg ze.

'Het is pas tien uur. Er is niets op de televisie en ze hebben hier verdorie niet eens een bar.'

'Bij de receptie hebben ze dvd's. We kunnen wel even gaan kijken of er iets leuks bij is. En er mag dan geen bar zijn, maar daar had ik rekening mee gehouden.' Ze opende de bovenste lade van een kastje en haalde er een fles Jack Daniel's en een paar blikjes cola uit. 'Verboden waar!'

Tom sprong op. 'Je bent geweldig!'

Doorlopende afleveringen van *The Simpsons* op tv werden een stuk leuker na een paar stevige glazen Jack Daniel's, en een uur later voelde Tom zich meer ontspannen dan de hele dag het geval was geweest. 'Hoe is het met je moeder?' vroeg hij.

'Ze zijn net weggeweest. Pap heeft haar voor haar verjaardag meegenomen naar een heel luxe hotel. Onderdeel van zijn plan om haar op te vrolijken. Ze komt er wel bovenop, dat weet ik zeker. Soms is een verandering van omgeving alles wat je nodig hebt om de dingen anders te gaan zien, nietwaar?'

Had ze het nou over haar moeder of over hem?

'Begrijp je wat er met haar aan de hand is?' Hij probeerde zich op hun gesprek te concentreren, al steeg de whisky hem wel naar het hoofd. Ze lag op haar eenpersoonsbed, met haar ogen dicht. Vijf minuten geleden had hij gemeend dat ze sliep, maar toen was ze rechtop gaan zitten en had ze nog een glas Jack Daniel's ingeschonken. Als ze zich op een nieuwe manier van hem bewust was, liet ze dat in elk geval niet merken. Hij deed zijn best niet naar haar te kijken. Ze lag nog geen halve meter bij hem vandaan.

'Ik weet het niet. Misschien. Ik kan het nu niet uitleggen. Te veel whisky.'

'Denk je dat het het emptynestsyndroom is?'

'Ga weg jij, met je psychoanalyse!'

'Denk je dat?'

Het leek of Natalie er niet over wilde praten, en hij aandrong.

'Misschien. Ik weet wel dat ze altijd voor ons geleefd heeft.'

'Wat kan het anders zijn?'

'Van alles. Pap is met pensioen gegaan, nietwaar? Dat is ook nieuw. En dan die angst voor kanker, vorig jaar.'

'Maar dat was in orde.'

'Ik weet het. Maar zoiets zet je waarschijnlijk wel aan het denken over je leven...'

Tom knikte. 'Dat zal wel. Ik heb een beetje medelijden met je vader.'

'Hij heeft het in elk geval pas de laatste tijd moeilijk in zijn huwelijk. Jouw arme vader moet je moeder al tientallen jaren verdragen.' Ze wilde hier nu niet aan denken, ze was te zeer aangeschoten. Ze zou als ze terug waren naar haar moeder gaan.

'Maar hij houdt van haar.'

'Dat moet wel, om dat onophoudelijke geklets al zo lang te verdragen. Hij is zo'n stille man.'

'Ze is zo verkeerd nog niet, weet je. Ze zijn yin en yang.'

Natalie lachte. 'O, ik weet het. Ze heeft een goed hart, je moeder. Een vreselijke kletskous, maar een goed hart. Hoe had ze anders jullie drieën groot kunnen brengen? Jij bent toch best in orde, niet dan?'

'Is dat zo?'

Ze rolde zich op haar zij en glimlachte naar hem. 'Je bent prima in orde.'

'En jij bent behoorlijk tipsy.'

'Dat komt door de aromatherapie-oliën.'

'Oké. Sterk spul, als je het mengt met cola.' Zijn ogen twinkelden.

'Inderdaad!' Ze sloot haar ogen weer en draaide terug op haar rug. Plotseling trok ze haar benen op en schopte ze de lucht in, als een kind.

'Wat doe je?'

'Ik ben gelukkig.'

'Echt waar?'

'Ja. En dat is een hele tijd geleden.'

'Dan ben ik blij voor je.'

Natalie keek hem indringend aan. 'Kom hier en geef me een knuffel, Tom.' Ze wist niet precies wat ze wilde of wat hij wilde. Ze kwam overeind en ging op de rand van het bed zitten.

Tegen beter weten in knielde Tom voor haar op de grond neer. Ze sloeg haar armen om hem heen en trok hem tegen zich aan. Ze rook anders dan normaal, naar de zalfjes en luchtjes waarin ze was gesmoord, maar niet onaangenaam. En hij vond het prettig zoals ze op zijn schouders leunde. Hij legde zijn hand op haar zachte haren.

Zij begon. Zij was echt degene die ermee begon.

Ze draaide haar hoofd iets en kuste zijn nek. Daarna zijn oor. Ze legde haar hand in zijn nek en kuste weer zijn oor. Tom week terug en lachte een beetje ongemakkelijk. 'Wie ben ik?' vroeg hij.

Ze deed even haar ogen open, maar sloot ze toen weer en antwoordde zacht: 'Je bent zeer beslist Tom. Tom.'

Toen het zeggen van zijn naam haar er niet van weerhield verder te gaan, kuste Tom haar. Ze beantwoordde zijn kus en trok hem dichter tegen zich aan. Het was heerlijk om haar te kussen.

Tom streelde haar rug, over het flanel heen, liet toen zijn handen eronder glijden en streelde de huid die hij die middag zo vreselijk graag had willen aanraken. Die was zo zacht als hij had verwacht. Zijn handen dwaalden naar de voorkant, over haar maag omhoog naar haar borsten. Hij streek met een duim over een van haar tepels en kreunde toen hij merkte dat die hard was.

Natalie liet zich van het bed op zijn schoot glijden en hij duwde zijn heupen tegen haar aan; hij wilde meer. Een poosje zaten ze zo verlangend tegen elkaar aan. Toen Tom echter aan haar pyjamabroek trok, leek er iets in haar te knappen en week ze terug.

Hij durfde bijna niet naar haar gezicht te kijken, en toen hij dat toch deed zag hij haar opengesperde ogen. Ze begon te giechelen. 'Het spijt me, Tom, ik kan het niet. Ik kan je gewoon niet serieus nemen, niet op die manier.'

'Heb je ooit gedacht dat je dat wel zou kunnen?'

Natalie keek hem beschaamd aan. 'Ik weet het niet.'

Tom trok haar van zijn schoot.

'Het spijt me zo.' Ze legde haar hand op zijn arm. 'Echt waar. Ik wilde je echt niet beledigen of kwetsen.'

Hij zei niets. Ze gaf een tikje op zijn onderarm. 'Of je helemaal opzwepen. Dat heb ik toch niet gedaan, of wel. Je weet toch wat ik bedoel, of niet? Het voelt gewoon niet goed, dat wij... dat doen.'

Het had voor hem verdomd goed gevoeld. Maar als maar één van hen het wilde, had het geen zin.

Ze keek hem smekend aan, zoals alleen Natalie dat kon, smekend om het moment voorbij te laten gaan, om het weer goed te maken.

'Wees niet boos op me, Tom. Alsjeblieft.'

'Ik ben niet boos op je, Natalie.' Hij stond op. 'Vergeet het maar. Niet mijn eerste dronken scharrel. Of de laatste, waarschijnlijk.'

Hij was echter wel boos. Op hen allebei. Op Natalie omdat ze had gezegd dat ze met hem naar bed zou gaan, en op zichzelf omdat hij het had geloofd. Ze had hem wel degelijk zitten opzwepen. Ze was nooit van plan geweest verder te gaan. Ze speelde het spel met hem mee, dat was alles. En hij had er immers om gevraagd? Hij was een idioot geweest dat hij het geprobeerd had. En dat terwijl ze aangeschoten was.

'En het is toch echt nog goed tussen ons, hè?'

Hij glimlachte en zei dat natuurlijk alles goed was, maar dat hij haar dit nog niet had vergeven en dat ze maar beter kon oppassen voor de I.

Natalie kroop terug in haar bed en sliep binnen vijf minuten. Ze moest meer van de Jack Daniel's op hebben dan hij gedacht had. Tom voelde zich schuldig. Hij wou dat hij haar niet gekust had.

Hij ging op het andere bed naar haar liggen kijken. Haar gezicht was glad en uitdrukkingsloos in haar slaap, haar mond licht geopend. Ze had echt geen idee wat ze hem aandeed, omdat ze niet op die manier aan hem dacht en ze had nog steeds niet door dat hij wel ontzettend gek op haar was, dat hij hier nu lag met een keiharde, en hevig naar haar verlangde. Iemand die haar niet zo goed kende zou haar een droogverleidster noemen. Hijzelf misschien ook wel, als hij haar niet zo vereerd had. Bedacht hij nou excuses voor haar gedrag en maakte hij zichzelf wijs dat ze niet wist waar ze mee bezig was?

God, wat was hij geil. Gefrustreerd. Het was een poos geleden en hij voelde een doffe pijn, Hij dacht er even over naar de badkamer te gaan, maar dat voelde niet goed, dus draaide hij zich om en probeerde hij aan iets anders te denken dan dat hij haar pyjama van haar lijf wilde scheuren. Hij had nu geen andere keus dan de nacht naast haar door te brengen, en morgenochtend op te staan en te doen alsof hij het net zo min serieus had gemeend als zij. Zodat ze er een grapje over konden maken en de schaamte opzij konden zetten.

Het duurde heel lang voor Tom in slaap viel.

# Maart

*Natalie en Anna*

Ze was voor haar vader gekomen. Ze had het beloofd, maar het voelde vreemd aan.

Ze woonde al jaren niet meer hier bij haar vader en moeder, maar het zag er nog steeds hetzelfde uit.

Ze was sinds Nieuwjaar niet meer geweest. Normaal zou ze voor haar moeders verjaardag gekomen zijn, maar dit jaar niet. Ze had al een excuus willen verzinnen, maar dat was niet nodig geweest. Mam leek er zelf weinig zin in te hebben gehad toen ze elkaar aan de telefoon spraken.

En Kerstmis was afschuwelijk geweest.

Lange stiltes en spanningen hoorden niet in dit huis. Zo was het hier nooit geweest. Ook al woonde ze hier al lang niet meer, Natalie wilde haar thuis en haar ouders nog steeds als een veilige haven zien. Ze nam het haar moeder kwalijk dat dit niet langer het geval was.

Bridget was te moe om erover na te denken en Susannah was te zelfzuchtig, maar Natalie had er sinds de kerst veel over nagedacht. Ze had zich gerealiseerd dat ze kwaad was op haar moeder. Ze had geprobeerd daarover met zichzelf in het reine te komen en de boosheid weg te nemen. Natalie was niet goed in confrontaties en gruwde van het idee om ruzie te maken met haar moeder.

Het gesprek met pap had het een en ander duidelijk gemaakt en tot haar opluchting was ze niet boos meer. Maar het voelde nog steeds vreemd aan.

Ze had gebeld en een afspraak gemaakt om langs te komen. Zo had het in elk geval aangevoeld.

Anna ervoer het duidelijk ook als vreemd. Ze zette thee. 'Je vader heeft je ingelicht, neem ik aan.'

Natalie was op haar hoede. Ze wilde haar vader niet in de problemen brengen.

'Het is wel goed. Hij moest het waarschijnlijk aan iemand vertellen. En met jou heeft hij de hechtste band,' vervolgde haar moeder.

'Hij maakt zich zorgen om je, daarom heeft hij het me verteld.'

'En hij heeft je gevraagd te komen, is het niet?'

Natalie loog: 'Nee. Natuurlijk niet. Dat hoeft niemand me te vragen. Je bent mijn moeder.'

Anna glimlachte voor het eerst sinds Natalie binnen was gekomen. 'Je hebt nooit goed kunnen liegen, Natalie, zelfs als kind al niet. Susannah loog net zo gemakkelijk als andere mensen ademhalen, en Bridget ging altijd met de meerderheid mee, maar jij... bij jou wist ik het altijd meteen.'

Ze had gelijk.

'Bovendien zijn jullie sinds Nieuwjaar geen van drieën vrijwillig naar me toe gekomen.'

'Susannah was weg...'

'O, dat weet ik wel, en Bridget heeft pas weer een baby en jij hebt je eigen bezigheden. Dat weet ik allemaal.'

Er viel even een onplezierige stilte.

'Maar ik weet ook dat jullie niet wilden komen. Ik weet hoe ik me gedragen heb. Ik kan het jullie niet kwalijk nemen.'

'Kerstmis was wel moeilijk.'

'Voor mij ook.'

'O ja?' Natalie had het gevoel gehad dat ze hen geen van drieën thuis wilde hebben en had dat niet begrepen.

Anna tuurde voor zich uit. 'Ik stond in de keuken met de kalkoen, netjes op een schaal, zoals altijd. Dezelfde schaal. De vogel op dezelfde manier klaargemaakt: goudkleurig gebraden. Die stomme worstjes met bacon eromheen. Nog meer bacon over de borst van de kalkoen. Dezelfde vulling, die iedereen lekker vindt, die iedereen verwacht. En ik wilde – ik geloof dat ik van mijn hele leven nog nooit iets zo graag heb gewild – hem het liefst oppakken en door de kamer heen gooien. Ik wilde die schaal neer horen kletteren en de kalkoen over de vloer zien stuiteren.'

'Mam!'

'Ik had het gevoel dat ik gek werd.'

'Waarom heb je ons dat niet verteld, of in elk geval pap?'

'Omdat ik bang was om het hardop te zeggen.'

Natalie keek naar haar moeder. Die kon naaien, papier-maché kon maken, de leukste spelletjes ter wereld kende en de namen van allerlei bloemen kon noemen. Die haar geschaafde knieën beter had gekust, haar koortsige voorhoofd had gestreeld, haar hand had vastgehouden op weg naar school en haar elke dag weer had opgehaald, en die had geluisterd naar alles wat zij te vertellen had alsof het vreselijk interessant en belangrijk was.

Natalie realiseerde zich dat het nu haar beurt was.

*Lucy*

Het was op deze tijd van de ochtend altijd rustig in het zwembad. De kantoorarbeiders en forenzen waren allang weg en de moeders waren er nog niet. Die stonden nog te kletsen op het schoolplein, deden snel wat boodschappen bij de supermarkt of dronken samen koffie. Lucy en Marianne gingen graag vroeg. Dan hadden ze ieder een baan voor zichzelf en konden ze een minuut of twintig heen en weer zwemmen zonder te worden gestoord door de zwabberende ledematen van anderen. Tegen de tijd dat het druk werd in het zwembad, zaten zij heerlijk tien minuten in het bubbelbad en wanneer zich rijen begonnen te vormen voor de douches, waren ze al op weg naar huis.

Lucy sloot haar ogen en genoot ervan dat ze gewichtloos en stil door het water gleed. Ze dacht aan Alec. Dat leek ze de laatste tijd voortdurend te doen. Tijdverdrijf. Ze telde de banen niet meer. Ze zwom gewoon lekker twintig minuten en dacht aan dingen waaraan ze niet hoorde te denken. Alec die haar uitkleedde. Alec die haar kuste. Alec die naast haar lag. Zij samen, de liefde bedrijvend op het strand. Of tijdens een langzame dans onder bomen die volhingen met kleine lampjes.

Toen deed ze haar ogen open, zag ze Mariannes hoofd boven het water uit komen en vroeg ze zich af of ze zichzelf moest haten. Was het normaal en onschuldig om op die manier aan de man van een andere vrouw te denken?

In de kleedkamer keek ze heimelijk naar Marianne. Ze had een prachtig lichaam. Glad en strak en met de kleur van honing, het hele jaar door. Wat kon Alec in haar zien als hij zo'n vrouw had?

Toch wist ze dat hij iets in haar zag. Dat er iets tussen hen was. Een onzichtbaar koord dat ze niet konden aanhalen, bespreken of erkennen, zelfs niet tegenover elkaar, maar dat hen altijd verbond als ze in dezelfde ruimte waren.

En ze vroeg zich af waarom ze zich daar niet slechter bij voelde. Lucy wist dat ze een goed mens was. Ze was een trouwe vriendin, of niet dan? Dat was ze altijd al geweest. Ze had vriendinnen die ze nog kende van de kleuterschool.

Ze hield zich voor dat ze er zich niet slecht bij hoefde te voelen omdat er nooit iets zou gebeuren. Zover zouden ze het niet laten komen. Zover zou zij het niet laten komen. En Alec was waarschijnlijk helemaal niet zo geweldig als ze dacht als hij het soort man was dat zijn vrouw zoiets zou aandoen. Dus waren die meisjesachtige fantasieën veilig. Onschuldig. Een oppepper voor haar ego, die de dagelijkse sleur doorbrak.

Ze deden niets verkeerd. Dat hield ze zichzelf voor.

Rose was kwaad op haar, en Natalie vond dat vreselijk. Ze zaten met Bridget te brunchen, een paar dagen na het kuuroord-debacle, zoals Rose het noemde sinds Natalie haar die zondagmiddag had gebeld en had verteld wat er was gebeurd. Bijna alles. Ze had haar niet bekend dat ze onderweg tegen hem had gezegd dat ze met hem naar bed zou gaan. Gelukkig maar. Ze waren zo al kwaad genoeg.

'Je hoeft me niet met van die trouwe-hondenogen aan te kijken, Nat. Dat helpt echt niet. Je had hem verdorie helemaal niet moeten kussen. Het kan me niet schelen hoeveel Jack Daniel's je op had. Heb ik gelijk of niet, Bridge?'

'Absoluut. Arme kerel. Hem meenemen naar een kuuroord, terwijl je trouwens ook ons mee had kunnen nemen, hem opgeilen en dan niet verder gaan. Echt een rotstreek.'

'Bedoelen jullie dat ik het wel had moeten doen?'

'We bedoelen dat je jezelf helemaal niet in die positie had moeten brengen, Nat, niet dat je iets had moeten doen wat je niet wilde. Maar kom op zeg, het was toch vragen om moeilijkheden, jullie samen in een hotelkamer? Je speelde een heel gevaarlijk spelletje, meisje. Wat had je verdorie gedacht dat er zou gebeuren?'

'Nu spannen jullie tegen me samen.'

'We zijn geen zeven meer! We spannen niet tegen je samen. We zijn het er alleen over eens dat jij je niet goed hebt gedragen.'

Natalie wist dat ze gelijk hadden.

Rose praatte nog steeds. 'We weten dat Simon je gekwetst heeft, Nat, maar dat geeft je nog geen *carte blanche* om iemand anders te kwetsen.'

'Hij zei dat het in orde was.'

'En misschien is dat ook wel zo. Ik weet niet hoe Tom zich voelt. Het punt is dat jij dat ook niet weet.'

'Ik denk dat ze het wel weet, een beetje,' zei Bridget. 'En ik denk dat ze het wel leuk vindt dat hij haar overlaadt met aandacht.'

'Praat niet over me alsof ik er niet bij ben. En trouwens, wie zou het niet fijn vinden om door een fantastische kerel te worden overladen met aandacht?'

'Allemaal goed en wel, zolang er niemand gekwetst wordt. Ook Tom niet.'

'Ik geloof echt dat jullie je zorgen maken om niets.'

Bridget hief haar handen als in een gebaar van overgave. 'Oké dan, als je het dan toch niet wilt horen. Ik heb mijn best gedaan. Ik moet trouwens gaan, want Karl zal zich afvragen waar ik blijf. Twee uur lang alleen met twee kinderen onder de twee, daar wordt hij sikkeneurig van. En ik moet op weg naar huis nog luiers halen.'

Ze kuste hen allebei en stond op. 'Hoe is het met mam?'

Natalie stond ook op. 'Beter. Ik ben een paar keer naar haar toe geweest.'

'Dat vertelde ze me, ja. Ik ben er ook diverse keren heen geweest, met de kinderen. Dat vindt ze heerlijk.'

Natalie was blij dat Bridget dezelfde moeite nam als zij. Ze hadden er niet over gepraat, niet echt. Ze herinnerde zich echter iets wat Bridget eens tegen haar had gezegd nadat Christina geboren was: dat je als je zelf moeder was pas na ging denken over wat het inhield om een dochter te zijn.

'Suze komt met Pasen, hè?' zei Bridget.

'Voor zover ik weet wel. Mam kijkt daar naar uit, hè? Ik denk dat ze ons na die beroerde kerst allemaal bij elkaar wil hebben.'

'Er moet van tevoren iemand met Suze praten. Je weet hoe ze kan zijn.'

Natalie knikte. 'Mam zegt dat zij degene is die het meest op haar lijkt.'

'Daarom botst het tussen hen ook zo vaak, denk ik.'

'Ik praat wel met haar.'

'Geweldig.' Bridget kuste haar nog eens en zei over haar schouder tegen Rose: 'Breng haar aan het verstand hoe het zit met Tom, wil je?'

'Eerlijk gezegd heb ik een plan.' Rose glimlachte.

'O, nee.'

'O, jawel. Ik vind dat alfabetspel tot op zekere hoogte prima, maar volgens mij moet jij nodig wat andere mensen ontmoeten. Peter en ik geven een feestelijk etentje, en jij komt ook, en ik nodig wat mensen uit met wie jij in je eentje kennis kunt maken.'

'Dat klinkt afschuwelijk.'

'Dankjewel.'

'Nee, Rosie, je weet best wat ik bedoel. In m'n eentje mee kennismaken, dat klinkt afschuwelijk. Ik kom gewoon niet.'

'Dat zullen we nog wel eens zien...' Rose leunde achterover tegen het bankje en sloeg demonstratief haar armen over elkaar.

# De I van Ikea

'Dit is beslist Dantes zevende cirkel van de hel. Nee, de achtste. Ik kan me niet voorstellen dat mensen hier zomaar naar toe gaan. Ik bedoel, anders dan vanwege een weddenschap, voor straf of een alfabetspel.'

'En toch doen ze dat. Met duizenden.'

'Ik weet het. Ze zijn vandaag verdorie allemaal hier.'

Het had hen vijftig minuten gekost om op de hoogste verdieping van de blauw-gele parkeergarage te parkeren en nu hadden ze zich aangesloten bij een stroom lemmingen in de lift, die allemaal kleine potloodjes, meetlinten en reusachtige blauwe tassen bij zich hadden.

'Doe niet alsof het mijn idee was, Tom. De I was jouw letter, vergeet dat niet...'

'Ja, nou, geef Serena maar de schuld. Zij is degene die vindt dat Rob en ik dit spul moeten hebben.'

Serena had om meer stoelen en een bijpassende tafel voor de vergaderruimte gevraagd. Ze had gewacht tot ze wist dat de letter I eraan zat te komen en toen geopperd dat het leuk zou zijn als Tom Natalie meenam naar de blauw-gele jungle. 'Ik weet het, geniaal idee.' Zij en Rob hadden gelachen.

'Bovendien,' had Rob vervolgd, 'ben jij de doe-het-zelver en dat is het koninkrijk van de platte verpakkingen, dus ik had eigenlijk verwacht dat je dolenthousiast zou zijn.'

Natalie moest erom lachen. Ze had er waarschijnlijk om gevraagd. '*Touché*! Maar wat worden we geacht over elkaar te leren hier? Dat met de D had in elk geval nog zin. Kan hij wel of niet planken recht en stevig ophangen?'

Tussen de keukens en de bankstelletjes lag een peuter met een rood hoofd languit voor hun voeten te krijsen van woede. Zijn moeder, hoogzwanger, lag vijf meter verderop op een bedbank en riep: 'Hou je mond, Callum,' maar er viel niet meer met Callum te praten. Tom en Natalie stuurden hun karretje van het looppad af en om het jongetje heen, zoals de twintig klanten met karretjes voor hen dat hadden gedaan.

'Ik weet dat ze recht hingen. Zijn ze ook stevig?'

'Ik heb er nog niets zwaars opgezet. Maar geloof me dat je het te horen krijgt als ik mijn verzamelde werken van Walt Whitman en Shakespeare erop zet en ze het gewicht niet blijken te kunnen dragen.'

'Dat zal zo'n vaart niet lopen, lijkt me. De nieuwste Penny Vincenzi, misschien.'

'Hé! Ik lees de klassieken.'

Tom trok een wenkbrauw op.

'Oké. Ik heb de klassieken gelezen. Ik héb ze in elk geval en dat is volgens mij het enige wat iedereen met die boeken doet; ze hebben. Volgens mij staan ze bij mam en pap op zolder.'

'Je moet niet iedereen beoordelen naar jouw prullerige normen van integriteit en intellect.'

'Oké dan, wijsneus. Wat was de laatste klassieker die jij gelezen hebt, afgezien van *Classic Car Monthly*?'

Hij aarzelde geen moment. 'Dat moet de laatste Ian McEwan zijn geweest.'

'Dat telt niet!'

'Waarom niet? Een klassieker van de toekomst.'

'Zwak. En misschien heb je die wel gelezen, maar heb je er ook echt van genoten? Ik bedoel, als je nou bijvoorbeeld in het programma *Desert Island Discs* zou zitten...'

'Graag. Ik heb al sinds *Nationwide* een zwak voor Sue Lawley.'

'Doe even serieus. Als dat zo was, dan zou je een pretentieuze, pientere opmerking over je boek maken, maar je zou het niet menen, wel dan?'

'Natuurlijk wel.'

'Ach, ga weg. Nick Hornby, op z'n best.'

'Wat zou jij dan zeggen?'

Bij de badkamers stond een stel ruzie te maken over de kleur van handdoeken. Hij was kennelijk een stompzinnige kleurenblinde terwijl zijn vrouw, naar verluidt, 'goede smaak nog niet zou herkennen als ze ermee tegen haar reet geslagen zou worden'.

'Nou... jij hebt de bijbel en Shakespeare al, nietwaar? Dan zou ik moeten zeggen... de dikste seks-en-shopping-roman die ik in de boekhandel kan vinden. Veel personen. Veel smerige seksscènes.'

'Dat zou je echt niet zeggen op Radio Vier!' Tom lachte. 'En muziek?'

'Dat is veel moeilijker. Dat verandert immers steeds, toch?'

'Voor mij niet. De Rolling Stones, Cream, Claptons live-uitvoering van "Layla", wat nummers van Queen...'

Een kleine, kalende man was in gevecht met twee karretjes die stevig in elkaar geklemd zaten. Hoewel er volop karretjes beschikbaar waren, leek hij vastbesloten een van de twee vastzittende exemplaren mee te nemen. Hij vloekte zacht en er lag een dun laagje zweet op zijn voorhoofd. Tom manoeuvreerde hun karretje om hem heen en ze lieten de man achter zich.

'En zou je het lef hebben om dat op Radio Vier te verklaren? Geen Schubert? Geen duet uit *De Parelvissers*?'

'Nee. Ik hoef niemand iets te bewijzen, zoals ik al zei. We maken ons niet allemaal zo druk om wat andere mensen van ons denken, Nat.'

Ze trok een grimas en vroeg zich even af of ze hem met een Ikea-koekenpan in zijn gezicht zou durven slaan.

'Ik wed dat ik weet wat jouw beste song zou zijn, als je tenminste niet die Schubert-show zou opvoeren...'

'En...'

'Katrina and the Waves. "Walking on Sunshine".'

Verdorie. 'Misschien,' gaf ze onwillig toe.

Tom gaf haar een duwtje. 'Kom op. Dat is je lievelingsnummer, dat weet ik gewoon. Je noemde het altijd je gelukslied.'

'Je weet te veel.' Ze noemde het nog steeds zo. Soms zette ze het nummer op als ze alleen thuis was; dan zette ze het volume hoog en danste ze als een gek door de kamer.

'Toch ben ik nog steeds hier. Vind je dat niet vleiend?'

Waarschijnlijk was het dat wel. Natalie veranderde van onderwerp. 'Terug naar Ikea. Hoewel een verlaten eiland me vele malen aantrekkelijker lijkt. Wat moet ik hier eigenlijk over jou ontdekken?'

'Wat voor geweldige smaak ik heb?' Ze waren nu in het magazijngedeelte en zochten naar de rij en de plank waar Serena's buit te vinden zou moeten zijn. Natalie duwde de kar en Tom liep een paar passen voor haar.

'Als je een geweldige smaak had, zouden we nu bij een andere winkel zijn. Wat nog meer?'

Hij bleef triomfantelijk staan en begon de plat ingepakte kantoorstoelen op het karretje te laden. 'Hoe mannelijk ik ben?' Het karretje had geen remmen en rolde iets door, zodat hij het pakket niet recht op de stalen bodem kon zetten. Hij probeerde het op z'n plek te schoppen, maar de doos was langer dan zijn benen en hij kon er niet bij. Hij liet het pakket dus maar zakken en probeerde het karretje klem te zetten tegen de stellingkast.

Natalie deed met een brede grijns om haar mond een stap achteruit. 'Nou en of. Een echte bink.'

'Hou op en help me liever even, wil je?'

Zoals bij veel mannen werd Toms altijd aanwezige gevoel voor humor en vermogen om het hardst om zichzelf te lachen het meest onder druk gezet op plaatsen zoals de Ikea. 'Hou op met lachen.'

'Sorry.' Natalie trok een gemaakt-ernstig gezicht en zette zich schrap tegen het karretje terwijl Tom er nog twee stoelen op legde.

‘Waar is de tafel?’

Tom keek op zijn briefje. ‘Die moet hier pal... O, verdomme!’

‘Wat?’

‘Op.’ Hij schopte tegen het karretje. ‘Ik haat die rottent hier!’

‘Nou snap ik het!’ riep Natalie uit. ‘Je hebt me hier mee naar toe genomen om te laten zien dat jij het hoofd koel kunt houden terwijl alle andere mensen compleet doordraaien. Zoals in dat gedicht van Rudyard Kipling. Dan zul je een man zijn, mijn zoon, nietwaar? Goed gedaan!’

Op het moment dat Tom naar haar opkeek, lachten zijn ogen bepaald niet. Maar toen hij naar haar toe kwam, zijn handen opgeheven alsof hij haar wilde wurgen, trokken zijn mondhoeken naar boven, en tegen de tijd dat zijn vingers zich om haar nek sloten en hij haar tegen de planken van de stellingkast aan duwde, had de glimlach ook zijn ogen bereikt. ‘En wat wil jij mij laten zien? Hoe goed je om alles en iedereen kunt lachen? Nou?’ Zijn glimlach was erg dicht bij haar mond.

Natalie trok zijn handen los en dook snel onder zijn arm door. ‘Niet mijn spelletje, makker. Niet mijn spelletje.’ Maar ze glimlachte net zo als hij.

‘Laten we hier zo snel mogelijk weggaan.’

Het stel dat onenigheid had gehad over handdoeken, had nu een verbazingwekkend gelijksoortige woordenwisseling over badkamerkastjes.

‘Je weet toch wat er met zeehonden en pinguïns en zo gebeurt als ze die in dierentuinen in een te klein zwembad stoppen? Ze ontwikkelen gestoord gedrag, dat ze steeds herhalen. Dat is bij mensen duidelijk ook het geval...’

Natalie lachte en ze duwden de moeizaam verkregen stoelen naar de kassa en het daglicht dat ze aan de andere kant daarvan konden zien, voorbij de plastic hotdog en bodemloze colaflessen.

Een etentje. Feestelijk? Niet bepaald. God, wat was dit saai! Zelfs Rose gedroeg zich vreemd vanavond. Alsof ze tien jaar ouder was geworden en plotseling belangstelling had ontwikkeld voor de *Guardian*. En Natalie wist toevallig dat dat niet zo was. De *Daily Mail* zou al een stapje hoger zijn voor Rose, die meer geïnteresseerd was in wie er met wie naar bed ging dan in wie er oorlog voerden. Ze geloofde niet dat ze die avond zelfs maar één keer echt had gelachen, of iemand anders dat had horen doen. Ze keek op haar horloge en probeerde haar ongenoegen te verbergen. Elf uur. Ze kon onmogelijk voor twaalf uur weggaan, anders zou Rose weken blijven mokken. Ze verbeet een geeuw. Rose was geen Nigella Lawson. Het eten was in orde, maar de ambiance liet heel wat te wensen over. Pete's bazen waren er, zijn accountant-bazen, met hun vrouwen en vriendinnen. Dat zei genoeg. Rose had niet gezegd dat het zo'n 'volwassen' avond zou zijn, anders had ze misschien een excuus verzonnen. Vijf over elf. Misschien kon het nog.

De man links van haar was duidelijk voor haar bedoeld – Pete's idee, had Rose haar in de gang toegefluisterd om alle verantwoordelijkheid van zich af te schuiven. Wat maar goed was ook, want hij was een buitengewoon slechte keus.

Grappig genoeg zouden zowel Simon als Tom hier vreselijk om hebben moeten lachen. De een misschien op een vriendelijker manier, maar ze zouden allebei tamelijk sarcastisch zijn geweest en zich slecht hebben gedragen.

Tom was die avond met Patrick en Rob uit eten. Zij had naar Lucy of Serena gekund. Of thuis kunnen blijven met een gezichtsmaskertje op – of cocktailprikkers in haar ogen kunnen steken. Bijna alle opties waren aantrekkelijker dan dit hier.

Ze kon maar niet beslissen of de man naast haar aanstoot wílde geven of dat hij gewoon zo stompzinnig was dat hij ervan uit ging dat iedereen zijn ideeën over homoseksuelen, asielzoekers en Oasis deelde.

Toen Rose opstond om de dessertbordjes af te ruimen, knipoogde ze naar Natalie en bewoog ze even haar hoofd naar opzij. Natalie sprong op en volgde haar naar de keuken met een paar borden in haar hand.

'Jezus, Rosie. Wat heb ik Pete ooit misdaan?'

'Ik weet het, ik weet het. Het spijt me. Wat een eikel, hè?'

'Hoe komt Pete op het idee dat hij en ik het wel met elkaar zouden kunnen vinden?'

'Ik denk niet dat hij een diepe en betekenisvolle band voorzag. Hij heeft alleen gezegd dat hij nog maar pas bij de firma werkte en er goed uitzag. En dat klopt wel, in zekere zin, vind je niet?'

'Hij kan er best mee door tot hij verdorie zijn mond opendoet.'

'Het spijt me, schat. Echt waar. God, wat is het daarbinnen saai.' De echte Rose was terug. Ze had haar oude persoonlijkheid weer 'aangetrokken' toen ze de keuken binnenstapte en haar schort voorbond. Nu haalde ze het cellofaan van een kaasplankje dat niet uit de supermarkt kwam en waar geen Cheddar op lag.

'Wat is dat in hemelsnaam? Het is toch zeker geen kaas?'

'Geen paniek. Het is organische vijgentaart. Schijnt heel goed samen te gaan met kaas.'

'Dat geldt ook voor augurken. Verdomme, Rose, kaasplanken zijn voor dertigers.'

'We zíjn dertigers, Nat.'

'Spreek voor jezelf. Ik hoor niet tot die soort. Heb je hier iets te drinken?'

'Flambeercognac. Daar heb ik de niertjes in geflambeerd en er is nog genoeg over.'

'Dank u, dokter Lector. Dat is prima. Geef maar hier.'

Rose pakte twee glazen uit de kast. 'Voor mij ook.'

Ze goten het in één keer achterover en schonken toen nog wat in.

'Denk je dat mijn aanstaande hier aantrekkelijker door zal worden?' Rose giechelde.

'Vergeet het maar.'
'Dus... mijn nobele experiment is niet bepaald geslaagd.'
'Hebben we het over het eten?'
'Nee! Het eten was subliem.'
'Natuurlijk, schat. Ik hou van rauwe varkenslapjes.'
Rose gaf een mep op haar arm. 'Het was perfect klaargemaakt.'
'Vraag me dat morgen nog maar eens.'
'Ik bedoel mijn experiment om jou te laten inzien dat er meer mannen zijn dan Simon en Tom...'
'Als dat daarbinnen de crème de la crème is, zit ik zwaar in de problemen.'
De cognac smaakte een beetje naar spiritus, maar werd met elke slok beter drinkbaar.
'Bovendien,' zei Natalie, 'dacht ik dat jij vóór Tom was.'
'Dat ben ik ook, geloof ik. Ik ben dol op Tom. Ik wil alleen niet dat je aan iets begint omdat het gemakkelijk en prettig is, en omdat je bang bent dat er niets anders is. Ik wil dat het een bewuste beslissing is. Dat is de enige manier waarop het kan werken.'
Natalie keek vol genegenheid naar haar vriendin. 'Je houdt echt van me, is het niet?'
'Natuurlijk, slijmerd.'
'En je houdt echt van Pete, hè?'
'God, ja.'
'Dat is fantastisch. Ik hou ook van jou.'
'Dat weet ik.'
'En ik hou van Pete. Ondanks...' ze gebaarde met de cognacfles in de richting van de deur '... dit, hou ik echt van hem. Jullie twee zijn fantastisch samen.'
'En volgens mij hou je ook van flambeercognac.' Rose trok de fles uit Natalies hand en zette hem terug naast de oven.
Pete kwam binnen. 'Is alles hier in orde?'
Rose glimlachte. 'Beter dan daar.'
'Jezus, ik weet het. Mogadon in menselijke vorm. Wat heeft ons bezield?'

'Ik begon al te denken dat ik niet verder wilde leven.'

'Mag ik samen met jullie hier doodgaan?' Pete ging op het aanrecht zitten. 'Ik geloof niet dat ze in de gaten hebben dat ik weg ben.'

'Blijf dan maar bij ons. Sluit je aan bij de duistere zijde... ook wat flambeercognac?'

Pete schudde eerst zijn hoofd, maar knikte toen. 'Jullie zijn onverbeterlijk.'

'Absoluut. En wil je Natalie nu misschien uitleggen hoe je op het idee kwam dat zij en je vriend iets gemeen zouden hebben?'

*Lucy*

'Meidenavond?' De ober grinnikte haar toe. Hij was belachelijk jong.

'Allemaal moeders, vrees ik.' Lucy glimlachte ook.

'Ik zal deze wel even brengen.'

'Dank je, het lukt me wel.' Ze nam vijf wijnglazen in één hand en klemde de twee flessen onder haar andere arm.

De andere moeders waren vrij luidruchtig voor een vroege maandagavond. Het was pas zeven uur en ze hadden al twee flessen leeg. Normaal meed ze dit soort gelegenheden als de pest. Schooletentjes en all-inclusive-vakanties waren niet haar favoriete gespreksonderwerp bij een glas middelmatige Chileense rode wijn, maar op dit moment was het beter dan een avond voor de televisie met Patrick. Hij wilde niet met haar praten – wilde trouwens helemaal niets met haar doen – dus veinsde hij belangstelling voor elk natuur-, klus- en realityprogramma dat er te zien was. Ze werd er gek van en had die avond opgelucht de deur achter zich dichtgetrokken.

'Kom op, Lucy.'

'We willen weten hoe jij en Patrick elkaar hebben ontmoet.'

'Ja! Wist je dat Lorna en Steve samen op de kleuterschool hebben gezeten?'

Lorna wilde niet al te saai overkomen. 'Maar we hebben elkaar na ons eindexamen tien jaar niet gezien.'

'Schattig!'

'Bij ons was het gewoon zo'n saaie kantoorromance. We zagen elkaar in een drukke vergaderkamer.' Dat was Sasha. 'In feite duurde het drie maanden voor ik hem zover had dat hij ophield zich op zijn cijfertjes te concentreren en op mij ging letten, maar uiteindelijk heb ik hem toch zover gekregen!' Haar lach eindigde altijd in een knorrende grinnik. Lucy wist dat ze het al jaren zo vertelde, maar ze moest er nog altijd om knorren.

'En hoe zit het met jou?'

'Laat me even bijkomen, oké? Ik heb nog niet eens een glas wijn gehad. Laat iemand anders maar eerst.' Lucy wist niet zeker of ze hier vanavond wel over kon praten.

'Marianne? Hoe ging het bij jou en Alec?'

Lucy voelde een lichte huivering. Van verwachting of van afgrijzen? Ze wilde dit niet horen, maar Marianne boog al samenzweerderig naar voren en begon te vertellen. 'Qantas. Toeristenklasse, natuurlijk. Kerstmis 1985. Ik ging op vakantie, Alec ging naar huis.'

'Ik was vergeten dat hij Australisch was.'

'Zijn accent is bijna verdwenen, vind je niet?'

'En?'

'Nou, tijdens die lange vluchten loopt iedereen toch altijd met angst en beven naar zijn plaats; zoiets van, laat er de komende vierentwintig uur alsjeblieft niet iemand naast me zitten die afschuwelijk dik is, stinkt of vreselijk saai is? Ik zat naast hem. In feite zat er op de stoel bij het raampje iemand die afschuwelijk dik was, stonk en vreselijk saai was, maar hij ruilde van plaats met mij, zodat hij in de middelste stoel naast haar zat.'

'Wat een heer!'

'Inderdaad!'

'En?'

'We begonnen gewoon te kletsen. En de vlucht vloog voorbij. We landden in Bangkok en Bombay, stapten uit om onze benen te strekken. Ik weet nog dat hij in de taxfree zone Chanel Nr 5 kocht voor zijn moeder. De tijd in het vliegtuig ging echt heel snel voorbij. Ik heb niet eens naar de films gekeken.'

Aha!'

Sasha trok een paar keer insinuerend haar wenkbrauwen op. 'Hebben jullie... je weet wel... de mile-high club en zo?'

'Dat doet niemand ooit echt. Dat is niets dan een mythe.' Lorna schudde haar hoofd.

'Nee, hoor,' zei Marianne, en zweeg toen even. 'In elk geval niet op de heenweg.'

Sasha knorde weer. 'Vertel verder.'

Lucy nam een flinke slok van haar wijn. Ze werd hier niet vrolijk van.

'We wisselden telefoonnummers en zo uit, maar hij had het vreselijk druk met familie en ik had ook mijn eigen dingen; ik had daarginds afgesproken met vrienden van mijn ouders, die kinderen van mijn leeftijd hadden. Ik ging de kerstdagen bij hen doorbrengen en Alec en ik zagen elkaar niet. We hebben elkaar een paar keer gesproken, hij belde met Kerstmis, en we hadden vaag het plan elkaar met oudjaar te treffen in de haven van Sydney, maar dat kwam er niet van. Je weet hoe dat gaat. Ik geloof dat ik niet dacht dat ik hem nog zou zien en dat was prima. Ik bedoel, we hadden het goed met elkaar kunnen vinden in het vliegtuig, maar je bent jong en het gaat allemaal lekker losjes, nietwaar? Ik vond hem echt aardig, maar ik was niet verliefd of zoiets stoms.'

De anderen hingen aan haar lippen.

'Maar begin januari belde hij me en toen brachten we toch nog een dag samen door, op Bondi Beach. Een heerlijke dag. Het was bloedheet en vreselijk druk en we hadden gewoon, ik weet niet, zo'n dag met een gouden randje. Een perfecte dag, waarop je nog een hele tijd kunt teren...' Mariannes stem stierf weg.

Sasha duwde tegen haar elleboog en ze begon weer te praten: 'En die avond ruilde hij zijn vlucht naar huis om, hoewel ik dat toen niet wist, om tegelijk met mij terug te kunnen vliegen. Hij zou eigenlijk pas een paar dagen na mij vertrokken zijn.'

'Hij moet smoorverliefd zijn geweest.'

Ze glimlachte wat verlegen. 'Ik denk het.'

'En?'

Marianne giechelde. Ze leek bijna weer een meisje van vijftien. 'Nou, laten we maar zeggen dat die club niet slechts een mythe is.' Gebulder. 'Je moet de juiste lichaamslengte hebben... en verdomd snel zijn, en heel wat schaamtelozer dan ik tegenwoordig ben!'

'Ik kan het haast niet geloven!'

'Ik kan niet geloven dat ik het jullie verteld heb. Alec zou me vermoorden als hij het wist. Hij komt zo dadelijk. Ik heb oppas en we gaan samen naar de film. Waag het niet om hem iets te laten merken!'

'Ik zal hem in elk geval in een heel ander licht bekijken.' De anderen lachten nog steeds opgewonden.

'Ach, kom nou... zo *risqué* is het toch ook weer niet?' Marianne keek hen beurtelings aan. 'Vertel me niet dat jullie iets dergelijks nooit hebben gedaan? Sasha? Hebben jullie het nooit op de vergadertafel gedaan als je dacht dat iedereen al naar huis was?'

'Absoluut niet!'

'Echt waar?'

'We hebben het een keer op het strand geprobeerd, maar Steve zei dat er overal zand begon te schuren, en dat stak een spaak in het wiel.' Lorna giechelde.

Nog meer gelach.

Sasha probeerde wanhopig iets te bedenken. 'Wij hebben het een keer in de auto gedaan.'

'Goed gedaan, Sash. Tien punten. Je zou meer punten hebben gekregen als de auto op een veerboot over het Kanaal of op de parkeerplaats voor de supermarkt had gestaan.'

'Jullie zijn een walgelijk stelletje.'

'We waren walgelijk, zul je bedoelen. Het is een hele tijd

geleden dat Steve en ik het ergens anders dan in bed hebben gedaan. En dan bedoel ik bedden tijdens de vakantie, overigens.'

Marianne lachte. 'Dat is vast overdreven.'

'Een beetje maar.'

Lucy probeerde Mariannes gezichtsuitdrukking te doorgronden. Normaal praatten ze nooit over dit soort dingen. Ze had niet eens geweten hoe ze elkaar ontmoet hadden. Ze probeerde Mariannes opgetrokken wenkbrauw te interpreteren.

'En jij, Lucy?'

'Ja, je bent zo stil.'

'Bedoel je of ik het ooit in de wc van een vliegtuig heb gedaan? Nee.'

'Dat niet. Jij en Patrick. Hoe hebben jullie elkaar ontmoet?'

'O nee... ik kan niet tegen Mariannes verhaal op.'

'Onzin. Ik heb het al eens gehoord... het is prachtig.'

'Hoezo heb jij het gehoord?' Lucy klonk scherper dan ze het bedoelde.

'Patrick heeft het me ooit verteld,' antwoordde Marianne, 'lang geleden.'

'Nou, misschien komt zijn verhaal wel niet helemaal overeen met het mijne.'

Marianne keek verbaasd. Lucy wist dat het klonk alsof ze er genoeg van had en ze zag dat Marianne besloot haar te redden, al wist ze niet eens waarom.

Het was echter niet nodig. De brede eiken buitendeur zwaaide open en Alec kwam binnen. Zijn ogen tuurden rond, op zoek naar hen.

Lucy zag hem plotseling voor zich met zijn broek op zijn enkels, met Marianne op de wc van het vliegtuig, en voelde zich opgewonden, jaloers en boos. Wat was er verdorie met haar aan de hand?

Sasha kon een knor niet onderdrukken.

'Vermaken jullie je, dames?'

'Het was verhelderend,' zei Lorna.

Marianne stond op en kuste hem. 'En eerlijke gezegd zijn we een beetje dronken, lieverd.'
'En dat op een maandagavond!' Zijn ogen schitterden van plezier. Hij bukte zich om Lucy op de wangen te kussen en daarbij oefende zijn hand net iets te veel druk uit op haar nek. Hij rook heerlijk... naar hout en rook. Vertrouwd en verboden.
'Naar welke film gaan jullie?'
'Die nieuwe met Keanu Reeves, die sinds vrijdag draait,' zei Marianne.
'Meidenfilm, vrees ik.' Alec schudde triest zijn hoofd.
Marianne knipoogde naar Lucy. 'En jij gaat ook mee, nietwaar, Luce?'
Zou ze meegaan? Marianne was nog steeds van plan haar te redden. Waarom deed iedereen dat toch altijd? Marianne had echter haar jas al van de kapstok gehaald en reikte haar die nu aan.
De anderen schonken hun glazen nog eens vol. De echtgenoten pasten thuis op de kinderen, en ze kwamen nog maar net op gang. Nu Marianne en Lucy weggingen, konden ze het weer over schooletentjes en all-inclusive-vakanties hebben.
Buiten haakte Marianne haar arm door die van Lucy. 'Je kunt gerust met ons meegaan, hoor, als je wilt. Nietwaar, Alec?'
Hij gaf geen antwoord.
'Wacht, ik moet even wat geld opnemen.' Marianne liep naar de pinautomaat en rommelde in haar tas.
Lucy stond wat onbehaaglijk van de ene voet op de andere te wippen. Toen ze haar ogen opsloeg naar Alec, keek hij recht in haar gezicht. 'Natuurlijk kan ze mee,' zei hij.
'Ik kan beter teruggaan.'
'Dat is ook goed.' Marianne stopte het geld in haar portemonnee. 'Als alles maar in orde is met je.'
'Alles is in orde.'
Marianne keek haar onderzoekend aan. 'Dat is niet waar.'
'Jawel.'

'Oké. Ga dan maar naar huis, naar Patrick.' Ze kuste haar vriendin, wendde zich toen weer tot Alec en haakte haar arm door de zijne.

'Goedenacht,' zei hij. Lucy mompelde een antwoord en stak toen de straat over naar haar auto.

'Lucy?' riep Marianne.

'Wat?'

'Jouw verhaal is ook leuk. Echt waar.'

Dat in de supermarkt was nog maar het begin geweest. Ze was nog met Will getrouwd geweest toen Patrick haar voor het eerst opmerkte terwijl ze door de paden slenterde, haar kar vulde, Bella over haar donzige hoofdje aaide en nu en dan stilstond om haar door oude dames te laten bewonderen.

Nog samen met Will. Nog een gezin. Denkend dat ze een volmaakt gelukkig leventje leidde.

Niemand geloofde die verhalen ooit echt, hè? Het meisje dat naar de Eerste Hulp gaat met voedselvergiftiging, maar dan een baby krijgt. De baby die achter in de tuin geboren werd omdat de moeder net de was aan het ophangen was en niet eens meer de kans kreeg om naar binnen te gaan toen de weeën eenmaal begonnen. De mile-high club. De echtgenoot die zonder enige waarschuwing verdwijnt. Cynici zeggen altijd dat er signalen geweest moeten zijn, aanwijzingen.

En ze hadden natuurlijk gelijk: Will had signalen en aanwijzingen gegeven. En zij had maanden de tijd gehad om ze te vinden. Nadat hij vertrokken was. Want van tevoren had ze daar natuurlijk niet naar gezocht. Ze was catatonisch geweest, euforisch, geobsedeerd door Bella – door zelfs het kleinste detail van Bella's routine. Hoeveel melk ze dronk en opgaf, hoe lang en in exact welke houding ze sliep, welk perfect wit, roze, aqua of geel pakje ze haar die dag zou aantrekken, of ze het precies warm genoeg had of te warm, of ze zelf ooit nog weer kleren zou kunnen dragen zonder elastische taille, of dat ze ooit zou ophouden te lekken, of naar het nieuws zou kunnen kijken zonder te huilen.

Ze had gedacht dat Will dezelfde gevoelens had voor Bella. Net als alle moeders van de zwangerschapsgymnastiek, die allemaal dezelfde hoofdstukken in dezelfde boeken hadden gelezen, vroeg ze zich af of ze haar rol als moeder wel goed zou kunnen combineren met haar rol als echtgenote. Een van haar nieuwe vriendinnen had tijdens een koffieochtend toen de baby's zo'n zeven weken oud waren, verzucht dat ze die avond een glas cognac zou nemen en met haar man naar bed zou gaan, al werd het haar dood, wat waarschijnlijk het geval zou zijn, gezien de hechtingen die ze aan bevalling had overgehouden. Ze zei dat haar moeder had gezegd dat ze het 'op je rug gaan liggen en aan Engeland denken' maar moest vergeten. Dat ze het maar moest zien als bekkenbodemoefeningen en moest onthouden dat een bevredigde man een tevreden man was. Vijftien minuten, langer duurde het niet, had ze gezegd, en denk eens aan het voordeel. Ze hadden allemaal gelachen, de een wat nerveuzer dan de ander. Lucy had Will weken daarvoor al weer in haar bed en haar lichaam toegelaten. De vroedvrouw had gezegd dat het in orde was als je het wilde, en zij hadden het allebei gewild. Zijzelf in elk geval, en ze had gedacht dat hij het ook wilde.

Naderhand vroeg ze zich af of hij haar afstotelijk had gevonden. Of dat hij in de war was geweest, zoals in de boeken stond: het afgezaagde madonna-hoerthema.

Het duurde lang voor ze ophield zich af te vragen wat ze verkeerd had gedaan.

Je zou verwachten dat de gebeurtenis haar heel argwanend zou hebben gemaakt – het duurde in elk geval wel een hele poos voor ze eroverheen was.

Maar ze had geen argwaan jegens Patrick gekoesterd. Hij was gewoon heel anders.

Hij had tegen haar gepraat die eerste dag in de supermarkt, hoewel ze Bella in een draagzak tegen haar borst droeg. Hij was achter haar in de rij komen staan en had gebabbeld over de boodschappen. Hij had haar boodschappentassen terug in het karretje gezet, zodat ze die naar haar auto kon rijden. Hij had een vriendelijk gezicht. En ze had het onthouden, zowel de ontmoeting als zijn gezicht, omdat het haar zo had opgevrolijkt dat een man – een willekeurige, ruimdenkende man – haar nog altijd aantrekkelijk kon vinden. Dat had ze namelijk ondanks haar waas van slapeloosheid wel gemerkt. Zelfs de vrouw van middelbare leeftijd aan de kassa, die haar werk zo saai vond dat ze vaak bijna niet eens oogcontact met de klanten maakte, had het gemerkt. Niet bedreigend, niet opdringerig, op geen enkele manier gevaarlijk, maar zeer beslist geïnteresseerd. Smoorverliefd, zou de vrouw hebben gezegd.

Lucy onthield het voorval goed genoeg om hem te herkennen toen ze elkaar weer in de supermarkt ontmoeten. Ze zat een kop slappe koffie te drinken in de saaie koffiehoek, met Bella slapend in haar armen, toen hij voorbijkwam met een dienblad en aan een ander tafeltje ging zitten. Ze glimlachten wat nerveus naar elkaar en Lucy zei hallo.

Hij was interessant. Zag er goed uit op een wat verwaterde manier. Zijn broer Tom was op de een of andere manier sprankelender, hetzelfde uiterlijk, maar levendiger, sterker. Tom had donkerder haar, dat meer krulde en ook zijn ogen waren donkerder en zijn wimpers dikker. Zij had echter Patrick ontmoet en niet Tom, en Patrick zag er heel aardig uit. Hij kreeg een kuiltje in zijn linkerwang wanneer hij glimlachte, zoals toen zij in de koffiehoek hallo tegen hem had gezegd.

Hij deed altijd boodschappen op weg van zijn werk naar huis, vertelde hij haar. Hij droeg een blauw pak. Zij deed altijd rond deze tijd boodschappen omdat Bella dan rustig was, antwoordde ze. Hij ging een paar keer per week, zei hij, omdat hij een belabberde kok was en niet vooruit kon plannen. Zij ging een paar keer per week omdat ze graag even van huis was met de baby. Nu het beter weer was, was ze te voet en legde ze de boodschappen in het mandje onder de kinderwagen.

De derde keer zei hij: 'We moeten ophouden elkaar op deze manier te ontmoeten,' toen ze elkaar tegenkwamen in een van de winkelpaden, maar Lucy werd voortgeduwd door een chagrijnige vrouw met drie tierende kinderen in haar karretje, die links en recht van alles uit de schappen trokken, dus ze konden niet praten.

Toen zat hij echter buiten op het bankje op haar te wachten en hadden ze samen een Cornetto gegeten. Hij werkte op personeelszaken, zei hij. Dat paste bij hem. Hij was iemand aan wie je graag dingen vertelde – hij had een heel open, geduldige blik. Hij had zijn stropdas losser gedaan en zijn jasje uitgetrokken. Toen hij zijn ijsje ophad, leunde hij met een tevreden zucht achterover. Ze flirtten niet en hij deed haar hart niet sneller kloppen, maar ze begon wel naar hem uit te kijken wanneer ze boodschappen deed, en verwachtte half en half hem te zien.

De zesde keer had Will haar net verlaten. Hij was op een avond laat thuisgekomen, toen zij al sliep, en ze had wel slaperig hallo gezegd toen hij in bed kroop en even haar hand op zijn schouder gelegd, maar ze was te moe. De volgende morgen sliep Bella abnormaal lang en Lucy werd ontspannen en uitgerust wakker, maar was toen plotseling angstig. Ze rende naar de babykamer en zag de kleine armpjes van haar dochtertje in een triomfantelijk gebaar omhoog komen. Ze legde haar hand tegen haar bonkende hart, hield zich voor dat het dwaas was geweest om zich zorgen te maken en voelde de kalmte weer over zich neerdalen. Will was al naar zijn werk, dus nam ze Bella nog een halfuurtje mee naar hun bed. Toen ze beneden kwamen, legde ze de baby in het wipstoeltje en pakte een schone fles uit de sterilisator. Het briefje stond tegen de bus Nutrilon aan, wat in elk geval logisch was. Hij wist dat Bella een hongerige baby was, die naast wat ze van Lucy kreeg nog twee keer per dag bijvoeding nodig had.

*Lucy, ik kan dit niet. Het spijt me, maar ik moet weg. Will*

Dat was alles. Niets om over te piekeren, of om te analyseren. Hoe lang had hij zich zitten afvragen wat hij zou schrijven? Was hij begonnen met 'Lieve Lucy', maar had hij dat toen uitgegumd omdat hij niet wilde laten blijken hoeveel hij om haar gaf? Had hij erover gedacht haar om echtscheiding te vragen, of haar uit te leggen dat de polis van de inboedel-en-opstalverzekering in het rechterlaatje van de kast in de woonkamer lag, of haar ook maar iets van een aanwijzing te geven over de vraag waarom hij dit niet kon? Hij had haar niet veel gegeven om op voort te borduren.

Lucy maakte de voeding klaar, warmde de fles op in een steelpannetje met kokend water, ging in de rieten stoel in een hoekje van de keuken zitten en gaf Bella te eten. Ze huilde niet en vertelde het niemand. Haar moeder niet, de sympathieke vroedvrouw niet, de bankdirecteur niet en de vrouwen tijdens de koffieochtenden niet. Niemand. Een combinatie van shock, trots en angst maakten haar tot een leugenaar. Ze wist dat het uiteindelijk bekend zou moeten worden. Er moesten natuurlijk dingen geregeld worden. Maar twee weken lang was Will op zakenreis, áls iemand er al naar vroeg.

Totdat ze Patrick zag in de supermarkt. Ze wist nog steeds niet waarom ze het gedaan had. Waar was haar trots toen ze hem met zijn mandje in zijn hand een biefstuk zag uitkiezen in de vleeskoeling en gewoon begon te huilen?

# De J van Jobs ruilen

Rose schonk zichzelf nog een glas wijn in, terwijl Natalie twee dampende borden pasta serveerde.

'Je moet me helpen,' zei Natalie. 'Mijn H was een ramp en zijn I was niet veel beter. Ik heb een goede J nodig.'

'Sinds wanneer vind je het zo belangrijk?'

'Ik vind het niet belangrijk. Ik vind het gewoon leuk. Je krijgt er na een poosje de smaak van te pakken en ik heb er plezier in.'

'Daar ben ik blij om. En Simon?'

'Welke Simon?'

'Simon-die-je-hart-gebroken-heeft-en-je-achterliet-zodat-wij-de-stukjes-konden-oprapen. Die Simon.'

'O, die!' Natalie wikkelde een sliert spaghetti om haar vork. 'Was ik er echt zo erg aan toe?'

'Nog erger.'

'Het spijt me.'

'Nergens voor nodig. Het staat in mijn functieomschrijving onder "eerlijk zeggen wanneer je billen te dik worden".' Rose neuriede haar goedkeuring bij de eerste hap pasta. De saus liep over haar kin. Natalie gaf haar een servetje. 'In feite had het nog veel erger kunnen zijn. Goddank voor Tom.'

'Waarom?'

'Omdat hij het merendeel van het werk voor me heeft gedaan. Hij heeft je opgeraapt, afgestoft en geholpen opnieuw te beginnen.'

'Is dat hoe jij het ziet?'

'Nou, ik ben niet zeker van het opnieuw beginnen.'

'Jij denkt dat dat geen goed idee zou zijn, is het wel?'

'Leg me geen woorden in de mond.'

'Je vindt het te vroeg.'

'Dat heb ik nooit gezegd.'

'Maar het is wel zo, of niet? Ik bedoel, als ik nu iets met Tom zou beginnen, zou dat een reactie zijn om over Simon heen te komen. En dat kan ik Tom niet aandoen, toch? Dat zou niet eerlijk zijn. Niet tegenover mezelf en niet tegenover hem. Tenzij... O, ik weet het niet.'

Rose luisterde geamuseerd en met nog steeds saus op haar gezicht.

'Een van de dingen die ik zo leuk vind aan jou is je vermogen om een heel gesprek met jezelf te voeren zonder daar iemand anders bij nodig te hebben. Het is net poppenkast.'

'Hou je mond. Geef me de Parmezaanse kaas even aan, en help me iets voor de J te bedenken. Wat vind je van Japans? Ik zou hem mee kunnen nemen naar Wagamama's.'

'Een kommetje noedels en een harde bank zijn niet bepaald origineel. Neem hem dan mee naar Japan.'

'Ja, hoor. Met alle airmiles die ik tijdens mijn fantastische carrière heb vergaard zeker.'

'En jiujitsu?'

'Is dat een vechtsport?'

Rose knikte. 'Volgens mij heb ik het op de universiteit ooit gedaan. Ik had een oogje op een knul die me toen meegenomen heeft.'

'Glamour?'

'Het is een vechtsport, Nat. Je doet het in een pyjama.'

'Vergeet het dan maar. Wat vind je van Wodka Jelly's?'

'Maak je je er nooit zorgen over dat je alle emotionele scenario's probeert te tackelen met behulp van alcohol?'

'Voortdurend. Geen Wodka Jelly's.'

'En als je het nog eens met de horizontale mambo probeerde? Maar dan moet je nog wel een letter hebben.' Rose dacht heel diep na en wreef daarbij zelfs over haar kin. 'Ik weet het. Jaag-het-konijntje-in-zijn-hol. Zo noemen mijn oom en tante die in Fuerteventura wonen het altijd. Ze doen het kennelijk vaak 's middags op hun terras in de zon.'

'Jakkes. Bedankt Rose, maar voor mij geen konijntje-jagen. Kun je misschien even serieus blijven?'

Dat leek Rose onwaarschijnlijk, maar ze legde toch haar lepel neer en trok een ernstig gezicht. 'Het lijkt mij, Natalie, dat je iets nodig hebt wat Tom een inzicht geeft dat hij nog niet heeft in wat jou bezighoudt. Wat maakt jou tot wie je bent? Waardoor word je gevormd?'

'Dan komen we weer terug bij de alcohol.'

'Wacht even, wacht even. Ik heb iets. Waar breng je zo ongeveer de helft van je leven mee door?'

'Slapen?'

'Dat niet.'

'Ongewenst gezichts- en lichaamshaar verwijderen?'

'Nee! Werken. Je zou moeten proberen met hem van baan te ruilen. De J van Jobs ruilen. Laat hem eens een dag voelen wat jij op het radiostation allemaal meemaakt.'

'Briljant!' Natalie stond op. 'Briljant, Rose. Je bent een ster.' Rose maakte een buiging op haar stoel.

'De baas zou het nooit goedvinden. En Tom trouwens ook niet, denk ik. Ik zou in een dag tijd heel wat schade aan zijn harddisks en floppy's toe kunnen brengen.'

'Ach, zeur.' Rose giechelde. 'Oké. Goed dan, noem het Jobs ruilen, maar verzin een andere manier om hem binnen te krijgen...'

'Werkervaringsproject? Dat heb ik voor het laatst in 1984 gedaan, toen de beroepskeuzeadviseur op school me voor een week naar de koekjesfabriek stuurde. Die van het haarnetje.'

Natalie herinnerde zich het haarnetje. 'Maak je geen zorgen, op het radiostation hoef je dat niet te dragen.'

'Waar heeft het radiostation me voor nodig?'

'Ik heb het met Mike besproken. Hij denkt dat hij iets

goeds doet voor de plaatselijke gemeenschap, hij gelooft waarschijnlijk dat hij straks de school-fancy fair mag openen of zoiets, triest figuur. Je wordt geacht een week te komen, om het allemaal geloofwaardig te maken. Maak je geen zorgen. Na je eerste dag zeg ik wel dat je de ziekte van Pfeiffer hebt of zoiets.'

'Geweldig verhaal.'

'Geloof me, die man luistert nog naar geen twee procent van wat er uit mijn mond komt, dus het maakt niet uit. Hij zou niet eens met zijn ogen knipperen als ik zei dat je Lassakoorts hebt.'

'Oké. En wat moet ik doen?'

'Koffie en thee zetten, gasten begroeten, wat research waarschijnlijk. Geen al te moeilijke dingen, dat beloof ik je.'

'Ik snap nog steeds niet waar het om gaat, Natalie. Ik dacht dat dit spel geacht werd leuk te zijn.'

'Ja hoor, alsof abseilen leuk was.'

'Het abseilen wás leuk. Geef het nou maar toe.'

'Het gaat erom,' vervolgde Natalie zonder iets toe te geven, 'dat je wat inzicht krijgt in hoe mijn professionele leven eruitziet. Zodat je mij nog beter gaat begrijpen.'

Tom verborg een glimlach achter zijn hand.

'En als het goed gaat, dacht ik dat ik misschien hetzelfde op jouw werk kon doen.'

'O ja. Jij weet zo veel van webdesign, computergraphics en programmeren, is het niet?'

'Net zo veel als jij van het werk bij een radiostation weet, denk ik.'

'*Touché*, Nat. Ik zal er zijn. Moet ik een appel voor de presentator meebrengen?'

'Hij is niet degene op wie je indruk moet maken.'

Mike Sweet had in 1982 zo'n drie weken bij Radio Een gewerkt. Dat weerhield hem er niet van te proberen kaartjes voor zichzelf te verkopen, zoals Rose het uitdrukte. De man had een eigendunk, niet normaal, en een kledingsmaak die neigde naar die van een Polynesische pooier. Versace van TK Maxx. Hij had losse handjes en zijn stem was zo zalvend dat je er een droge huid razendsnel zacht mee kon krijgen. Natalie had een hekel aan hem. De anderen hadden ook allemaal een hekel aan hem, maar ze werkten aan andere programma's, dus het contact met hem bleef beperkt. Geluksvogels.

Mike Sweet was van mening dat hij vreselijk veel had gedaan voor Natalies carrière. In de vijf jaar dat ze nu met hem samenwerkte had hij – onder haar niet aflatende druk – ermee ingestemd haar tijdens zijn drie uur durende programma elk half uur eerst de verkeersberichten en daarna het weer te laten voorlezen. Nu 'overwoog' hij haar een eigen stukje van het programma te geven; een boekenprogramma van twintig minuten dat één keer per vier weken op donderdagmiddag zou worden uitgezonden. Elke tweede dinsdag sinds oktober, toen ze het voorstel op papier had gezet en aan hem had laten zien, vroeg ze hem hoe het ervoor stond met zijn overwegingen en hij antwoordde altijd dat geduld een schone zaak was. Eén keer, toen hij een twijfelachtige curryschotel op had en vreselijk diarree had, had hij haar de hoofdpunten van het nieuws laten oplezen en het nummer 'Do you really want to hurt me?' van The Culture Club laten aankondigen alvorens hij haar had weggestuurd om Imodium te halen. Ze begreep nog steeds niet hoe ze de verleiding had kunnen weerstaan om in plaats daarvan Dulcolax mee te nemen. Als ze dat wel had gedaan had ze inmiddels misschien al haar eigen cultuurprogramma op de late avond gehad.

Mike Sweet was de ijdelste man die ze kende. Toen alle dj's een paar maanden geleden op de foto moesten voor een of ander tijdschrift, had hij erop gestaan in het midden te mogen staan, en was hij elke vijf minuten uit de zorgvuldige opstelling naar voren gesprongen om de polaroids van de fotograaf te bekijken en zich ervan te vergewissen dat zijn kin niet te vlezig was of hij zijn ogen niet half dicht had. Hij had het soort highlights waardoor je haren eruitzagen als die van een luipaard en ze wist, omdat hij een keer per ongeluk zijn sporttas had omgegooid, dat hij strings droeg. En dat vond ze eerlijk gezegd om misselijk van te worden.

Hij beweerde de teksten van elke popsong te kennen die ooit geschreven was, en zijn favoriete spelletje was dat je hem een regel opgaf en dat hij dan de volgende regel noemde. Hij was daar in feite behoorlijk slecht in, tenzij het een song was van Huey Lewis and the News of van Kajagoogoo. Die kende hij omdat hij op de lagere school had gezeten met Limahl en hem een goede vriend noemde. Hoe Limahl hem noemde was niet bekend. Rose zei altijd dat hij het soort man was dat verbannen zou moeten worden van websites waar je naar oude klasgenoten en vrienden kon zoeken. 'Kun je je voorstellen dat hij op je computer verschijnt?' zei ze.

Natuurlijk, hij verscheen voortdurend op Natalies computer, omdat hij zichzelf als onderwerp van een krantenartikel als haar screensaver had geïnstalleerd. 'Mike Sweet vrolijkt kinderafdeling op' luidde de kop. Hij zat op een ziekenhuisbed, naast een paar onwillig kijkende kinderen die zwakjes glimlachten. 'Alsof de chemotherapie nog niet erg genoeg was,' had Rose gezegd toen ze het voor het eerst zag.

'Is die man echt of droom ik?' Toms mond hing wijd open van ongeloof. Ze stonden in de keuken. Een van de researchers was net binnengekomen en weer weggegaan. Hij was bijna gestikt in een koekje omdat hij zo hard had moeten lachen. 'Die man is een wandelend cliché.'

'Welkom in mijn wereld.'

'En neerbuigend! Ik geloof niet dat er ooit iemand zo tegen me gesproken heeft. Zelfs niet in de koekjesfabriek.'

'Ik weet het.'

'Denk je dat hij argwaan koesterde? Ik bedoel, ik weet dat ik er goed uitzie voor mijn leeftijd, maar een man van vijfendertig die werkervaring op komt doen?'

'Ik heb gezegd dat je een analist was die op zoek was naar iets anders. En daarna heb ik gezegd dat je een grote fan van hem was. Toen was de rest niet belangrijk meer.'

'Heb je gezegd dat ik een fan was?'

'Een grote fan.'

'Bedankt. Geweldig.'

'Dat is inderdaad geweldig. Hij laat je straks de online research doen voor het raadslid dat vanmiddag komt. Informatie over plaatselijke kwesties. Het heeft zes maanden geduurd voor hij míj dat liet doen. En daarvoor moest ik hem ook nog eens "per ongeluk" mijn billen laten aanraken in de lift.'

'Denk erom dat ik die billen van jou met Dettol schoonmaak voor ik er weer bij in de buurt kom.'

'Weer? Dat zou je wel willen. En nu opschieten met die thee!'

'Goed, maar straks mag jij me uitleggen waarom je hier verdorie nog steeds werkt.'

Natalie dacht daar in de uren die volgden over na. Ze dacht er zo hard over na dat ze vergat de geïrriteerde beller door te verbinden die zich tijdens het interview bij het raadslid wilde beklagen over vuilnisbakken. Mike Sweet kwam naar buiten toen hij een plaatje had opgezet en zei: 'Kijk eens wat opgewekter, schat.'

En ze dacht er nog steeds over na toen ze om half zes door het grote raam naar Tom stond te kijken. Hij probeerde Mike gedag te zeggen, maar die wuifde hem weg, terwijl hij tegelijk probeerde zijn leren blousonjack aan te trekken en een gesprek te voeren via zijn mobiele telefoon. Ze smoorde een lach toen Tom twee vingers naar hem opstak en buigend het vertrek verliet.

'Ik heb heel erg behoefte aan een borrel. Het is geen wonder dat jij praktisch alcoholist bent,' zei hij.

Terwijl ze naar de wijnbar aan de rivier wandelden, zei hij: 'Je bent zo stil... Hoewel ik me kan voorstellen dat je na een dag met die man even bij moet komen. Hij is verschrikkelijk.'

'Ik denk na over wat je tegen me gezegd hebt.'

'Welke diepzinnige opmerking bedoel je precies?'

'Je vroeg me wat ik daar nog steeds deed.'

'O, ja.'

Het drong nog maar net tot haar door wat ze daar nog

steeds deed. Ze herinnerde zich een gesprek met Stella toen die een paar jaar geleden was gestopt met werken omdat ze weer zwanger was. 'Zie je hoe wanhopig ik ben om hier weg te komen? Wanhopig genoeg om weer zwanger te worden!'

'Dat meen je niet.'

'Natuurlijk niet. Ik heb een broertje of zusje nodig voor Hector. Zodat hij iemand anders kan martelen.'

De bolle baby was toen inmiddels een forse kleuter die niet zou misstaan in de frontlinie van een rugbyteam, en in alles beet wat binnen een paar meter afstand kwam. De week ervoor had hij de hond van het gezin gebeten.

'En dankzij jouw vertrek ben ik een stapje hogerop gekomen.' Natalie was 'gepromoveerd' tot producer, de baan die Stella had gehad.

'Jij zou ook weg moeten gaan. Je hoeft er niet eens zoiets drastisch voor te doen als een kind krijgen.'

Natalie herinnerde zich dat ze zeker had geweten dat haar baan tijdelijk was. Dat ze watertrappelde, een redelijk salaris mee naar huis nam dat net voldoende was om haar en een aankomend chirurg met ambities te onderhouden, en wachtte. Wachtte tot Simon met haar zou trouwen. Wachtte tot ze, samen met hem, baby's zou krijgen die prachtig zouden zijn en geen mensen en dieren zouden bijten. Dat ze het wel kon verdragen dat Mike zo'n waardeloze zak was en dat zij dag in dag uit hetzelfde moest doen, omdat het toch niet voor lang was. Omdat weldra haar echte leven zou beginnen, en dit niets anders meer zou zijn dan een onplezierige herinnering waar ze tijdens koffiekransjes grapjes over zou kunnen maken.

Jezus.

Ze waren gaan zitten en Tom had net een groot glas wijn voor haar neergezet. 'Praat me dan maar eens bij. Vertel me hoe het komt dat je hier genoegen mee neemt, Natalie.'

Hij klonk bijna vaderlijk en even irriteerde dat haar.

Maar hij had gelijk. Ze had er genoegen mee genomen. En het was verontrustend om dat toe te geven.

Vroeger op school had ze televisiepresentatrice willen worden. Ze 'deed' voortdurend programma's. Tom herinnerde zich nog vaag dat hij in een aantal daarvan had gefigureerd. Ze praatte in zichzelf als ze ergens mee bezig was, leverde er voortdurend commentaar bij. Natalie bakt koekjes. Natalie wast haar vaders auto. Natalie maakt het poppenhuis schoon.

Susannah had dat verpest door een carrière als actrice te kiezen. Natalie kon wel zien dat Susannah als tiener iets had wat Natalie ontbeerde. Susannah straalde en was interessant, en de mensen keken graag naar haar. Als je naar de oude familiefoto's keek – altijd gemaakt door pap – stonden mam, Bridget en Natalie achter, en was Susannah in een of andere bijzondere pose voor hen gedrapeerd. Daar kon Natalie niet tegenop.

Ze was daar nooit verbitterd door geraakt. Het was gewoon iets wat ze wist en accepteerde. Hoe kon je nou niet van Susannah houden, en haar al haar kleine triomfen van harte gunnen? En duimen dat haar grote doorbraak op een dag zou komen.

En Bridget had altijd al verpleegster willen worden. Ze had als kind al een klein verpleegstersuniform en noemde zichzelf zuster Bridget. Vanaf haar zevende had ze van haar zakgeld de *Nursing Times* gekocht.

Natalie had gewacht tot ze haar roeping zou vinden, maar dat gebeurde nooit. Dus toen ze het idee om televisiepresentatrice te worden eenmaal had opgegeven, had ze de tien jaar daarna – en ze was niet helemaal zeker meer van de volgorde – kapster (van sterren), tuinarchitecte, bedrijfsjuriste, theeschenkerij-eigenares en oceanologe willen worden. Die ambities werden haar gewoonlijk ingegeven door wat ze op televisie zag, of in boeken en tijdschriften las. Geen van die beroepen had ze ooit geprobeerd, afgezien van kapster, maar het was niet algemeen toegejuicht toen ze Bridgets pony een keer had geknipt.

Op de universiteit had ze net als veel van haar leeftijdgenoten gedaan waar ze het beste in was, Frans en Duits – ook al was Duits altijd wat lastig gebleven. Ze vond het niet mooi klinken en vond het niet prettig hoe haar mond bewoog als ze het sprak. Ze was wel dol op Frans. Zij was altijd degene die tijdens vakanties in de Dordogne naar de *boulangerie* werd gestuurd. De anderen konden nog wel een vraag stellen, maar werden dan overdonderd door de snelle Franse respons en gaven het op.

Ze had natuurlijk niet veel aan Frans en Duits gedaan op de universiteit, maar ze had wel veel plezier gehad. Afgezien van dat gedoe van verliefd-worden-en-met-een-gebroken-hart-eindigen, wat zo'n twee keer per jaar gebeurde. Ze werd verliefd op iemand in de herfst en hunkerde naar hem tot de kerst; had een heerlijk voorjaarstrimester, waarna het tijdens het zomertrimester uitraakte. Meestal slaagde ze er ook nog wel in een verkorte versie van dit alles in de lange zomervakantie te proppen – behalve in het jaar dat ze op de voedselafdeling van Marks & Spencer had gewerkt, waar verder alleen vrouwen van middelbare leeftijd werkten, die haar heel wat leerden over het strippen van spataderen en baarmoederverwijdering, maar weinig inzicht in de liefde boden.

Haar metgezel in de achtbaan van het leven was Rose, wier eigen leven meer had van een stoomtrein, waardoor ze goddank meer dan genoeg energie overhield voor Natalie. Ze hadden elkaar in het eerste trimester van het eerste jaar tijdens het college Frans ontmoet, hadden het tweede jaar een plank in de koelkast gedeeld en het derde, tijdens de verplichte zes maanden in het buitenland, een ongelooflijk armoedig appartement in Carcassonne. Rose werkte op de receptie van een prachtig oud hotel. Natalie had een ongelukkige verhouding met de piccolo. Ze vond dat hij op een jonge Richard Burton leek, waar Rose niet op reageerde, en als ze niet gelukkig met hem in bed lag, of ongelukkig zonder hem op de bank, werkte ze op de afdeling Reizen en Weer van een plaatselijk radiostation.

Ze had aan de universiteit dus een half dozijn gebroken harten en een beste vriendin in de vorm van Rose overgehouden. Als ze het jammeren en tandenknarsen van die vier jaar kon verdragen, zou de rest van het leven een peulenschil geweest moeten zijn. Maar ze was nog steeds niet dichter bij een carrière.

Ze had een poosje heel verschillende dingen gedaan. Ze had een paar jaar Engelse les als vreemde taal gegeven aan nukkige Europese tieners, en zij, Bridget en Rose waren gaan reizen toen Bridget klaar was met haar verpleegstersopleiding. Daarna was Natalie weer bij de radio terechtgekomen. En dat was oké. Ze vond het niet fantastisch, maar destijds werkte Mike er nog niet, dus ze vond het ook niet verschrikkelijk. Ze werkte aan het ochtendspitsprogramma, wat inhield dat ze niet vreselijk vroeg op hoefde te staan, en de presentatoren waren jong en energiek. Een van hen, Georgie, deed nu het ontbijtprogramma van een grote Londense omroep – ze was de veel grappiger sidekick van de hoofdpresentator – en de andere was doorgestroomd naar kindertelevisie. Ze hadden veel lol gehad en het deed er niet echt toe dat Natalie niet snel iets bereikte.

En toen had ze Simon weer ontmoet.

'Jezus, Tom. Ik zat gewoon te wachten tot ik ermee kon stoppen en Simons vrouw kon worden.'

'Kom op, zeg, dat kun je niet menen. We leven in de eenentwintigste eeuw.'

'Ik weet het, maar ik geloof toch dat het waar is. Ik geloof dat ik verwachtte dat het zo zou gaan. Dat het geen zin had vreselijk mijn best te doen om hogerop te komen of zelfs maar iets te vinden waar ik goed in was, omdat ik gewoon zat te wachten tot ik ermee kon ophouden.'

'Natalie!'

Er welden tranen in haar ogen op. 'Mijn god, wat een stomme, stomme vrouw. En nu zit ik hier, vijfendertig jaar oud, en ik heb een hekel aan mijn werk, en de man waar ik jaren op heb gewacht is er vandoor gegaan. Geweldig. Al die tijd maakte ik me zorgen over mijn liefdesleven en had ik niet in de gaten dat mijn carrière ook niets voorstelde. Mijn leven heeft geen enkele betekenis.'

'Maar meer dan genoeg melodrama! Doe niet zo raar! Natuurlijk heeft je leven betekenis; misschien niet zo veel focus en vaart, maar vijfendertig is helemaal nog niet zo oud, weet je.'

'Dat ligt er maar aan hoe je het bekijkt.'

'En jij bekijkt het al die tijd al verkeerd, zo te horen.' Hij glimlachte haar toe.

'Is dat een neerbuigende glimlach?'

'Nee.'

'Daar heb je eigenlijk wel recht op. Ik bedoel, moet je jou nou zien. Je bent net zo oud als ik, en je was op school niet eens zo slim als ik,' daarbij trok Tom een wenkbrauw op, 'maar je hebt wel je eigen bedrijf en je eigen flat...'

'Dat laatste heb jij ook.'

'Ja. De aanbetaling is gedaan door mijn arme vader, en Bridget, die verdorie in het ziekenhuis werkt, en Susannah met die verdraaide koffiereclamespotjes die ze na de toneelschool deed, betalen mee aan de hypotheek.'

'Jij toch ook!'

Natalie bleef zitten mokken.

'Wat vond Simon van dat alles?'

'Ik weet het niet. Het draaide nou niet bepaald allemaal om mijn carrière.'

Daar had ze gelijk in. Tom associeerde Simon met een hoop dingen, waarvan er weinig positief waren, maar de meeste hielden verband met zijn bloeiende carrière als chirurg.

Hij herinnerde zich de eerste keer dat ze elkaar hadden ontmoet. Hij was toen met Frankie samen geweest, het eerste meisje op wie Tom verliefd was geworden. Ze was op een dag zijn kantoor binnen komen lopen en achteraf leek het alsof ze zijn hart tot leven had gewekt. Niet meteen, natuurlijk – hij was Natalie niet – maar geleidelijk en onontkoombaar. Voor het eerst snapte hij alles wat Natalie al jaren tegenover hem spuide.

Frankie had iets exotisch. Ze was half Argentijns – haar

vader bezat daar een hoop grond – maar had in Engeland gestudeerd. Ze praatte wat bekakt en droeg dat zelfverzekerde vernisje van rijke, knappe en goed opgeleide vrouwen. Hij kon zich niet herinneren dat hij ooit eerder geïntimideerd was geweest door een vrouw – dat was niet zijn stijl – maar bij haar voelde hij zich weer een kind. Tot ze met hem naar bed ging, waar ze hem veel meer het gevoel gaf een man te zijn dan iemand ooit had gekund.

Natalie had vanaf het eerste moment een hekel aan Frankie gehad. Hoewel ze achteraf vooral een hekel had gehad aan de manier waarop Tom veranderde door Frankie. Tom was Tom niet meer als zij in de buurt was, lang niet zo leuk. Serieus, en helemaal door haar in beslag genomen. Alsof er niemand anders meer bestond. Het was vreemd geweest om hem zo te zien. Ze had een keer tegen hem gezegd dat ze er gek van werd. Hij zei toen dat dat niet eerlijk van haar was: hij had jarenlang toegekeken terwijl zij zich zo bij mannen gedroeg, en hij had het geaccepteerd en dat zou zij ook moeten leren.

Heimelijk dacht hij dat Natalie jaloers was op Frankie. Daar hadden de meeste vrouwen last van: ze zag er altijd onberispelijk uit en alle mannen keken altijd naar haar als ze ergens binnenkwam, ongeacht wie er bij hen was.

Het had niet lang geduurd. Tom beschouwde het achteraf altijd als een korte, hevige schok. Alsof van Frankie houden – wat hij beslist had gedaan – zoiets was als de elektroshocktherapie die ze soms aan geesteszieken gaven: iets gewelddadigs dat je geest veranderde. Hij was niet het type man met wie ze verder zou gaan, dat lag voor de hand. Evengoed als duidelijk was dat Frankie niet het soort meisje was waarmee hij op de lange duur gelukkig zou zijn geweest.

Hij herinnerde zich dat het hem had verbaasd dat zijn hart zo'n streek met hem uithaalde. Waarom liet het hem verliefd worden op iemand die niet bij hem paste? Een paar maanden later was hij zelfs blij dat ze het had uitgemaakt. Het voelde een beetje als een redding.

Ze waren een keer met hun vieren gaan eten. Het was Natalies idee geweest. Hij had het op prijs gesteld dat ze haar best deed met Frankie – het was moeilijk om je twee zo verschillende vrouwen voor te stellen – en hij begreep haar poging tot een fatsoenlijke vriendschap. Tom kon Simon echter niet uitstaan. Hij was zo'n type dat hij zijn hele leven al kende en nooit had gemogen. Vol van zichzelf, vol eigendunk, star. Een vervelende man die iedereen meteen in een hokje stopte en die alleen geanimeerd kon vertellen over zichzelf of zijn werk. Zijn patiënten betekenden duidelijk niets voor hem, behalve als naamloze, gezichtsloze lichamen die hem konden helpen zijn ambities waar te maken.

De avond was een kleine ramp geweest en ze hadden er vroeg een punt achter gezet.

Hij moest nu glimlachen bij de gedachte dat een vrouw als Frankie en een man als Simon samen misschien wel heel gelukkig zouden zijn geweest.

*Lucy*

Lucy veegde de laatste kruimels en stofvlokken bijeen en ging eindelijk rechtop staan. Ze was gebroken. Bella's popsterrenverjaardagsfeestje was eindelijk voorbij. Zeventien achtjarige meisjes hadden de Macarena leren dansen, waren opgemaakt als Jody Foster in *Taxi Driver*, verkleed in neonkleuren, en waren in het buurthuis helemaal uit hun dak gegaan bij een buitensporig harde soundtrack, die echter nog werd overstemd door hun schelle schreeuwende en giechelende stemmen.

'Heel erg bedankt voor jullie hulp, mijn redders.' Marianne was gebleven. Alec had Ed opgehaald, die gruwde van het vooruitzicht van een middag vol roze popmanie, en hem en Stephen naar een schoolvoetbalwedstrijd gebracht. Hij was echter teruggekomen en gevieren hadden ze na afloop de rommel opgeruimd. Bella en Nina zaten op het podium naar hun ouders te kijken.

Alec nam de stoffer en het blik van haar over. 'Je ziet er uitgeput uit.'

Patrick kwam net weer binnen nadat hij de vuilniszak buiten had gezet en stemde met Alec in: 'Hij heeft gelijk.'

'Bedankt, mannen. Nu voel ik me pas echt geweldig! Moeten de jongens niet worden opgehaald? Ik ga wel.'

'Nee, dat doe je niet. Ik ga.' Marianne stak haar hoofd om de keukendeur.

'Ik ga wel even mee,' zei Patrick.

'Wij ook,' riepen de meisjes in koor, bang dat ze anders misschien nog ergens mee zouden moeten helpen.

Alec keek Lucy even aan, maar ze kon zijn blik niet doorgronden. Ze kon niet geloven dat hun gezinnen hen dwongen samen achter te blijven. 'Laat mij nou gaan,' probeerde ze nog eens.

'Doe niet zo raar, jij bent de hele dag al op de been. Blijf hier, dan kan Alec een kopje thee voor je zetten. Patrick gaat met mij mee. We zullen de kinderen op de terugweg bij de Burger King wat te eten geven en misschien kunnen we daarna, als je dat leuk vindt, voor onszelf wat te eten halen, en een paar flessen wijn. De kinderen vermaken zichzelf wel. Als je tenminste niets anders te doen hebt, vanavond.'

Patrick sprak als eerste. 'Klinkt geweldig, Marianne. Bedankt.'

Hij wil niet met mij thuis zitten, dacht Lucy.

En toen waren ze weg.

Het was een vreemd gevoel om samen alleen te zijn. Al die maanden hadden ze dat vermeden. Ze bleven even in de zaal staan, niet helemaal op hun gemak. Alec sprak als eerste. 'Kopje thee dan maar?' Ze lachten allebei, om niets.

'Klinkt geweldig.' Ze volgde hem de keuken in, keek toe terwijl hij de waterkoker vulde en aanzette, mokken van de haken onder de kastjes pakte en theezakjes van het karretje. 'Dit is raar.'

Het voelde een beetje als een val en een beetje als een kans.Uiteindelijk was Alec de dapperste: 'Nou, Lucy, hoe staat het ervoor, tussen jou en mij?'

'Wat bedoel je?'

'Ik weet dat het niet alleen van mij uitgaat. Of wel?'

Ze kon hem niet aankijken. 'Nee.' Ze sprak heel zacht.

'Je kent me, ja toch?'

'Ik denk het wel.'

'Ik denk het ook.'

Korte, staccato zinnetjes. Gigantische afstand.

'Ik kan het niet verdragen dat ik nooit met je kan praten, écht praten.'

'Ik weet het. Dat heb ik ook.'

'Laten we dan praten.' Nu was praten wel het laatste wat ze wilde. Het was alsof je op kerstochtend razend nieuwsgierig de huiskamer binnen kwam rennen en al je cadeautjes zag liggen en dan niet meer wist welke je als eerste moest openmaken, omdat je alleen maar alles heel snel wilde uitpakken. Ze wilde met hem praten, ze wilde luisteren, ze wilde aanraken en aangeraakt worden. En dit leek de enige kans, het enige moment dat ze ooit zouden krijgen. Ze was zich bewust van een vaag gevoel van hysterie. 'Waar wil je over praten?'

'Vertel me eens, Lucy-die-me-kent-al-weet-ik-niet-hoe. Vertel me eens wat ik voor je voel. Ik wil het je horen zeggen.'

'Oké.' En toen kwamen de woorden tevoorschijn: 'Je geeft om me. Als we samen in een ruimte zijn, met honderd andere mensen, dan weet jij waar ik ben en met wie ik praat. We genieten van elkaars gezelschap. We lijken een beetje op elkaar, maar zijn toch ook verschillend genoeg. Je ziet dingen in mij die je niet in je vrouw ziet en je weet, diep van binnen, dat als we elkaar in een andere periode hadden ontmoet, waarin het niet onmogelijk was dat er iets tussen ons zou gebeuren, we iets met elkaar hadden kunnen beginnen. En je denkt dat het wel eens spectaculair had kunnen zijn. En je weet dat je een ander mens zou zijn als je met mij samen was geweest en dat jaagt je angst aan. En als je wat gedronken hebt, verlang je gruwelijk naar me.' Ze keek hem recht in de ogen. Haar hart bonkte van inspanning en van de opwinding dat ze eindelijk had gezegd wat er al zo lang door haar hoofd speelde.

Hij schonk haar een wat scheve glimlach. 'Bijna goed.'

Ze trok een wenkbrauw op. God, wat voelde dit goed.

'Je hebt het op maar twee punten mis.' Hij was dichterbij gekomen. Ze voelde zijn adem op haar huid. 'Ik hoef niet dronken te zijn om naar je te verlangen.' Zijn lippen waren nu bij haar oor. 'En het is niet onmogelijk dat er iets tussen ons gebeurt.'

'O, nee?'

Ze wisten allebei het antwoord.

'Om ervoor te zorgen dat dit voor ons allebei duidelijk is, ga ik je kussen, Lucy.'

Maar één keer, dacht ze. Eén keer. Misschien hield ze zich voor dat de ondraaglijke luchtbel van spanning dan uiteen zou spatten. Misschien hield ze zichzelf voor dat het geen kwaad kon. Misschien hield ze zichzelf helemaal niets voor, dacht ze helemaal niet na, en voelde ze alleen maar.

Eerst raakten alleen zijn lippen de hare. Ze rustten zo zacht tegen haar mond dat het bijna tintelde. Lucy had het gevoel dat ze zo een volle minuut bleven staan, zich aanpassend aan de verandering tussen hen. Haar zenuwuiteinden schreeuwden het uit. Ze leunde tegen hem aan en op dat teken drukte hij zich tegen haar aan, openden ze allebei hun mond en kusten elkaar vol verlangen. Ze voelde hun dijen, hun heupen, hun ribben tegen elkaar. En alles om hen heen verdween. Het was zoals wanneer je dronken was en maar aan één ding tegelijk kon denken. Er was geen ruimte en geen tijd voor Patrick, Bella, Ed of Marianne. Alleen voor hen tweeën, en voor hoe fantastisch dit was, na al die maanden dat ze eraan had gedacht, over hem had gefantaseerd.

Toen de kus eindigde, trok hij haar stevig tegen zich aan, zijn gezicht in haar haren verborgen. Met verstikte stem zei hij: 'Ik... haat... je.'

Lucy boog naar achteren en nam zijn gezicht in haar handen. 'Ik haat jou ook. Ik was gelukkig.'

'Ik was ook gelukkig.'

'Waar zijn we dan mee bezig?' De angst bekroop haar. Wat

hadden ze gedaan? Het was niet zomaar een kus geweest, toch?

'Ik heb iets gezien wat ik niet eerder heb gezien, en nu heb ik iets gevoeld wat ik in lange tijd niet gevoeld heb. Als ik het al ooit heb gevoeld.'

'Je doet zoiets dus niet vaker?' Ze wist immers dat hij dat niet deed. Ze dacht aan een jong, zongebruind stel op het strand, maar ze leken zo ver weg, zo vreemd. Ze hoorden niet in dit moment, of wel?

Hij keek haar bijna streng aan. 'Nog nooit. Nooit.' Hij hield haar weer vast. 'Ik weet niet wat dit is, Lucy. Ik heb er geen mooie naam voor. Maar je moet geloven dat het om jou gaat. Alleen maar om jou.'

Dat wist ze, en wat het alleen maar erger maakte, was dat ze het zo wilde.

# De K van Kinderen

'Hoe is het met die man van je?'

Lucy zette twee dampende mokken op de tafel en ging naast Tom zitten. Ze voelde zich slecht op haar gemak. Vreemd genoeg was het moeilijker om hier nu met Tom, Patricks broer te zitten, dan het geweest was om Patrick, Marianne en de kinderen te begroeten toen ze die middag terugkwamen. De leugen leek nu groter. Hoe zou dat komen?

'Niet geweldig.'

'Waar is hij?'

'Hij heeft een gesprek bij een recruitment-bureau.'

'Dat is toch goed?'

'Ik weet het niet. Hij heeft al een paar van die gesprekken gehad en daar is nog niets uit voortgekomen.'

'Jullie redden het voorlopig toch wel, of niet?'

'Het was een goede afvloeiingsregeling en hij mocht de auto houden. We hebben een werkloosheidsverzekering bij de hypotheek. Geld is voorlopig het probleem niet.'

'Wat dan?'

'Patrick zelf. Hij schijnt er maar niet overheen te kunnen komen.'

'Ik weet zeker dat ik dat ook zou hebben.'

Lucy keek hem vragend aan. 'Echt waar? Jij lijkt me niet het type voor zelfmedelijden.'

'Dat is een zwaar woord hiervoor, Luce.'

'Is dat zo? Dat idee krijg ik namelijk wel. Hij kan zich er maar niet overheen zetten... het lijkt wel alsof hij erin zwelgt.'

'Is dat echt zo?' Tom herkende dit gevoel niet, dat hij zijn broer wilde verdedigen. Dat was nooit eerder nodig geweest.

Lucy schudde haar hoofd. 'Het spijt me, ik wil helemaal niet zo krengerig klinken. Ik weet gewoon niet hoe hij eraan toe is, en dat is de waarheid. Hij wil niet met me praten, Tom, niet echt praten.'

'Dat is gewoon zijn trots, of niet? Hij wil het zelf uitzoeken. Je weet toch hoe hij is.'

'Maar ik ben zijn vrouw.'

'Ja, maar zo zit hij gewoon in elkaar.'

'Laatst vertelde ik hem dat ik erover dacht weer te gaan werken. Ik zou misschien wat bijscholing nodig hebben, maar het zou niet al te moeilijk moeten zijn om iets te vinden. Iets in de omgeving, een beetje flexibele uren in verband met schooltijden en vakanties en zo.'

'Dat klinkt goed.'

'Inderdaad. En het is iets waar ik al lang over nadenk, al van voordat het misging met zijn baan. Ed is geen baby meer en ik kan me niet voorstellen dat ik nooit meer zou werken.'

'Hoe reageerde hij?'

'Hij werd woest. Gaf me een lange preek over dat hij heus wel in staat was voor ons te zorgen, dat hij de kostwinner was.'

'Klinkt een beetje victoriaans.'

'Dat vond ik nou ook. Hij zei dat ik hem ondermijnde, dat dat het laatste was waar hij nu behoefte aan had.'

'Dat klinkt helemaal niet als Patrick.'

'Kom nou! Je weet toch dat hij het er altijd over had dat hij me beschermde. Wat een grap, nietwaar? Dat hij mijn ridder op het witte paard was.'

'Maar dat is alles wat het was, Lucy, een grapje.'

'Daar ben ik niet zo zeker van.'

'Ik kan je niet volgen.'

'Misschien heeft hij over onze relatie toch het idee dat hij de kostwinner en beschermer is, en heeft hij het gevoel te falen nu hij dat niet meer is. Ik kan echt niet met hem praten, Tom.' Ze was bijna in tranen.

Tom had geen idee gehad dat het zo erg was. Hij schoof dichterbij en sloeg zijn arm om haar schouders. 'Het komt wel goed, Lucy.'

Waarom zeiden mensen toch van dat soort banale dingen terwijl ze geen idee hadden of er enige waarheid in school?

'Hoe dan, Tom?' kaatste ze de bal meteen naar hem terug.

'Hij heeft tijd nodig. Misschien hebben jullie allebei wat ruimte nodig.'

En ik dan? dacht Lucy. Hij weet de helft niet. Anders zou hij zeker zijn arm niet om me heen slaan. 'O ja. Daar spreekt de man zonder kinderen. Waar halen we dat vandaan? En waag het niet om Cynthia te noemen. Je hebt gezien hoe ze tijdens de bruiloft was. Zij is wel de laatste van wie hij nu hulp wil.'

'Geef de kinderen een paar dagen aan mij.'

'Dat kan ik niet doen.' Maar er gloorde hoop in Lucy's stem. Ze wilde zich herinneren waarom ze ervoor had gekozen haar leven met Patrick te delen. Ze wilde dat hij Alec zou wegduwen.

'Natuurlijk wel. Wat vind je van aankomend weekend? Boek maar iets. Ik blijf wel hier bij Bella en Ed en hang een paar dagen de maffe oom uit. Dan kunnen jullie weer een beetje tot jezelf komen en eens echt met elkaar praten. Meer hebben jullie niet nodig.'

'Denk je dat?'

'Ik weet het zeker.' Hij klopte op haar schouder.

Ze legde haar hoofd op zijn hand en drukte er toen een kus op. 'Je bent een schat, Tom. Bedankt, maar ze zullen je wel volledig uitputten.'

'Je weet nog niet wat ik met ze van plan ben!'

Toms mobiele nummer verscheen in het schermpje van haar telefoon. Ze drukte op het groene knopje, hield de telefoon tegen haar oor en nam nog een hap van haar broodje.

'Wat zit jij verdorie te eten?'
'Broodje.'
'Met grind ertussen?'
'Zilveruitjes, als je het per se moet weten.'
'Walgelijk.'
'Heb je me gebeld om de keuze van mijn broodbeleg met me te bespreken of had je nog wat anders?'
Tom genoot van de lach die doorklonk in haar stem. Ze leek gelukkig. Het radiostation zou haar de baan van die oen moeten geven – dat gaf de mensen een reden om naar hun programma's te luisteren. 'Eerlijk gezegd wel. De letter van deze week. Mijn keus, geloof ik. Het goede nieuws is dat je er geen speciale uitrusting voor nodig hebt.'
'Dat is inderdaad goed nieuws.'
'Wacht even, misschien is een helm toch geen slecht idee.'
'Ik ga echt geen putjesscheppen, Tom, als je dat maar weet.'
'Sinds wanneer begint putjesscheppen met een K?'
'Wat ben je toch bijdehand.'
'En jij eet smerige broodjes.'
'Pas maar op of ik hang op voor je de kans krijgt het me te vertellen.'
'Niet doen. Ik weet dat je in feite niet kunt wachten om het te horen.'
Natalie geeuwde overdreven in de telefoon.
'De K,' zei hij, 'staat voor Kinderen.'
'Zijn we daarmee weer terug bij de H van Hotel? Je weet wat daar gebeurd is!'
'Vlei jezelf maar niet, lieverd. Ik heb het niet over onze kinderen.'
'Zeg alsjeblieft niet dat het jonge geitjes zijn.'
'Het zijn geen geitjes. Ik heb het over de kinderen van Patrick en Lucy; Bella en Ed. Ik leen ze een weekendje.'
'Waarom?'
'Afgezien van dat K-gedoe? Ik wil jouw vaardigheden als moeder evalueren.'
'Lazer op.'

'Er wordt om te beginnen niet gevloekt. Dat is helemaal niet opvoedkundig verantwoord.'

'Waarom, Tom?'

'Serieus? Ze moeten er even tussenuit. Lucy is behoorlijk uitgeput, en het loopt niet zo geweldig tussen haar en Patrick. Volgens mij hebben ze wat ruimte nodig en dat kan ik ze geven.'

'En ik mag zeker helpen?'

'Nou, ja. Volgens mij vangen we dan twee vliegen in één klap. We helpen Lucy en we hebben de letter K gehad. Tenzij jij echt zin hebt in karate of kajakken, maar dat lijkt me niet na dat avontuur in het zwembad, of mijn vorige eerste keus, karaoke...'

'Kinderen vind ik prima. Zolang er maar geen sprake is van een victoriaanse taakverdeling. Ik ben niet alleen chef-kok en flessenspoeler, als je dat maar weet.'

'Het zal je een perfecte kans bieden om te observeren hoe fantastisch ik met kleine mensen overweg kan, als de rattenvanger van Hamelen. Dat is een deel van mijn onweerstaanbare charme waarvan jij je kennelijk niet bewust bent.'

Natalie lachte. 'Oké, blaaskaak. Al zou je moeten weten dat de echte rattenvanger van Hamelen nogal een geniepige mannetje was, dat echte kinderen ontvoerde en vreselijke dingen met ze deed. Dus laten we het maar op Mary Poppins houden, oké? Hoewel ik het jammer vind dat ik niet zal kunnen horen hoe je de songs van Sinatra verpest, stem ik in met de K van Kinderen. Hoe laat moet ik er zijn?'

Kinderen waren waarschijnlijk lang niet zo leuk als je ze de hele tijd had, dacht Natalie toen ze na het eten de borden afwaste en naar Tom luisterde die boven bezig zou moeten zijn om Ed in bad te doen, al klonk het meer als wat haar vader robbedoezen zou noemen. Eds aanstekelijke gegiechel werd met de minuut luider...

Ze hadden een heerlijk dag gehad en Tom was geweldig geweest. Hij was met hen naar Longleat gereden, ondanks het miezerige grauwe weer, en ze hadden zich uitstekend vermaakt. Bella leek plotseling zo volwassen. Niet dat Natalie haar zo vaak zag, maar ze was een heel ander kind dan vorig jaar. Ze zat in een fase waarin ze verstandig wilde zijn, serieus wilde worden genomen en tien jaar ouder wilde zijn. Ze had hun verteld dat ze dierenarts wilde worden en had uitgebreid alle bordjes met informatie over de diverse dieren staan lezen. Maar eigenlijk wilde ze ook dolgraag nog ravotten met Ed en Tom, gekke gezichten naar de dieren trekken, en eindeloos praten over de afmetingen, samenstelling, kleur en geur van hun respectievelijke ontlasting. Ze had de hele dag strijd gevoerd met zichzelf en haar leeftijd-gerelateerde schizofrenie.

Natalie wist dat Bella door haar gefascineerd was, omdat ze zich nog goed herinnerde dat zij zich op die leeftijd zo had gevoeld. Anna en Nicholas hadden destijds vrienden met een volwassen dochter, die Bridget en Natalie een keer mee de stad in had genomen toen Natalie een jaar of elf was. Ze herinnerde zich dat het meisje – Chloë heette ze – parfum voor zichzelf kocht met een cheque. Dat had haar vreselijk geïntrigeerd en ze had hevig verlangd naar het moment dat zij ook echte parfum voor zichzelf zou kunnen kopen. Bella zei van alles tegen haar: ze vond Natalies sjaal en hoed mooi, ze vond haar haren mooi, ze vond haar tas mooi. Natalie had er plezier in. 'Ben je de vriendin van oom Tom?' vroeg Bella.

'Tja,' had Natalie enigszins aarzelend geantwoord, 'ik ben wel een vriendin van je oom Tom...'

Bella had snaaks geglimlacht. 'Je weet best wat ik bedoel.'

Natalie boog samenzweerderig voorover. 'Dat weet ik inderdaad, Bella. En ik ben niet echt zijn vriendin. Sorry.'

'Ik vind dat je dat zou moeten zijn.'

Hemeltje, dacht Natalie. En dat uit de mond van een kind.

'Want dan kon je met hem trouwen en dan zou je mijn tante zijn.'

Tom was naast haar komen lopen. 'Ik ben het helemaal met je eens, Bella. Tante Natalie. Het klinkt leuk, vind je niet? Wat zeg je ervan?'

'Wat zeg je ervan als jij ons eens op een ijsje trakteerde?' pareerde Natalie.

'Maar het is ijskoud.'

'Goed, maak er dan maar een warme chocolademelk van, vind je niet, Bella?'

Bella liet zich echter niet afleiden. Op weg naar de cafetaria trok ze aan Natalies mouw en zei: 'En als je dan met oom Tom trouwt, mag ik dan je bruidsmeisje zijn? Dat ben ik nog nooit geweest en ik ben bang dat de tijd begint te dringen.'

Jezus. Natalie verbeet een lach. Als de tijd al begon te dringen voor Bella, was het geen wonder dat zijzelf af en toe paniek voelde opkomen.

Ed was een ongecompliceerd, schattig kind. Met zijn vier jaar was hij nog baby genoeg om te maken dat je hem wilde oppakken om mondscheten op zijn buik te blazen, en al jongen genoeg om dat afschuwelijk te vinden. Hij had veel weg van Tom als kind en terwijl zij en Bella hun warme chocolademelk opdronken en toekeken terwijl ze elkaar tackelden op het gras, besefte ze dat ze bijna vader en zoon zouden kunnen zijn. Het drong tot haar door dat Tom op een dag misschien kinderen zou hebben, met iemand anders, en dat voelde een beetje vreemd. Tom was immers van haar?

Tom pakte Ed onder een arm en kwam naar haar toe. Toen hij dichterbij kwam, hees hij hem op zijn schouder en zei: 'Jij en ik, Nat. Dit zou de toekomst kunnen zijn. Zeg het maar!!!'

En op dat moment kotste Ed zijn warme chocolademelk over Toms rug uit.

Ze ging wat te eten halen bij de Chinees en toen ze terugkwam, was Bella met haar boek naar bed gegaan en was Ed onmiddellijk in een diepe slaap gevallen. Ze aten het eten vanaf een bord op hun schoot, met een flesje bier erbij en wezenloze zaterdagavondprogramma's op de televisie.

'Ik ben uitgeteld,' klaagde Tom. 'Jezus, Nat, ik meld me hier nooit meer vrijwillig voor aan.'

'Je vond het geweldig. Je was het grootste kind van allemaal.'

'Ik vond het inderdaad geweldig, en ik ben dol op ze, maar hemeltje, wat is dat zwaar werk!'

'Nog een biertje?'

'Ik geloof niet dat ik nog op kan staan om het te halen.'

'Ik ga wel, oude man.' Ze stond op en nam hun borden mee.

'Je wilt zelf toch wel kinderen, niet?' vroeg ze toen ze terugkwam met het bier en op de bank ging zitten.

Tom legde ongevraagd zijn voeten op haar schoot. 'Ik heb op het moment even geen puf. Kun je wachten tot na *Match of the Day*?'

Ze kneep in zijn kleine teen.

'Au!'

'Ik bedoel, ooit. Maken ze deel uit van je plannen?'

'Ja en nee.'

'Dat is te cryptisch. Leg uit.'

'Nou, bij mij is het niet iets biologisch. Ik verlang niet hevig naar kinderen. Ik zie mezelf niet zitten over zestig jaar met de gedachte dat ik per se kinderen gekregen moet hebben.'

Natalie vroeg zich af of dat bij haar het geval was. Misschien wel.

'Voor mij zouden ze deel uitmaken van de juiste relatie. Begrijp je wat ik bedoel? Ik zou de moeder van mijn kinderen moeten ontmoeten om zeker te kunnen weten dat ik ze zou willen. Is dat een beetje duidelijk?'

'Ja.' Ze begreep het wel. 'Het zal wel anders zijn als je geen baarmoeder hebt.'

'Dat neem ik aan. Hoewel het volgens mij niet per se betekent dat je je wel zo moet voelen als je wel een baarmoeder hebt... Dat lijkt een beetje te zijn voorgeschreven, niet?'

'Ja, natuurlijk. Ik weet het niet. Ik geloof dat ik altijd wel heb aangenomen dat ik ze zou krijgen. Maar dat is misschien niet de juiste manier om het te bekijken.'

'Je zou een geweldige moeder zijn. Jij moet echt kinderen krijgen.'

'Waarom denk je dat?'

'Je brede heupen?'

'En?' Ze had helemaal geen brede heupen, dus ze liet die opmerking passeren.

'Alles aan je. Je bent vriendelijk en warm, vrijgevig, slim en creatief. Je zou een natuurtalent zijn.'

'Ik weet het niet.'

'Ik wel.' Hij glimlachte.

Toen ging de telefoon.

'Dat zal Patrick of Lucy wel zijn. Ik had nog zo gezegd dat ze ons niet moesten controleren.'

Natalie stond op, wipte Toms voeten van haar schoot en zei: 'Ik zal ze eens wat vertellen.'

Maar Tom had de telefoon al van het tafeltje naast de bank gepakt. 'Vertrouwen jullie ons niet?' begon hij.

Daarna ging hij recht zitten en zei hij een hele tijd niets. Toen hij dat weer wel deed, klonk zijn stem niet meer vrolijk. Hij zei: 'Oké. Ik weet zeker dat ze meteen zal willen komen. Oké. Hou vol. Dag.'

Natalie was bang. Tom pakte haar hand beet en trok haar naast zich op de bank. Hij wist niet hoe hij het anders moest zeggen, dus hij begon maar gewoon: 'Het ging over je vader, Nat. Hij ligt in het ziekenhuis. Ze denken dat hij een herseninfarct heeft gehad.'

# De L van Lieverds

'Lieverds.'

'Lieverds. Ja, lieverds. Je weet wel, theatrale types noemen elkaar altijd zo. Susannah en Casper hebben ons uitgenodigd voor een filmfeestje. Het zal er wemelen van de acteurs en hun lieverds.'

'Klinkt afschuwelijk.'

'Klinkt geweldig. Hugh en Jemima komen kennelijk ook. Hij was heel even te zien in Caspers film.'

'De film die ze in Marokko hebben opgenomen?'

'Nee... dit is nog voor de film die ze vorig jaar zomer hebben opgenomen. Ze konden toen dit feestje niet geven omdat de regisseur meteen daarna naar Amerika moest voor een volgende film, en dit is de eerste gelegenheid hier in Londen, en omdat het merendeel van de crew en de cast Engels is, houden ze het hier. En wij zijn ook uitgenodigd!'

'Zwak, Nat, erg zwak.'

'Zaterdagavond dus. We moeten 's middags al vertrekken, denk ik. En we kunnen bij Susannah blijven slapen, heeft ze gezegd. O, en je moet er chic uitzien. Heel chic.'

'Dus mijn spijkerbroek is niet goed genoeg?'

'Nee.' Natalie sprak heel langzaam, alsof Tom niet goed bij zijn verstand was. 'Het moet chic en trendy. Ga onder lunchtijd maar met Serena winkelen en laat haar iets voor je uitkiezen.'

'Dat kan ik heus wel zonder Serena's hulp, dank je.'

'Nou, regel het dan maar. De mensen zullen denken dat we een stel zijn en ik wil niet dat je me voor aap zet.'

Susannah en Casper hadden een souterrain-appartement in Arundel Gardens. Het was klein, een beetje vochtig en nogal donker. Maar het was wel Notting Hill en het was gratis. Caspers grootmoeder, een fantastische excentrieke joodse vrouw, had er sinds de oorlog gewoond en er minnaars en Chinees aardewerk verzameld; dat laatste voor het stalletje dat ze in Portobello Market runde. Bij haar dood in 1995 had ze het nagelaten aan haar kleinzoon. Ze hadden het kaalgestript, het helemaal wit geschilderd en er een Ikea-keuken van duizend pond ingezet die eruitzag als een Poggenpohl van twintigduizend pond. Tegen die neutrale achtergrond richtten ze de flat in als een filmset, die veranderde naargelang hun stemming. Nu was het Marokko. Sierlijke leren stoelen in pastelkleuren, kussens met kleine spiegeltjes eraan en doorschijnende stoffen. Een reusachtige tajine gevuld met volmaakt groene appels.

Susannah deed voor hen open. 'Lieverds!' Ze trok Natalie in een stevige omhelzing. 'Ik ben zo blij je te zien, schat.'

'Het is absoluut geweldig om jou weer te zien, Suze!'

'En Tom! Ik heb je al eeuwen niet gezien. Welkom.'

Ze duwde hen voor zich uit naar binnen. De flat rook naar wierookstokjes. Natalie rolde met haar ogen naar Tom. 'Het lijkt hier wel een soek.'

'Ik weet het. Is het niet prachtig? En je kunt je niet voorstellen hoe goedkoop.' Susannah streek haar haren weg uit haar gezicht en daarbij rinkelden zo'n duizend gouden armbanden aan iedere pols. 'Pepermuntthee?'

'Je hebt zeker geen PG Tips?'

'Geen sprake van. Je moet de pepermunt proberen. Hij is heerlijk.'

'Pepermuntthee dan maar.'

'Maak het jezelf gemakkelijk.'

Tom betwijfelde of dat mogelijk was.

'Waar is Casper?'

'In de kroeg.' Casper mocht dan aan Stowe hebben gestudeerd, hij hunkerde af en toe nog steeds naar een pint Boddington's.

'Verdomd goed idee,' fluisterde Tom.

Natalie trok een grimas en vroeg toen: 'Die op de hoek van de straat?'

'Ja. Volgens mij wel.'

'Dan ga ik er even een met hem drinken,' zei Tom, en hij was weg.

'Mooi. Nu kunnen wij tenminste even kletsen.' Susannah bracht de mokken mee naar de kussens en ging naast haar zus zitten. 'Het is fijn om je te zien. Ik heb je gemist.'

'Heb je Bridge al gesproken?' vroeg Natalie.

'Ik ga volgende week naar haar toe, ik ben een paar dagen vrij. Hoe is het met haar?'

'Afgepeigerd. Gelukkig. Je weet wel!'

'Ik heb in de soek een paar prachtige witte linnen spullen voor de baby gekocht.'

'Wit linnen? Ik ben geen oermoeder, maar zelfs ik weet dat wit linnen en pasgeborenen niet samengaan.'

'Onzin! Voor die prijs zijn het trouwens bijna wegwerpartikelen. En ze zijn schattig. Cas en ik werden er helemaal broeds van.'

'Echt waar?'

'Nee, niet echt, natuurlijk niet. Ik heb nog niet genoeg naaktscènes gespeeld om mijn lichaam nu al te willen verpesten.'

Er school een zekere Susannah-logica in wat ze zei. 'En Casper?'

'Hij vindt het prima zo. Ik geloof dat hij me nog steeds liever voor zich alleen heeft. Nog niet klaar om me te delen met een jengelende, behoeftige kleine enkelbijter.'

'Jullie twee zijn echt de meest zelfzuchtige mensen op de planeet, is het niet?' Natalie lachte.

'Je kwetst me, lieverd.'

'Het is onvoorstelbaar dat we uit dezelfde baarmoeder

komen. Bridget en ik, dat zie ik wel. Maar jij? Je bent vast geadopteerd.'

'Was het maar waar. Veel interessanter dan in een of andere voorstad te worden geboren uit gehuwde ouders. Een vondeling. Dat had ik leuk gevonden...'

Natalie gaf haar een tikje op haar dijbeen. 'Hou op.'

'Over de gehuwde ouders gesproken, hoe is het met pap?'

'Ze maken het allebei goed. Mam is opgewekter. Ik geloof dat het komt doordat ze pap heeft om voor te zorgen. En het gaat goed met hem. Het was geen ernstig infarct. Een waarschuwing, denk ik. Ze hebben hem maar een dag of twee in het ziekenhuis gehouden, en hij heeft een emmer vol pillen en zo meegekregen. Hij leek altijd zo gezond, hè? Ze verheugen zich er vast op je te zien. Kom je nog steeds met Pasen?'

'Dat heb ik gezegd, dus dat doe ik.'

'Dat is fijn. Ze hebben een moeilijk jaar gehad. Eerst die angst voor kanker bij mam, daarna haar andere problemen, en nu dit.'

'Ben je er nog achter gekomen wat er aan de hand was? Het is zo'n vijftien jaar te laat voor de menopauze.'

Susannah ging er zo afstandelijk mee om, dacht Natalie, al was het niet zo dat ze het zich niet aantrok – dat hoopte Natalie althans. 'Dat is het niet.'

'Het is allemaal begonnen met dat knobbeltje in haar borst vorig jaar, niet? Denk je dat er iets is wat ze ons niet vertelt?'

'Wat? Dat ze echt kanker heeft of zo?'

'Het zou kunnen.'

'Dat is niet zo. Ze is niet ziek. Ze is niet naar het ziekenhuis of zelfs maar naar de dokter geweest. Ze valt niet af. Dat is het niet, dat weet ik zeker. Pap zou het weten en ik geloof niet dat hij het voor zich zou kunnen houden.'

Susannah haalde haar schouders op. 'Wat dan?'

'Ze is depressief, Suze.'

'Echt waar?'

'Ja. Ze heeft een klinische depressie. Je weet wel, een echte depressie.'

'Heb je dat tegen haar gezegd?'

'Hou op! Het is niet grappig. De dokter heeft het tegen haar gezegd en haar er iets voor gegeven.'

'Mam aan de Prozac? Dat zou ze vreselijk vinden.'

'Zoiets zal het wel zijn, maar het heet anders. En ze vindt het inderdaad vreselijk, maar ze beseft dat ze niet beter wordt als ze er niets aan doet.'

'Ik weet dat het niet grappig is. Sorry. Ik laat jou en Bridge altijd alles opknappen, hè?'

'Je bent vaak weg.'

'Dat is het niet alleen. Ik kan het gewoon niet aan. Te zelfzuchtig, zoals je al zei. Nu weet ik niet over wie van de twee ik me het meeste zorgen moet maken: mam en haar blijdschappillen of pap met zijn infarct.'

De zussen zwegen allebei even. 'Ik denk dat je je voorlopig over geen van beiden veel zorgen hoeft te maken. Mam heeft hulp, en daar heb ik veel vertrouwen in, en met pap komt het ook goed,' zei Natalie.

Susannah leek niet overtuigd.

'En je komt met Pasen naar huis. Dat zullen ze heerlijk vinden. We kunnen proberen er allemaal tegelijk te zijn. Dat wordt vast gezellig.'

'Doet mam niet meer zo gemeen tegen hem? Het leek wel of ze zich op hem afreageerde toen we met Kerstmis thuis waren.'

'Ze is nu veel milder, ja.'

'Daar ben ik blij om. Als ik de dag na kerst niet was weggegaan had ik beslist grote ruzie met haar gekregen.'

'Ik weet het!'

'Ik ben de enige die ooit tegen haar in opstand komt.'

Ze had gelijk. Zij was waarschijnlijk de enige van hen die niet een beetje bang voor hun moeder was. Susannah en haar moeder hadden altijd een heftige relatie gehad. Anna zei toen Susannah een tiener was vaak dat het kwam doordat ze zo op elkaar leken. Wat bij de vijftienjarige Suze natuurlijk als een rode lap op een stier werkte. Wat een afschuwelijke gedachte!

Natalie herinnerde zich dat ze eens met luide, walgende stem had geroepen: 'Ik lijk helemaal niet op jou!' en toen voor twee dagen verdwenen was. Natalie was plotseling heel blij dat haar zus een paar dagen naar huis zou komen.

De pepermuntthee smaakte verbazingwekkend goed. Bij een tweede mok vroeg Susannah naar Tom. 'Hoe gaat het?'

Natalie glimlachte. 'Waarom vraagt iedereen dat toch steeds?'

'Omdat iedereen wil dat het iets wordt tussen jullie?'

'*Et tu, Brute*? Ik dacht dat juist jij aan mijn kant zou staan.'

'Welke kant is dat?'

'De kant van de romantiek. De Ware. De prins op het witte paard.'

'En tot op zekere hoogte is dat ook zo. Maar ik vind niet dat je iemand als Tom aan de kant moet schuiven alleen omdat er een tijd is geweest dat je hem kende zonder dat die dingen er waren.'

'Dat er een tijd ís, bedoel je zeker? Zie jij vonken overspringen?'

'Je zit gewoon in de ontkenningsfase, lieverd. Het komt op mij over alsof de dame te hevig protesteert.'

'Lazer op.'

Susannah lachte haar diepe, vreugdevolle lach. 'Oké, vertel me dit dan eens. Ben je ooit wel eens een beetje dronken geworden en heb je het toen met hem aangelegd, gewoon om erachter te komen of hij je naar de hemel kan voeren?'

'Ik kan niet geloven dat je zoiets vreselijks zelfs maar voorstelt.' Ze was niet van plan te bekennen wat er in het kuuroord gebeurd was. Ze had al flink de wind van voren gehad van Rose en Bridget en ze zat niet ook nog eens op Susannahs afkeuring te wachten.

'Waarom?'

'Ik kan hem toch niet als een experiment gebruiken!'

'Is dat niet precies wat hij je vraagt te doen met dat alfabetspel?'

Natalie dacht erover na. 'Ja. Maar ik wil hem geen pijn doen.'

'En je denkt dat dat zou gebeuren?'
'Ja.'
'Dat betekent dus dat je denkt dat hij het serieus meent met jou?'
'Ik denk het wel, zoiets, misschien, ja. O, dat weet ik toch niet?'
Susannah pakte de twee mokken op. 'Is het je opgevallen hoe goed hij eruitziet?'
Ze lachten allebei.
Alsof het afgesproken was ging op dat moment de deur van de flat open en kwamen Casper en Tom lachend binnen. Casper was helemaal niet Natalies type. Hij was lang en ongelooflijk mager, niets dan ellebogen en jukbeenderen, waar de camera kennelijk dol op was. Achter hem leek Tom breed en sterk. Susannah had gelijk. Hij zag er inderdaad goed uit. Het probleem was dat ze zich zijn gezicht in al zijn incarnaties herinnerde. De dikke baby bij zijn moeder op de haardmantel, het vermetele jongetje dat ze had leren kennen, de klungelige tiener met een lichte vorm van acne, die nog wat onhandig was met scheren. Nu kon ze zijn mannengezicht zien veranderen in hoe het eruitzag in de jaren zeventig. Misschien moest ze ermee ophouden.

Het feestje was in een pijnlijk trendy nachtclub waarin elk oppervlak van glimmend wit melamine leek te zijn gemaakt. Het deed Natalie aan de keuken denken die hun moeder uit het huis had gesloopt dat ze in 1977 hadden gekocht en die ze had vervangen door een iets minder lelijke grenenhouten keuken, maar toen ze dat zei reageerden Susannah en Casper een beetje smalend, dus hield ze verdere observaties maar voor zichzelf en Tom. Het eten leek voor kabouters te zijn gemaakt, piepkleine brokjes onherkenbaar spul op cocktailprikkers en enkele garnalen versierd met drie sesamzaadjes. Natalie zag dat Tom er twee tegelijk pakte. Misschien maar een kebab halen op weg naar huis?
Hun aankomst op het feestje was surrealistisch geweest. De

ingang van de club zag eruit als de deur van een riool of een of andere victoriaanse horrorlocatie onder de gewelven van een ongezond deel van de stad. Aan de overkant van de straat zaten de paparazzi thee te drinken en in luid namaak-Cockney te praten. Ze hadden hen vieren genegeerd toen ze aankwamen, ook al deden Susannah en Casper erg hun best als beroemdheden te lopen.

Natalie had hen horen mompelen: 'Dat is niemand.' Met beroemde mensen rondhangen was niet goed voor je zelfvertrouwen. Mike zou echt verschrikkelijk balen dat hij hier niet bij was. Hij meende immers dat hij zo belangrijk was. Natalie glimlachte in zichzelf. Ze moest een paar namen zien te onthouden zodat ze die maandagochtend kon laten vallen. Het was net een ongelooflijk ingewikkeld kastensysteem: hier was ze niemand, maar op het werk zou het feit dat ze hier was geweest haar voor een poosje boven aan de ladder plaatsen...

Ze had het gevoel dat ze het enige meisje in het vertrek was dat zich had aangekleed. De rest zag er zo 'verzorgd' uit. Perfect gekapt haar, smetteloze gezichten, japonnen die ze herkende uit glossy tijdschriften, het soort japonnen dat een maand huur kostte. Zij en Susannah hadden zich twee uur geleden klaargemaakt, in dezelfde badkamer, en Natalie had haar vingers in dezelfde potjes gedoopt als haar zus, dus hoe kwam het dan dat Susannah hier volmaakt op haar plaats leek en zij zich het arme familielid voelde?

'Je ziet er prima uit!' Tom had een beetje geïrriteerd geklonken.

'Dat is nou echt wat een meisje wil horen. "Prima". Je wordt bedankt,' had ze hem toegebeten in de taxi, maar hij had alleen maar gegrinnikt.

Ze herkende bijna alle gezichten. Toegegeven, sommige van *Hollyoaks* en *Coronation Street* – vulmateriaal, zoals Susannah het zei – maar beslist een paar van modeshows en diverse van het witte doek. Ze gedroegen zich allemaal volstrekt normaal, alsof ze hun hele leven werden gefotografeerd en aangegaapt door vreemden. En dat was natuurlijk ook zo. Modellen zagen er in het echt in elk geval heel vreemd uit: als pasgeboren genetisch gemodificeerde giraffen. Ze waren akelig dun, net lollystokjes met gigantische hoofden. Ze wou dat Rose hier was: die zou dit schitterend vinden.

Op strategische plaatsen in het vertrek stonden podiums waarop paaldanseressen aan het werk waren. Volgens Casper zou dat 'resonantie hebben met de in het script behandelde thema's'. Hij en Tom namen de tijd om de artistieke integriteit te beoordelen. Of keken ze, optie B, naar het wijdbeens dansende, schaars geklede meisje met de reusachtige borsten en het fantastische gevoel voor ritme? Tom at enthousiast een miniatuurhapje. Hij deed Natalie aan Ed denken, die bij een aflevering van *The Fimbles* zijn brood zat te eten. Ze trok aan zijn arm, waarop hij zich naar haar toe boog, en riep in zijn oor: 'Dat kan mijn moeder ook.'

Dat was een privégrapje. Ze waren een paar jaar geleden naar een cricketwedstrijd in het Oval gaan kijken: Engeland werd ingemaakt door Australië – moeilijk om daar een specifiek jaar aan vast te plakken – en enkele onbeschaamde Australiërs die een paar rijen achter hen zaten, hadden een spandoek opgehouden met de tekst 'dat kan mijn moeder ook' telkens als de Engelsen een bal lieten schieten. Tom lachte hartelijk, maar hij bleef nog wel kijken.

'Ik wil nog wat drinken!' Ze gaf hem een por. Ze wist niet waarom het haar zo vreselijk tegenstond... Feministische principes, misschien.

Tom kuierde enigszins onwillig in de richting van de bar. Natalie zocht een donker hoekje op en keek gewoon maar naar de mensen om haar heen. Ze zag Susannah om Casper heen gedrapeerd staan, pratend met een al even lenig stel lieverds vlak bij de deur. Daarna keek ze naar een jonge acteur uit een ziekenhuisserie die ze volgde; hij danste met een heel mooi meisje in een jurk die kennelijk van macramé gemaakt was.

Tom bleef lang weg. Ze kwam een stukje uit de hoek en keek naar de bar op zoek naar Tom. Daar stond hij, helemaal aan het uiteinde. Het zag er naar uit dat hij de drankjes al had, maar hij stond nog steeds te praten met het meisje dat hem had bediend. Of beter gezegd, zij stond met hem te praten. Met hem te flirten, als Natalie zich niet vergiste. Ze herkende de lichaamstaal – alle meisjes binnen een afstand van honderd meter zouden kunnen zeggen wat zij wilde, als die meisjes tenminste zouden kijken in plaats van precies hetzelfde te doen. Het was er allemaal, het klassieke Desmond Morris-gedoe, het soort dingen waarover ze in de *Cosmopolitan* schreven. De haren naar achteren gooien, de mond aanraken, oogcontact maken, haar eigen hals strelen. Ze had net zo goed een neonbord kunnen omhangen.

Natalie voelde zich gekrenkt, en dat verraste haar. Ze vond het tot haar verbazing helemaal niet leuk.

Maar terwijl ze stond toe te kijken, vond ze Toms respons nog minder leuk. Hij flirtte terug, en niet zo'n beetje. Ze wachtte op het moment dat hij zich zou omdraaien om te zien of zij keek – het hoorde toch allemaal bij het spel, of niet? Maar dat deed hij niet; hij ging gewoon door, hij leunde op de bar en praatte met het meisje met de wilde haardos en het perfecte decolleté.

Met een schok besefte ze dat ze jaloers was. Zoals ze dat was geweest wanneer ze Simon met knappe verpleegsters of meisjes op een feestje zag praten. Dat was pas echt een verrassing. Natalie realiseerde zich dat Casper naast haar stond.

'Alles goed, Nat?'

Ze glimlachte naar hem, maar het had meer van een grimas. Casper had gezien hoe ze naar Tom keek. Dezelfde Tom die hem een paar uur eerder in de kroeg had bekend dat hij gek op haar was, en doodsbang om het te verknallen, en bang dat er nooit iets tussen hen zou groeien. Casper wist niet of het geflirt met de serveerster deel uitmaakte van Toms plan (dat een beetje zwak leek te zijn) of dat er echt sprake was van aantrekkingskracht. Ze was wel een stuk. Casper, die feitelijk een beetje simpel was, zoals vreselijk hoogopgeleide kostschooljongens dat kunnen zijn, wist niet wat hij ervan moest zeggen.

'Prima. Leuk feest. Ik wou dat ik een gsm met camera had.'

'Ze zouden je eruit zetten als je hem gebruikte. Beroemdheden zijn erg op hun privacy gesteld, weet je.'

'Ja, dat zie ik!' Natalie wees naar de acteur uit de ziekenhuisserie en zijn vriendin in macramé, die inmiddels bezig waren met hun eigen nummertje dirty dancing. 'Erg op hun privacy gesteld!'

'O, hij... ik ken hem al lang. Hij zat bij me op de toneelschool. Hij bespringt iedereen die lang genoeg stil blijft staan. Zal ik je aan hem voorstellen?'

'Nee, dank je.' Natalie glimlachte. 'Bovendien ben ik een beetje "overdressed" naar zijn smaak. Ik heb een slipje aan.'

'Daar zou hij vast wel raad mee weten.'

'Dat zal best wel, maar ik heb nog steeds geen belangstelling. Bedankt, Cas.'

'Dus je bent al bezet, hè?'

Natalie gaf hem een por in zijn ribben. 'Hou op met vissen, zwager. Het is niet zozeer dat ik al bezet ben als wel dat ik liever wordt aangesproken dan gepakt...'

'Aha. Zwaar werk. Ik geloof niet dat hij daarop valt.'

Natalie luisterde echter al niet meer naar hem. Ze keek naar Tom en de serveerster, die nog steeds stonden te praten.

Hij kwam uiteindelijk wel terug. Susannah had zich toen inmiddels weer bij hen gevoegd en ze zaten gedrieën op een bankje. Tom gaf Natalie haar glas. Ze voelde de bijna onbedwingbare aandrang om het in zijn gezicht te gooien, maar nam het van hem aan en stak het rietje in haar mond als een pruilend kind, zonder dankjewel te zeggen.

Susannah keek haar vragend aan. 'Wat mankeert jou?' beet ze haar toe toen Tom even later met Casper zat te praten.

'Tom stond meer dan tien minuten tegen die serveerster aan te kwijlen!' Ze klonk verontwaardigd.

'Welke?'

'Die met die grote bos haar, aan de bar.'

Susannah keek. 'Knappe meid!'

'Bedankt, Suze.'

'Bedoel je dat hij haar stond te kussen?'

'Nee. Hij zag er alleen uit alsof hij dat zou willen.'

'Echt waar?' Natalie kon de toon van haar zusters stem niet peilen.

'Hoezo, echt waar?'

'Denk je dat hij jou jaloers wil maken?'

'Nee, ik denk dat hij iets met de serveerster wil.'

Susannah lachte om haar nukkige toon. 'Nou, dat klinkt als een ernstig geval van "ik wil hem niet, maar ik mag doodvallen als iemand anders hem krijgt", lieverd.'

Natalie vond het vreselijk als Susannah gelijk had.

'En ik ben bang dat je je eroverheen zult moeten zetten, tenzij je verwacht dat hij toetreedt tot het seminarie of bij het Franse Vreemdelingenlegioen gaat, hoewel ik eigenlijk niet eens weet of dat nog wel kan.'

Daar was Natalie niet zeker van.

Later, op weg naar huis, en naar de sandwiches met bacon die Casper hun had beloofd, zat Susannah tussen hen in op de achterbank van de taxi. 'Leuke avond?' vroeg ze aan Tom.

'Erg leuk. Bedankt dat we mee mochten. Het was weer eens wat anders. Veel glamour. Ik had eigenlijk gedacht dat het meer iets voor Nat zou zijn dan voor mij.'

'Je leek je anders uitstekend te vermaken,' pareerde Natalie. Ze kon zijn gezicht niet zien. Anders had ze geweten dat hij tevreden glimlachte.

# April

*Lucy*

Dit was de eerste keer dat Lucy alleen was met Marianne sinds ze haar echtgenoot had gekust. Ze had haar op school een poosje ontlopen onder het mom dat ze het druk had. Ze was van hot naar her gerend in plaats van nog op de parkeerplaats te blijven kletsen nadat de bel was gegaan. Ze had haar zo goed ontlopen dat Marianne haar op een ochtend doelbewust opzocht en zei dat ze met haar mee moest gaan. Ze hadden afgesproken wat te gaan winkelen en daarna te lunchen. Het winkelen was leuk geweest, al had Lucy zich vreemd verlegen gevoeld toen ze samen in een pashokje stonden. Er stond een rij en Marianne had gezegd dat ze wel samen konden. 'We hebben geen geheimen voor elkaar, hè, Luce?' Ze paste een jurk voor een bruiloft waar Alec en zij ergens in juni heen moesten. Lucy had zonder veel overtuiging een rok gepakt die ze niet echt heel mooi vond. Zij en Patrick konden op het moment niet echt met geld smijten. Marianne kleedde zich ongedwongen uit tot op haar smoezelig uitziende beha en slipje, terwijl Lucy de rok omhoog had gehesen onder degene die ze al droeg.

De satijnen jurk had er vreselijk uitgezien, zelfs aan een slank en strak lijf als dat van Marianne, en ze had fronsend in de spiegel gekeken. 'Jezus! Wat zie ik eruit.' Ze had heen en weer gedraaid, haar buik ingetrokken en haar bilspieren aangespannen. 'Dit is niks. Wat zei iemand ooit ook weer: het ziet eruit als twee varkens die vechten onder een laken?' Lucy had niets gezegd en Marianne had haar taxerend aangekeken. 'Die rok is trouwens prachtig. Ik zou hem nemen als ik jou was.'

'O, ik ben alleen voor de lol mee. Ik kan op het moment niet te veel uitgeven.'

'Het spijt me, gedraag ik me nou vreselijk ongevoelig?'

Lucy had haar hoofd geschud.

'Laat maar zitten! We gaan lunchen. Ik trakteer. Kom op.' Marianne had het kledingstuk uitgetrokken en weer op het hangertje gehangen. 'En ik neem frietjes!'

Ze zaten nu te lunchen en hadden ieder twee glazen wijn op. Lucy vroeg zich vaag af of ze de kinderen zo wel kon halen en keek op haar horloge. Ze zaten nog wel even op school. Als ze hierna maar koffie bestelden en ze dat bronwater opdronk. Van overdag drinken werd ze slaperig, maar ze durfde haar dekking niet te laten zakken bij Marianne.

'Is alles goed met je, Lucy? Raak je terneergeslagen door dat gedoe met Patrick?'

Dat was wel zo, maar het was niet wat er nu speelde.

'Ik bedoel, hij zal toch wel snel een andere baan vinden? En jullie hebben toch niet echt financiële problemen? Je zei toch dat jullie het wel een poosje konden uitzingen?' Ze klonk lief en bezorgd.

'O, dat is ook zo. We hebben een behoorlijke buffer, zolang we geen rare dingen doen. Het is alleen... hoe langer het duurt, hoe meer het Patricks stemming beïnvloedt. Hij is erg down en humeurig.'

'En dat is voor jou ook niet bepaald prettig, wel? Ook al begrijp je het en wil je hem helpen en bla bla bla. Wat kunnen het toch zakkenwassers zijn, hè? Ze beseffen niet dat hun stemming het hele huis doordringt, als een stinkbom.'

'Ik heb niet het idee dat Alec ook zo kan zijn.'

'Nee, natuurlijk niet. Jij ziet hem alleen op z'n best. Zoals ik Patrick alleen op z'n best zie. Ik wed dat Patrick niet weet dat ik gigantisch last heb van pms en dat ik mijn benen alleen in de zomer scheer.' Ze lachte.

Dit voelde bijna net zozeer als vreemdgaan als de kus zelf. 'Laten we er niet over praten. Het is te deprimerend. Je hebt gelijk, het komt allemaal wel weer goed. Patrick vindt wel weer een baan, leeft weer op, probleem opgelost. Ik dacht dat je me mee had genomen om me op te vrolijken. Vertel me eens wat roddels.'

Marianne leunde samenzweerderig over het tafeltje heen, een schittering in haar ogen. 'Grappig dat je dat vraagt.'

Een van de moeders in de ouderraad ging kennelijk vreemd. De een of ander had hen ergens samen gezien en had het de een of ander in strikt vertrouwen verteld. Het was dagenlang hét gesprek geweest op het schoolplein. Lucy wist zeker dat ze bloosde.

'Dat is vreselijk,' zei ze, omdat dat was wat ze hoorde te zeggen.

'Ach, ik weet het niet,' zei Marianne wat peinzend. 'Je weet immers nooit echt hoe het ervoor staat in iemands huwelijk. Je weet alleen wat ze je vertellen, of wat ze je laten zien. We hebben allemaal wel iets te verbergen.'

'Wat bedoel je?' Lucy werd vreselijk bang.

Marianne keek haar een hele poos indringend aan, alsof ze iets overwoog, en nam toen nog een slok. 'Ik heb ook een verhouding gehad.'

Lucy voelde een explosie van opluchting in haar borst, meteen gevolgd door afgrijzen. 'Echt waar?'

Marianne knikte. 'Ja. Lang geleden. Dat had je niet verwacht, hè?'

'Nee, niet echt. Je lijkt me daar het type niet voor. Jullie lijken zo gelukkig.'

'Dat zijn *wíj* ook wel, maar *ík* niet. Ik geloof niet echt dat mensen "dat type" zijn. Dat vind ik een beetje een puberale kijk op de wereld. Volwassenheid is niet zwart-wit, maar duizend schakeringen grijs. Of taupe. Het is niet wie je bent, maar waar je bent. Het is lang geleden. We maakten een rottijd door. Nogal een cliché, eigenlijk. We gaven elkaar geen goed gevoel meer, en ik vond iemand die dat wel deed. Het was niet iemand die Alec kende – want in hemelsnaam, hoe wanhopig je ook bent, je bevuilt nooit je eigen nest, toch? Het was vrij toevallig eigenlijk, iemand met wie ik jaren daarvoor had gewerkt. We kwamen elkaar weer tegen, raakten aan de praat... ik zag wel wat in hem, hij in mij. We hadden wat ongetwijfeld de beste seks van mijn leven was, en nog steeds is, moet ik jammer genoeg zeggen. Het duurde ongeveer zes maanden. Meer dan seks was het niet. Ik hield niet van hem en ik weet zeker dat hij niet van mij hield, maar we konden niet van elkaar afblijven. Het was iets chemisch. Waar en wanneer we de kans maar kregen. Ongelooflijk wat voor risico's we namen. Ik... weet je... ik moest hem gewoon altijd hebben.' Lucy dacht aan de wc in het vliegtuig.

Het was vreselijk om hiernaar te luisteren. Dat zou het normaal al zijn, maar nu was het helemaal een kwelling. Ze kon zich er niet toe brengen Marianne iets te vragen, maar dat hoefde ook niet. Haar vriendin leek weg te zweven op het ritme van de herinnering.

'En toen... hielden we ermee op. Ik heb er een punt achter gezet, al was het slechts een kwestie van tijd voordat hij dat zou hebben gedaan.'

Een onuitgesproken waarom.

Marianne haalde haar schouders op. 'Het kon niets worden, toch? Ik was niet van plan Alec voor hem te verlaten. Ik weet dat het belachelijk klinkt, maar het had iets...' Ze klonk alsof ze deze verklaring voor zichzelf geoefend had '... van een of andere vlam. Magnesium, of zoiets. Het brandde ongelooflijk fel, maar niet lang.' Ze glimlachte. 'En toen ging ik terug naar mijn rustige kolenvuurtje.'

'Wist Alec ervan?'

'Lieve hemel, nee. We namen wel risico's, maar niet zulke grote. Hij hoefde het niet te weten. Het had niets met hem te maken, het ging om mij. Ik heb het gedaan en oké, ik ben er niet trots op. Nog een hele tijd nadat er een einde aan was gekomen, wilde een deel van me het hem vertellen; ik voelde me ontaard. Ik meende echt dat we niet verder zouden kunnen gaan met dat tussen ons in. Dat konden we echter wel en dat hebben we ook gedaan. En ik weet dat ons huwelijk er beter door is geworden, als je daar een touw aan vast kunt knopen.'

Ja en nee.

'En we waren nog maar met ons tweeën, we hadden nog geen kinderen. Ik had nooit het risico kunnen nemen de kinderen pijn te doen.'

'Maar hem pijn doen wel?'

'Dat heb ik niet gedaan.'

'Je klinkt een beetje berekenend als je het erover hebt.'

'Is dat zo?' Marianne leek verrast, maar niet beledigd. 'Dat is niet mijn bedoeling en zo was het ook niet. Destijds, bedoel ik. Ik raakte er vreselijk met mezelf door in de knoop.'

'Denk je dat hij je had kunnen vergeven, als hij erachter gekomen was?'

'Dat weet ik niet. Daar heb ik veel over nagedacht. En ik weet het nog steeds niet.'

'Zou jij hem kunnen vergeven als de rollen omgedraaid waren?' Wat deed ze in godsnaam... om toestemming vragen?

'Dat is een goede vraag.' Ze dacht erover na. 'Nee. Nu niet. Ik geloof het niet.' Ze draaide met haar wijnglas en keek toe terwijl de wijn steeds dichter bij de rand kwam. Toen keek ze Lucy aan. 'Je hebt nu een minder hoge dunk van me, nietwaar?'

Lucy glimlachte. 'Nee, dat heb ik niet.'

Maar ze geloofde dat het in werkelijkheid wel zo was.

# De M van Mensen ontmoeten

'Het is een gewaagde zet,' had Serena gezegd.

'Wie niet waagt, die niet wint,' had Rob opgemerkt.

'Juist. Geloof ik. Ik moet het vuur een beetje opporren, niet dan? Ik ben er vrij zeker van dat ze behoorlijk pissig was toen ik op dat feestje met die serveerster stond te praten.'

'Ik ben het helemaal met je eens. Weet ze wat er gaat gebeuren?'

'Nee. Ik hou wel van een verrassing.'

'Geldt dat ook voor haar?'

'Hoe moet ik dat nou weten, man?' zei Tom quasi-zielig. 'Vrouwen! Wie zal het zeggen?'

'Speeddaten!' Natalie hoorde haar eigen stem, zo hoog dat die glas had kunnen doen breken, ware het niet dat ze uit haar dikke Ikea-wijnglazen zaten te drinken.

'Ja, onder de noemer van Mensen ontmoeten, vandaar de M.'

'Met welk doel...'

'Nou, je hebt in het kuuroord duidelijk laten merken dat je nog in geen miljoen jaar iets serieus met mij zou kunnen beginnen, dus het beste wat een vriend dan kan doen is zich ervan overtuigen dat jij iemand vindt die goed genoeg is. En hoe kan ik dat beter doen dan door je persoonlijk voor te stellen? Of althans in de kamer te zijn als het gebeurt.'

'En wat doe jij terwijl ik bezig ben met speeddaten?'

'Nou, ik moet natuurlijk ook meedoen. Je mag er niet binnen als je het spel niet meespeelt, en als ik niet mee naar binnen ga, kan ik ook niet op je passen, toch? En wie weet... misschien vind ik zelf ook wel iemand. Zou dat niet geweldig zijn?'

'Perfect.' Het sarcasme in haar stem bezorgde hem een warm gevoel. 'Hoe werkt het dan?' voegde ze eraan toe.

'Nou ja, ik ben geen expert, maar ik ken iemand via mijn werk die het al verscheidene keren gedaan heeft.'

'Verscheidene keren? Dat is niet bepaald een aanbeveling, wel? Hoor je het niet maar één keer te doen, als het zo goed werkt? Wat is zijn probleem?'

'Geen probleem, zoals hij het ziet. Kennelijk komen er zo veel mooie meiden op af, dat hij graag nog een poosje de kat uit de boom kijkt.' Voorzichtig, Tom, dacht hij. Leg het er niet te dik bovenop. 'En ik weet zeker dat voor veel meisjes hetzelfde geldt. Je krijgt niet meer meteen een stempel als je op zo'n georganiseerde manier romantiek zoekt. We hebben drukke levens... je wordt zo alleen geholpen het kaf van het koren te scheiden. Er zit wel wat in, als je erover nadenkt.'

'Maar als ik nou voor iedereen het kaf ben?'

'Nou, dat zal toch zeker niet... Ik geloof dat we met negen of tien mensen kunnen praten, drie minuten met elke jongen of meisje. Als er aan het eind iemand bij is voor wie we belangstelling hebben, vertellen we dat aan de organisatoren. En als die mensen ook onze naam hebben opgegeven, dan krijg je gewoon hun gegevens en mag je het verder zelf uitzoeken. Klinkt simpel genoeg, vind je niet?'

'Klinkt vernederend.'

'Jammer dan, meisje. Je hebt met het spel ingestemd. Ik heb me voor jou laten scrubben naast een stel dikke vrouwen met behaarde benen. Jij doet dit voor mij. Drink op. Het begint om acht uur.'

O. Mijn. God. Bij man vijf aanbeland voelde ze zich niet langer vernederd. Ze had geen idee gehad hoe ongelooflijk interessant en stimulerend ze was. In vergelijking met hen was ze verdorie de gedoodverfde winnaar. De eerste kerel was een schapenboer met een adamsappel bijna zo groot als zijn hoofd. Ze kon het niet laten ernaar te staren terwijl hij praatte en hij moest steeds dieper in zijn stoel zakken om oogcontact met haar te blijven maken, zodat hij aan het eind van de drie minuten bijna op zijn knieën zat (niet dat smeken hem ook maar een stap verder zou hebben gebracht).

De tweede was leraar natuurkunde – natuurkunde! – aan een scholengemeenschap en had drie katten die naar Oude Grieken genoemd waren.

De derde zag er vanaf zijn nek best goed uit, maar was daaronder één gigantische spiermassa, zo'n man die zijn armen niet boven zijn hoofd kan steken omdat zijn spierballen te dik zijn – en leek haar alleen maar te willen vertellen hoeveel push-ups hij kon doen, en dat Mariah Carey voor hem het toonbeeld van vrouwelijke perfectie was.

De vierde woonde nog bij zijn moeder. Verder dan dat luisterde Natalie niet naar hem.

En de vijfde, de eerste die ook maar een beetje normaal leek, was lief en glimlachte veel, maar was oersaai.

Natalie begon pijn in haar wangen te krijgen van haar geforceerde glimlach. Ze zou Tom straks vermoorden. Dit was tot dusver beslist de ergste letter.

De bel ging en nummer vijf stond op. Terwijl hij opstond en voordat nummer zes zijn plaats innam, keek Natalie de rij langs waarin ze zat. Wat voor meisjes deden nou mee aan zoiets? Ze zagen er allemaal normaal en leuk uit – knap zelfs. Er moesten betere manieren zijn om een man te vinden. Ze voelde het begin van een zware depressie. Was dit haar voorland?

Ze zag Tom een plaats opschuiven in de rij. Hij was waarschijnlijk haar laatste gesprekspartner. Ze probeerde zijn blik te vangen, zodat ze elkaar met blikken konden vertellen hoe vreselijk dit was. Tom leek echter alleen oog te hebben voor zijn volgende partner. Natalie volgde zijn blik en zag... de serveerster van het feestje. Hoe? Wat? Waarom?

Nummer zes praatte tegen haar met een Birminghams accent en ze moest hem wel aankijken, maar kon zich naderhand geen woord herinneren van hun drie minuten durende gekunstelde gesprek.

'Kijkt ze?' Er klonk plezier door in de stem van het meisje.

Tom wist zeker dat ze een erg leuke vriendin zou zijn. 'Volgens mij wel. Ze heeft in elk geval gezien dat ik hier ging zitten. Luister, Eve, heel erg bedankt... ik stel het enorm op prijs dat je dit wilde doen.'

'Geen probleem. Hoe kon ik nou weigeren na wat je me tijdens het feestje had verteld? Zo leuk! Ik ben dol op liefdesgeschiedenissen en ik was bovendien al maanden van plan mijn ouders weer eens op te zoeken. Goed excuus.'

'Nou, ik vind het geweldig van je.'

'Eerlijk gezegd heb ik wat verschillende karakters uitgeprobeerd – ik ben al Welsh geweest, heel erg Catherine Zeta Jones, en Iers, en bij de volgende ga ik mijn Zuid-Afrikaans uitproberen. Ik heb over een paar weken een auditie voor opnames in Kaapstad, en daar zou ik dolgraag voor uitverkoren worden.'

Zoals een op de drie serveersters in Londen wilde Eve graag actrice worden. En Tom zelf speelde de rol van oplichter helemaal niet slecht. Ze hadden een hele poos gepraat aan de bar tijdens het feest. En hij had het prachtig gevonden dat Natalie daarbij naar hem stond te kijken, en nog veel leuker was het dat ze naderhand kwaad op hem was. En toen Eve had gezegd dat ze hier familie had en nodig weer eens een keertje naar huis moest... Het verbaasde hem nog steeds hoe snel zijn duivelse plan op z'n plaats was gevallen.

En het werkte uitstekend. Natalie had eruitgezien als een goudvis die luchtbellen van verontwaardiging de ruimte in blies toen ze Eve zag. Fantastisch!

'Dus, Tom, laten we het nog even doorspreken. Ik moet na afloop zeggen dat ik in jou geïnteresseerd ben?' Hij knikte. 'En dan doe jij hetzelfde. Dus dan krijgen we allebei elkaars gegevens?'

'Dat lijkt me geweldig.'

'Geen probleem. Ik heb ervan genoten. Laat je het me weten als je plan geslaagd is?'

'Natuurlijk. Als je niet in Zuid-Afrika aan het filmen bent.'

Nog maar een minuut over. Tom had medelijden met de man die tegenover Natalie zat. Vanuit zijn ooghoek zag hij dat ze haar hoofd schuin hield om hem en Eve in de gaten te houden en die arme kerel bijna volkomen negeerde.

'De grote finale, dan maar!' zei Eve, en ze leunde over het tafeltje heen, haar T-shirt zo laag uitgesneden dat de bovenkant van haar mooie roze beha duidelijk te zien was, en kuste hem verleidelijk op zijn wang. Toen ze weer recht ging zitten, glimlachte ze suggestief en fluisterde ze: 'Mag je eigenlijk twee namen opschrijven? Ik heb een paar rondes terug een kerel gezien die aan fitness doet. Dat is meer mijn type, sorry. En ik geloof dat hij mij ook leuk vond: hij zei dat ik hem aan Mariah Carey deed denken.'

'Vier! En een daarvan ben jij.'

'Zie je wel? Ik zei toch dat het goed zou gaan.'

'Vier is niet goed. Die kerels zouden stuk voor stuk blij moeten zijn dat ik aandacht aan ze besteed.'

'Fijn om te horen dat je zelfvertrouwen weer op volle toeren draait.'

'Zo bedoel ik het niet.'

'Het was dus niet je bedoeling om zo verwaand te klinken?'

Tom lachte haar uit. Hij wist heel goed wat ze bedoelde. Zeker weten. 'Het waren sukkels, Tom. Sukkels die geen belangstelling voor mij hebben!' Haar stem sloeg over van verontwaardiging.

'Misschien was je gewoon niet sukkelig genoeg voor ze.'

'Misschien was dit geen goed idee. Hoe zit het met jou?'

Tom wilde haar niet vertellen dat hij er vijf had. Dat leek hem nu niet slim. Hij verfrommelde snel twee van de kaartjes die hij in zijn hand had. 'Maar drie. Twee, in feite, want jij telt niet mee. Maar toch bedankt.'

'Huh. En ik weet wel van wie een van die kaartjes komt. Wat deed ze trouwens hier?'

'Bedoel je Eve?'

'O, sorry, Eve. Ja, ik bedoel Eve. Ik wist niet hoe ze heette, want we zijn nooit aan elkaar voorgesteld.'

'Dat is een heel andere vorm van speeddaten waar jij nu aan denkt...'

'Je hebt mijn vraag nog niet beantwoord.'

'Haar familie woont hier ergens.'

'En?'

'Wat, en?'

'En ze was toevallig vanavond hier, omdat het voor een meisje dat eruitziet als zij zo moeilijk is om in Londen iemand te vinden? Is het me misschien ontgaan dat het westen van het land een mekka voor begerenswaardige jonge kerels is geworden toen ik mijn ogen even dicht had? Want ik heb er eerlijk gezegd niet veel gezien de laatste tijd.'

'Ik weet niet waarom ze hier was, Nat. Echt niet.'

'Je had drie minuten met haar.'

'En we hebben het er niet over gehad hoe het kwam dat ze hier was.'

'Neem me niet kwalijk, natuurlijk niet. Dat is ook vreselijk saai. Waar hebben jullie het dan wel over gehad?'

'Werk. Auto's. Reizen. Dat soort dingen.'

'Het slaat nergens op.'

'Misschien valt ze op provinciaaltjes.'

Natalie kneep haar ogen tot spleetjes. 'Zoals jij?'

Hij deed alsof hij haar kaartje voor het eerst las. 'Ja, zoals ik. Ze heeft me vast en zeker onder een snelkiestoets gezet.'

'Ja, dat kan natuurlijk niet missen. Dat zal het lot wel hebben beslist.'

'Dat sarcasme staat je niet.'

'En jij? Had jij haar naam opgeschreven?'

'Ja.'

Natalie fronste. Tom lachte. 'Wat is nou het probleem, Natalie?'

Ze gaf niet meteen antwoord. 'Dus je gaat haar telefoonnummer vragen?'

'Kun je me een reden geven waarom ik dat niet zou doen?'

Ze zou zijn ongelooflijk hoog opgetrokken wenkbrauw wel willen afscheren en het kuiltje in zijn wang willen uitdeuken. 'Vlei jezelf maar niet.'

'Oké, dan. Ja.' Tom liep naar het tafeltje waar Cupido – vermomd als een vrouw van middelbare leeftijd met te veel foundation op – alle telefoonnummers in bewaring had.

Hij draaide zich nog even om. 'Ga jij nog telefoonnummers halen?'

Natalie verfrommelde haar kaartjes en gooide ze naar zijn hoofd.

Ze wachtte echter wel op hem. Ze moest wel... ze waren met zijn auto gekomen.

Tom stopte het kaartje met veel vertoon achter zijn rijbewijs in zijn portefeuille en klopte er zachtjes op toen ze naar de parkeerplaats liepen. 'Ik moet wel zeggen, Nat, dat je plotseling erg tegendraads doet. Het is toch niet mijn schuld dat zij kwam opduiken.'

'Weet je dat wel zeker?'

Tom haalde zijn schouders op. 'Waar heb je het over? Je lijkt wel paranoïde. Als ik iets met Eve wilde, had ik tijdens dat feestje in Londen toch actie kunnen ondernemen, niet dan?'

Ze herinnerde het zich weer. Ja, dat had hij inderdaad.

'Waarom zou ik dan al die moeite doen om zoiets als dit op touw te zetten?'

Hij zat nu gevaarlijk dicht op het randje, maar ze was te nukkig om er goed over na te denken. Ze stapte in de auto en maakte haar gordel vast. Ze hadden drie kilometer gereden toen ze vroeg: 'Ga je haar bellen?'

'Misschien wel. Ik ben geen monnik, weet je.'

Ze zette de radio aan en keek uit het raampje alsof de straten waar ze doorheen reden volkomen nieuw voor haar waren.

De volgende morgen vertelde hij Serena erover. Ze zoog haar wangen naar binnen en ademde langzaam uit. 'Ik weet het niet, Tom. Het klinkt alsof ze ofwel een oogje op je heeft – en ze zou nogal stom zijn als dat niet zo was, wat jij? – ofwel flink woest op je is.'

'Je kunt geen omelet maken zonder de eieren te breken, Serena.'

'Ze is geen ei.'

Tom meesmuilde.

'Geef het maar toe, je vindt het leuk dat ze jaloers is.'

'O, goed dan, ik geef het toe. Ik heb ervan genoten.'

'En ga je de waarheid opbiechten?'

'Geen denken aan.'

Serena stond op. 'Dat is jouw verantwoording, Tom, maar weet wel dat niets zo erg is als de toorn van een versmade vrouw.'

'Ik heb haar niet versmaad.'

'Het is een gezegde, Tom.'

'Het is onzin. Ze heeft mij verdorie toch ook versmaad? Ze kon me immers niet op die manier serieus nemen? Ik ben zo vrij er anders over te denken. Ze was gisteravond verdraaid serieus. Als ze denkt dat ik als een of andere sufferd om haar zit te treuren, zal ze het nooit snappen, wel dan? Als ze gelooft dat er iemand anders belangstelling in me toont... dat zal het vuurtje misschien wel opstoken...'

Serena was daar niet zo zeker van.

*Lucy*

Patrick had een sollicitatiegesprek in Leeds. Lucy wilde niet naar Leeds verhuizen, maar wilde dat niet tegen Patrick zeggen. Ze had geen idee of hij die baan wilde of niet. Ze praatten niet op dat niveau. Ze waste zijn overhemden en gaf advies over de stropdas, maakte een ontbijt voor hem klaar waar een man het wel een paar uur op zou volhouden, en stelde geen vragen. Ze kuste hem op zijn wang, zwaaide hem vanuit de deuropening na en bleef kijken tot zijn auto uit het zicht verdween. Ze merkte dat ze opgelucht was dat hij weg was en voelde zich daar meteen schuldig over.

Daarna zette ze een mok thee en pleegde ze twee telefoontjes. Een naar een vriendin met een zoontje van Eds leeftijd, om te vragen of ze de kinderen de volgende dag mee kon nemen: ze zei dat ze een afspraak bij de tandarts had, een kroon die met spoed geplaatst moest worden en waarvoor ze alleen laat op de dag tijd hadden. Het maakte haar van slag dat het liegen haar zo gemakkelijk afging en ze voelde zich schuldig toen de vriendin ja zei en voorstelde de kinderen tot na het avondeten te houden. Ze zou ze tegen bedtijd wel terugbrengen, want zo'n tandartsbezoek was geen pretje en Lucy zou de extra rust wel kunnen gebruiken.

Misschien was ze toch een secreet. Heel even zag ze zichzelf zoals de moeders op het schoolplein haar zouden zien als ze het wisten.

Daarna belde ze Alec.

'Laten we ergens heen gaan,' zei hij meteen toen ze het hem vertelde. Hij leek niet aan zijn werk te denken. Ze vond dat vleiend en beangstigend.

'Ik wil niet met je naar bed.'

'Oké. Dat bedoelde ik ook niet.' Was dat wel zo? 'Ik wil alleen maar bij je zijn.' Ze geloofde hem omdat zij dat ook wilde.

Alec nam haar mee naar het strand. Het was een paar uur rijden en ze praatten de hele weg. Echt praten. Patrick en zij zouden misschien besproken hebben waar ze zouden stoppen om te tanken, of wat Bella die week op school was overkomen, of dat ze het konden riskeren om de voorkant van het huis deze zomer niet te laten schilderen, maar verder wisten ze alles al van elkaar. Lucy had plotseling het gevoel dat niets meer nieuw was. Met Alec was dat anders. Aanvankelijk wat verlegen, maar daarna stelden ze elkaar vragen als ware detectives waarmee ze de grove dingen en de fijne details over elkaar te weten kwamen. Het was veel meer dan een gesprek tijdens een eerste afspraakje. Ze kenden elkaar immers al. Ze kenden elkaar al jaren. Wel lang, maar niet breed, zoals in de meeste vriendschappelijke relaties het geval was.

En hij hield haar hand onder de zijne op de versnellingspook. Dat had al heel lang niemand meer gedaan en het was een fijn gevoel.

Naderhand herinnerde ze zich dat ze veel gelachen hadden.

Het was een stormachtige dag en het dorpje aan zee was bijna verlaten. Ze arriveerden rond lunchtijd en aten, tegen de golfbrekers geleund, met houten vorkjes friet uit papieren puntzakken. Het deed Lucy denken aan de tijd dat ze een klein meisje was. Daarna wandelden ze hand in hand, bijna zo ver als het oog reikte.

Alec vertelde haar over Australië, waar hij was opgegroeid. Hij had in de buurt van het strand gewoond, zei hij, en had de jaren van zijn jeugd gemeten aan het verstrijken van de seizoenen daar. Zomers, wanneer het bevolkt werd door toeristen uit Sydney, en 's winters, wanneer hij het weer bijna voor zich alleen had. Zijn buren waren geweldige, luidruchtige Grieken geweest, zei hij lachend. Hij vertelde haar verhalen over hete kerstdagen in het zand en ruige oudjaarsfeesten. Hij had er zijn eerste sigaret gerookt, zijn eerste bier gedronken en zijn eerste kus gekregen.

'Waarom kies je ervoor een leven op te bouwen in zo'n grauw land als dit?'

'Marianne, denk ik.'

Lucy had het gevoel dat ze haar hand uit de zijne moest trekken, maar hij hield de hare nog steviger vast.

'Het spijt me. Dat had ik niet moeten zeggen.'

'Natuurlijk wel. We praten over onze levens, niet dan? Zij maken daar deel van uit. Ze vormen zelfs het belangrijkste deel van ons leven. Natuurlijk moest je het zeggen.'

Ze bleef stilstaan. Alec draaide zich naar haar om. Ze voelde zich plotseling krankzinnig. 'We moeten verdorie wel gek zijn. Wat bezielt ons in 's hemelsnaam om een dag te spijbelen als een stel tieners? Alsof het enig verschil maakt dat we wat extra kilometers bij onze levens vandaan gaan...' Ze sloot haar ogen en liet de wind recht in haar gezicht blazen. De golven sloegen achter haar op het strand.

Ze voelde dat hij zijn arm om haar heen sloeg. 'Sst. Hou op, Lucy.' Hij drukt zijn mond in haar haren.

'Wat we doen is niet goed, Alec. Het is niet goed.'

'Ik weet het.'

Ze bleven even zo staan. Toen deed Alec een stap naar achteren en keek haar aan. 'En het kan me niet schelen.'

Ze zoenden alleen maar. Urenlang. Niet omdat het te koud was om iets anders te doen. Niet omdat Lucy niet verder wilde gaan. Dat wilde ze wel. Ze had wel honderd keer seks gehad terwijl ze minder verlangen voelde dan ze nu voor Alec voelde. Ze zoenden elkaar daar op het strand tot ze gevoelloos waren. Tot hun monden pijn deden en haar huid ruw was.

Ze vroeg hem of hij haar meelijwekkend vond. 'Ik kan niet eens echt overspel plegen.'

Alec duwde haar kin omhoog met zijn vinger. 'Daar ben ik blij om. Zo ben je nu eenmaal. En ik vind je geweldig.'

Ze ging een toilet binnen en toen ze weer naar buiten kwam, keek Alec op zijn Blackberry. 'We moeten eigenlijk gaan,' zei ze. Ze keek hem aan en voegde eraan toe: 'Ik wil niet.'

'Ik ook niet.'

Maar ze gingen wel. Naar huis.

'Wat gaat er gebeuren, denk je?' vroeg Alec haar, een paar kilometer van de plek waar hij haar zou afzetten.

'Kunnen we het hierbij laten?'

'Of zijn we ergens aan begonnen waarmee we niet meer kunnen stoppen?'

Ze kenden geen van beiden het antwoord.

# De N van Nemesis

'Nemesis. Dat staat voor afstraffing, Tom.'

'Ik vind het heerlijk als je zo dominant doet.'

'Vergeet het maar. Het is gewoon straf voor begane zonden.'

'Het is ook een rockgroep, een computerspelletje en, als ik me niet vergis, de titel van een *Star Trek*-film.'

'Heel indrukwekkend, Tom, maar niet relevant.' Ze keek hem strak aan. 'Wat je me tijdens dat speeddaten hebt aangedaan is zeer beslist een zonde te noemen. Het heeft aangetoond dat je onbetrouwbaar, manipulatief en zelfs wreed bent.'

'O, toe nou! Je vergeet gemeen, geniepig en absoluut briljant.'

'Ik ben aan het woord!' Ze sloeg met haar vlakke hand hard op de keukentafel.

'Komen er ook zwepen en boeien aan te pas? Want ik moet je zeggen dat ik altijd gemeend heb dat ik er goed uit zou zien in latex en leer.'

'Je hebt je Nemesis ontmoet. Dat is alles wat ik je vertel al heb ik wel een paar dingen om je aan het denken te zetten. De N had voor Natuur kunnen staan. Ik was van plan je mee te nemen naar een hortus botanicus. Om te wandelen en te genieten van de schoonheid om ons heen.'

'Nou, het is een opluchting dat dat niet doorgaat, want dat klinkt behoorlijk saai.'

Er speelde even een glimlach rond Natalies lippen, toen

trok ze haar gezicht weer in de plooi. 'En denk hier maar eens over na. Dat je Nemesis is uitgekozen door iemand die je al meer dan twee decennia ongelooflijk goed kent, die je diepste angsten en je meest duistere geheimen kent... Eerlijk gezegd zou het je doodsbang maken. Denk als je wilt maar aan equus...'

Heel even werd hij inderdaad bijna bang.

Natalie was niet van plan Tom te vertellen dat Serena wat met haar was gaan drinken en haar had ingelicht over Eve. Dat had ze haar beloofd. Tom onderschatte de loyaliteit van vrouwen, en dat was in haar voordeel. Ze had geweten dat er iets niet klopte aan het feit dat Eve daar zomaar opdook, maar het kwartje was pas gevallen toen Serena haar had uitgelegd hoe het zat. Hij had daarmee laten zien dat hij sluwer kon zijn dan ze voor mogelijk had gehouden. Buitengewoon gewaagd. Het enige waar Serena om had gevraagd als beloning voor haar dubbelspionage was dat ze erbij mocht zijn als Natalie haar wraak ten uitvoer bracht.

En daarom zaten Rob en Serena nu ook in de auto die belachelijk vroeg op de zaterdagochtend over de M6 raasde.

Het had haar een heel uur in bad gekost om het te bedenken. Ze was *EastEnders* er zelfs door misgelopen. Maar toen had ze ook echt een eureka-moment gehad. Thorpe Park. Schoolreisje. De zomer voor zijn eindexamen. Ze was uit het bad gesprongen en druipend de gang door gelopen om Bridget te bellen, die *EastEnders* zat te kijken en haar vragen wat afwezig beantwoordde. 'Ja,' zei ze, 'hij was echt doodsbang. En ontzettend misselijk. Ik geloof dat het niet eens zozeer de adrenaline was waar hij zo bang van was, als wel de misselijkheid.'

De rest was prachtig op z'n plaats gevallen en had haar zelfs de letter N opgeleverd. Natalie hoopte maar dat hij er niet overheen gegroeid was.

'Alton Towers.'

'Ja. Alton Towers.'

'Ja, en? Is dit soms het bedrijfsuitje?'

Rob snoof. 'Ik zou het niet willen missen, makker.'

'Wat niet willen missen?' vroeg Tom.

Natalie haalde het vel A4 uit haar tas. Serena, die aan het stuur zat, keek in de achteruitkijkspiegel naar Tom. 'Rita de snelheidskoningin, die in tweeënhalve seconde van nul tot honderd gaat. Of de Oblivion, die ruim vijftig meter omlaag stort met vierenhalve g-kracht. Of de Submission, die een dubbele rol maakt. De Air, de Ripsaw, de Blade, de Spinball Whizzer, of de Enterprise. Of de Nemesis, met meer g-krachten dan een spaceshuttle bij de start. We willen het niet missen om je daarin te zien zitten, Tom. Tom?'

Tom zag groen. En de M6 was volkomen recht. 'Je weet het, is het niet?' Hij klonk ongelovig.

'Wat weet ik, Tom? Dat je dat gedoe met Eve in scène hebt gezet? Natuurlijk. Dat was wel duidelijk. Of dat je doodsangsten uitstaat in een achtbaan? Dat weet ik ook. Of liever gezegd Bridget wist het. En ze vertelde het me met alle plezier toen ik haar had verteld wat jij hebt gedaan... O, ja, Tom,' zei ze met een gemeen lachje. 'Ik weet het.'

'Je gaat me toch niet echt dwingen in al die achtbanen te kruipen, of wel?'

'O, jawel, de een na de ander. Allemaal. En ik heb een voorrangspasje. Niet te geloven wat je tegenwoordig allemaal online kunt kopen. Je hoeft dus niet eens in de rij te staan. Je kunt gewoon van achtbaan naar achtbaan zonder ook maar ergens te hoeven wachten. Is dat niet geweldig?'

Ze herinnerden zich geen van allen de laatste keer dat Tom ergens geen antwoord op had gehad.

Zelfs zonder wachtrijen duurde het bijna drie uur voordat Tom alle achtbanen had gehad. Natalie bewaarde de Nemesis tot het laatst. Rob en Serena gingen ook in alle achtbanen. Maar zij deden het vol plezier en enthousiasme – al stapte Serena wel strompelend uit de Oblivion en vroeg ze zich af of haar vruchtbaarheid niet te lijden zou hebben van de g-krachten – in plaats van met de vreselijke, door misselijkheid ingegeven tegenzin waarmee Tom overal aansloot. En elke keer keek hij haar smekend aan.

'In godsnaam, Tom, je kijkt als een zeehond die op het punt staat doodgeknuppeld te worden. Neem nou maar braaf je medicijnen in. Ik verleen geen gratie, al zie je er nog zo zielig uit.'

'Ik heb dat boosaardige trekje nooit eerder in je opgemerkt, Natalie. Het is helemaal niet aantrekkelijk.'

'Pech.'

In feite vond hij het wel aantrekkelijk, maar hij voelde zich te beroerd om erover na te denken. 'En ga jij helemaal nergens in? Laat je het mij allemaal alleen doen?'

'Misschien ga ik straks nog wel ergens in. Maar eerst wil ik je zien lijden. Anders zou het niet half zo leuk zijn. Bovendien heb ik een hekel aan die dingen. Ik word er misselijk van.'

Rob at een hotdog. Er droop aan beide kanten felgele mosterd en ketchup uit. Serena trok stukjes roze suikerspin van een stok en at ze op. Tom kromp ineen. 'Jakkes. Hoe kun je?'

Rob grinnikte en Serena gaf hem een moederlijk kneepje in zijn wang. 'Rustig maar. Het gaat zo over.'

Natalie ging één keer mee. In de Nemesis, uiteraard. Poëtisch, dacht ze. De voorste twee plaatsen waren vrij. Ze trok Tom erheen. 'Voorin? Echt waar?'

'Echt waar. Dat zijn de beste plaatsen.'

Toen ze vastgesnoerd zaten en wachtten tot de rit begon vroeg ze hem: 'Heb je je portefeuille bij je?' Tom voelde hem in de binnenzak van zijn jasje zitten.

'Ja. Waarom?'

'Geef hier.'

Hij haalde hem eruit en gaf hem aan haar. Ze maakte de portefeuille open, viste het kaartje van de speeddaten achter zijn rijbewijs vandaan en gaf hem terug. 'Ik had kunnen weten dat dat er nog in zat.'

'Mijn pasje van de universiteitsbibliotheek zit er ook nog in. Ik ruim hem niet zo vaak op.'

'Mm.' Ze gaf hem het kaartje. 'Ik zal je vertellen wat we gaan doen. Je armen boven je hoofd, alsjeblieft...'

En zo kwam het dat, toen Nemesis het hoogtepunt bereikte van de reis die met zestig kilometer per uur naar de hel en terug ging, een klein wit kaartje – nauwelijks zichtbaar – de lucht in vloog en uiteindelijk langzaam achter de hotdogkar neerdwarrelde.

# De O van Opera

'Verdorie. Laten we het niet doen.'

'Maar je hebt de kaartjes al gekocht.'

'Nou en? Dan verpatsen we ze toch gewoon.'

'Waar?'

'Voor het gebouw. Als echte sjacheraars.'

'Is dat niet illegaal?'

'Natalie! Zó rechtschapen. Zó gezagsgetrouw.'

'Ik kan er niets aan doen, zo ben ik altijd al geweest.'

'Dat weet ik. Behalve in de auto. Je bent in de auto altijd al behoorlijk wetteloos geweest.'

'Wetteloos, maar veilig, naar mijn idee.'

'Luister dan, als het je niet lekker zit, neem ik het sjacheren wel voor mijn rekening. Dan kun jij op de uitkijk staan en doe je net of je mij niet kent als de agenten in burger komen.' Natalie giechelde.

'Dat lukt misschien wel.'

Ze wandelden naar het theater. 'Wat was het ook weer?'

'Wagners *Ring der Niebelungen*. Uren en uren van dikke jammerende vrouwen. Geen kostuums, geen decors, alleen maar gejammer.'

'Je lijkt me een echte fan.'

'Helemaal niet. Het enige wat ik ooit helemaal heb uitgezeten is *Carmen* en *La Bohème*, en die zijn het gemakkelijkst, het meest toegankelijk. Wat volgens mij betekent dat ze je het minst de neiging zouden geven je polsen door te snijden.'

‘Ik ben met mijn peettante naar *La Belle Hélène* geweest, op mijn tiende verjaardag, geloof ik. Dat was mooi.’

‘Nooit van gehoord.’

‘Als je zo’n hekel hebt aan opera, waarom heb je dan die kaartjes gekocht? Kon je niets anders bedenken?’ Ze keek hem schuin van opzij aan.

‘Jawel hoor. Nou... oké, vooruit dan, nee. En bovendien zocht ik wraak na die marteling in Alton Towers.’

‘Waardoor ben je dan van gedachten veranderd?’

‘Nou, door twee dingen eigenlijk. Ten eerste realiseerde ik me dat als jij een hele opvoering van Wagner moest uitzitten, ik dat zelf ook moest doormaken. Dat deed me te veel denken aan de uitdrukking “je eigen glazen ingooien”.’

‘En ten tweede?’

‘Herinnerde ik me dat ondanks de escalatie van wat, toegegeven, een geniepige M was en een ronduit onplezierige N, dit geen aflevering is van het Japanse programma *Endurance*, maar een heel plezierig spel tussen goede vrienden. Ik zag het als mijn taak er weer eer en deugdzaamheid in te brengen.’

‘En je had gewoon geen zin.’

‘En ik had gewoon geen zin.’

‘Goddank. Ik kan Rose maar beter bellen. Ik had gezegd dat ze me om tien uur een sms’je moest sturen over een noodgeval.’

‘Je bent een smeerkees.’

‘Ik ben een genie. Dat sms’je zou jou ook gered hebben: we zijn met één auto, weet je nog.’

‘Wat zijn we toch een stelletje barbaren.’

‘Hoera voor ons. Wat zullen we als alternatief gaan doen?’

‘Laten we kijken hoeveel we voor de kaartjes kunnen krijgen en dan beslissen. Misschien McDonald’s, misschien Le Gravoche...’

Tom was een waardeloze sjacheraar. Hij zag er stiekemer uit dan een pooier op een straathoek, zoals hij daar op de stoep stond en voorbijgangers toefluisterde, van wie de meesten nog veel minder dan hij zelf de indruk wekten dat ze een hele avond naar de *Ring der Niebelungen* zouden willen kijken. Dat Natalie de slappe lach had, hielp ook niet echt. Na een minuut of vijf en diverse indringende blikken van de portier van het theater gaf Tom het op en verdween hij met Natalie de hoek om.

'McDonald's dus.' Ze lachte nog steeds.

'We zijn niet bepaald Bonnie en Clyde, is het wel?'

'We zullen wel langer leven...'

'Rose en Pete zijn in de kroeg.'

'Laten we gaan.'

'Wat vertellen we ze? Het doet een beetje zielig aan dat we daar tien minuten nadat de voorstelling begonnen is al opduiken.'

'Zeg maar dat we eruit zijn getrapt omdat we meezongen.' Natalie haakte haar arm door de zijne en ze gingen, nog steeds lachend, op pad.

# De P van Parijs

'Stel je er niet te veel van voor, het is maar voor een dag, Tom. Het leek me beter om verdere hotelkamergruwelen te voorkomen.'

'Maar april in Parijs, Nat... ongetwijfeld je beste letter tot dusver.'

'De moeite waard om zo vroeg voor op te staan?'

'Absoluut.'

Het was afschuwelijk vroeg en koud op Waterloo. Natalie was gekleed voor Parijs in de lentezon (geïnspireerd door een artikel in het blad *In Style* van de vorige maand, en de voorspellingen van Weer Online); ze huiverde terwijl ze wachtten tot de rij voor de alomtegenwoordige beveiligingscontrole korter werd. Ze hadden de afgelopen nacht bij Casper gelogeerd: Susannah was weg voor een auditie. Casper had met een paar vrienden wiet zitten roken voor zij kwamen, en was op de bank in slaap gevallen bij *Coronation Street*. Hij was vanochtend nog niet wakker geweest toen zij weggingen; wat een verrassing.

Natalie had haar vader overgehaald voor haar verjaardag een dagretourtje met de Eurostar te kopen. Eigenlijk had ze hem niet echt hoeven overhalen. Hij was een beetje sentimenteel geworden. Kennelijk had hij mam mee naar Parijs genomen voor hun tiende trouwdag. Zij en haar zussen waren thuisgelaten met hun oma en de waterpokken. 'Je moeder wilde jullie niet in de steek laten.' Hij glimlachte. 'Jij was er het ergst aan toe. Susannah had maar een paar blaasjes, en Bridget, ach, die is altijd nogal stoïcijns geweest, maar jij had er vreselijk veel last van. Je had blaasjes op de vreemdste plaatsen. En je maakte een hoop heisa. Ik moest haar bijna naar het vliegveld sleuren, en ze heeft de helft van de vlucht zitten huilen. Het was de eerste keer dat ze jullie drieën voor meer dan een dag of zo achterliet. Maar we hebben ontzettend genoten, zij en ik.'

Hij deed dat vaker de laatste tijd, dacht Natalie terwijl ze met haar cheque wegliep. Praten over het verleden. Het maakte haar onuitsprekelijk triest. Misschien zouden haar ouders wel nooit meer naar Parijs gaan. Oud worden was afschuwelijk. Te moeten denken aan al die dingen die je niet meer zou kunnen doen, of die je voor het laatst deed. Ze herinnerde zich haar grootvader, die een heel sjofel oud pak had gehad voor begrafenissen, bruiloften en dopen, omdat hij vanaf ongeveer zijn vijfenzestigste had geweigerd nog een nieuw pak te kopen. Hij beweerde dat hij het niet vaak genoeg meer zou kunnen dragen om de kosten eruit te halen. Wat vreselijk triest.

Natalie had het geld voor het tweede kaartje bijeengeschraapt, maar als Tom meer wilde dan een stokbroodje of een karaf rode huiswijn bij de lunch, dan zou hij zelf in de buidel moeten tasten. Gisteravond was Rose langsgekomen. 'Ik heb iets gekocht voor je verjaardag.' Ze vertelde al wat erin zat voordat Natalie het had opengemaakt. Dat deed ze altijd. Ze vond het gewoonlijk allemaal veel spannender dan de ontvanger van haar cadeautje. 'Het zijn vier van die schattige flesjes champagne die je in *Hello!* en *OK!* ziet. En ze hebben van die leuke dingen, zie je, die je erop zet als de kurk eraf is, zodat je uit de fles kunt drinken zonder dat je een rietje nodig hebt. En het is Veuve Clicquot, schat, geen goedkope troep. Ik dacht dat jullie er op de heenweg misschien ieder eentje konden drinken en de andere bewaren voor de terugweg. Om het in stijl te doen, weet je.'

Natalie had haar omhelsd. 'Dank je... het is een perfect cadeau!'

'Nou ja... je gaat immers naar de stad van de romantiek!'

'Waarom noemt iedereen het toch zo? Zelfs mijn vader zei dat.'

'Hij, ik en de rest van de wereld, schat. Ook Tom.'

'Wat bedoel je?'

'Ik bedoel niets. Alleen dat je hem meeneemt naar een stad die de hele wereld beschouwt als de meest romantische plek op aarde, afgezien van het Taj Mahal, wat jij je niet zou kunnen veroorloven.'

'Vergissing?'

'Zeg jij het maar.'

'Ik vind het vreselijk als je zo cryptisch doet, Rose. Wees eens duidelijk.'

'Het is alleen een vergissing als je geen zin hebt in romantiek.'

'We zijn maar een uur of tien daar.'

'De meeste kerels hebben genoeg aan tien minuten.'

'Rose!'

'Sorry.' Rose probeerde serieus te kijken. 'Luister, Natalie, zoals ik het zie, ontken jij iets wat niet te ontkennen valt. Tom heeft jobsgeduld. Hij ziet het, wij zien het. Iedereen heeft het door, behalve jij. Het is zó duidelijk.'

'Het is een dagretour.'

Rose stak haar handen op in een gebaar van overgave. 'Goed dan. Ik neem aan dat vrienden ook wel kunnen genieten van een glas Veuve Clicquot in de trein, net zo goed als geliefden?'

Natalie glimlachte. 'Natuurlijk kunnen ze dat. Bedankt, Rosie, ik hou van je.'

'Ik hou ook van jou.'

Ze pakte haar autosleutels en stond op om te gaan. 'En Tom ook,' zei ze zacht.

'Rose!'

De zon was opgekomen tegen de tijd dat ze op het Gare du Nord arriveerden. Natalie had zich de vorige avond op een reisgids van Parijs gestort en had een plan opgesteld dat een buslading Japanse toeristen niet teleurgesteld zou hebben. Ze zouden lunchen in het zicht van de Arc de Triomphe, het Louvre binnenstormen om de Mona Lisa te zien, over de Champs-Elysées slenteren, de Eiffeltoren beklimmen, een tochtje maken met een Bateau Mouche en bij zonsondergang naast de Notre-Dame eindigen. Een vroeg avondmaal op het Île St Louis en dan terug naar het station.

'Tjonge. Wanneer krijg ik een Gauloise en een koffie op een terrasje?'

'Eerst?'

'Dat klinkt prima.'

Ze wandelden naar het dichtstbijzijnde authentiek uitziende café en gingen buiten op de geverniste rotanstoeltjes zitten.

'Je wilt toch niet echt een Gauloise, of wel?' vroeg ze toen de zwart-met-witte ober naderde.

'Nee, dat was een grapje. Hoewel... als er één hoofdstad was die me ertoe zou kunnen aanzetten te gaan roken, dan is het deze wel. Maar koffie zou geweldig zijn.'

Natalie glimlachte naar de ober. '*Deux cafés, s'il vous plaît.*' Dat was het enige deel van het gesprek dat Tom verstond. De ober vroeg haar iets, zij antwoordde, druk gebarend en met haar schouders rollend als een echte Franse. Na een paar minuten keek de ober naar hem, lachte, haalde zijn schouders op en liep langzaam weg.

'Wat zei je tegen hem?'

'Gewoon wat over koetjes en kalfjes.'

'Volgens mij zat je mij voor de gek te houden. Ik was vergeten dat je het zo vloeiend sprak.'

'Niet vloeiend, niet meer. Mijn Frans is een beetje roestig.'

'Ik vond dat je als een Française klonk.'

'*Merci, monsieur.*'

Het was grappig, dacht Tom, dat je iemand zo lang kende en van alles over ze wist, maar dat je dingen vergat. Zoals zijn angst voor achtbanen, die echt maar het beste vergeten kon worden. En dat Frans van haar, een leuke verrassing om dat opnieuw te ontdekken. Ze had vol vertrouwen, ontspannen en deskundig geklonken. Hij glimlachte naar haar. '*De rien!*'

'Je doet het zelf ook niet slecht.'

'Verheug je niet al te veel. Dat is zowat het enige wat ik me nog herinner.'

'Maar goed dat je mij bij je hebt, zodat je het praten aan mij over kunt laten, niet?'

'Heel goed.'

Hun koffie werd gebracht en smaakte fantastisch.

'Welnu, Natalie. Ik wil de zaak niet ophouden. Ik weet hoe druk we het vandaag hebben. Vertel me maar eens, wil je je verjaardagscadeautje nu of later? Ik snap eigenlijk niet waarom ik het vraag. Je bent echt een meisje van het nu, dat weet ik. Niet echt weg van het idee om te moeten wachten op een cadeautje.'

'O ja, nu. Nu, nu, nu.'

Tom lachte.

'Waar is het? Waar?' Ze klopte op zijn zakken. 'Het kan niet groot zijn, wat het ook is... ik zie nergens bobbels.'

'Ik heb het niet bij me. Het ligt nog bij Cartier.'

'Wat bedoel je?'

'We hebben het nog niet gekocht. We gaan een nieuw horloge voor je uitzoeken. Je draagt die Swatch al jaren. Ik herinner me zelfs nog wanneer je hem voor kerst gekregen hebt. Je zat op de universiteit, dus dat moet een jaar of vijftien geleden zijn. Niet te geloven dat het ding het nog steeds doet. Of dat niemand een andere voor je heeft gekocht.'

'Mam en pap hebben dat wel gedaan. Ze gaven me zo'n gouden oude-dameshorloge – weet je nog? – toen ik eenentwintig werd. Ze hebben het zelfs laten graveren, maar ik vind het een vreselijk ding.'

'Waarom heb je dat niet tegen ze gezegd? Ik weet zeker dat je het had kunnen ruilen!'

'Dat zou ik nooit doen. Daar zou ik hen mee gekwetst hebben. Ze hadden het immers speciaal voor mij uitgekozen. En ik weet zeker dat het niet goedkoop was.'

'Dus ligt het al die tijd al in een la?'

'Zoiets. Ik draag het bij familiegelegenheden. Maar nu ik eraan denk... ik heb het al een hele tijd niet gezien. Misschien ben ik het wel kwijtgeraakt.'

'Dus je wilde het niet ruilen, maar je vindt het geen probleem om het kwijt te raken.'

'Niet expres.'

'Dat is het nooit...'

'Hoe dan ook, we hadden het niet over mijn slechte gewoontes. Of mijn oude horloge. We hadden het over de aanschaf van duurzame gebruiksgoederen. Door jou voor mij. Een Cartier-horloge? Meen je dat echt? Ik heb ze op eBay gezien. Ze zijn prachtig. Met die D op het bandje. Maar ze kosten een fortuin! Weet je het zeker, Tom?'

'Hou op met dat gebrabbel. Natuurlijk weet ik het zeker. Het zal hier ook wel enkele euro's goedkoper zijn. Dus, kunnen we ergens in het programma wat tijd vrijmaken om het te gaan kopen?' Hij keek naar de lijst. 'Het Louvre. Dat kunnen we echt wel laten schieten. Ik heb haar al gezien. Er is niets raadselachtigs aan die ik-heb-een-wortel-in-mijn-reet-gestoken-glimlach. Ze is gewoon een vrouw, waarschijnlijk met pms, op het randje van een inzinking. Waarschijnlijk omdat die ouwe Leonardo haar zo lang stil heeft laten staan en haar ook nog eens schilderde terwijl d'r haar helemaal niet goed zat. Ik heb het vaak genoeg gezien; de glimlach tenminste, niet het schilderij. Het schilderij heb ik één keer gezien. Het is niet veel groter dan een ansichtkaart en je kunt er niet bij in de buurt komen, omdat er altijd duizend toeristen voor staan. Dus dat laten we schieten.'

'Voor een Cartier-horloge wil ik alles wel laten schieten. Kom mee.' Natalie had haar koffie snel opgedronken en wipte opgewonden van de ene op de andere voet.

'Stop die arm weg!'

'Ik kan niet ophouden ernaar te kijken. Het is prachtig. Het is absoluut het mooiste cadeau dat ik ooit van iemand heb gekregen. Echt waar. Ik vind het geweldig. Dankjewel, Tom!'

Het had meer gekost dan Tom had verwacht. Hij had kunnen weten dat ze in de problemen zaten toen de verwaande Franse assistente hun twee comfortabele leren kuipstoelen had aangeboden en een reeks horloges op een soort fluwelen dienbladje had laten zien. Heel wat meer dan hij had verwacht. Maar het was het waard – ze liep nog steeds te stralen, en had de rest van de snelle rondgang langs de grote attracties van Parijs afgelegd met haar linkerpols voor haar uitgestrekt. Hij geloofde niet dat Simon haar ooit zo had verwend – wat een dwaas. Ze leek wel een klein meisje en hij voelde zich absoluut fantastisch.

'Gefeliciteerd met je verjaardag, Nat. En welkom bij de eind-dertigers.'

'Ik mag mezelf nog minstens een jaar als halverwege de dertig bestempelen!'

'Bestempel het zoals je wilt. Ik hik al tegen de veertig aan.'

'Dat is niet waar, en het is niets voor jou om het glas halfleeg te noemen.'

'Ik vind het niet erg om veertig te worden. Het verleent mij een zekere plechtstatigheid.'

'Ik maak me veeleer zorgen om de zwaartekracht dan om plechtstatigheid.'

Tom lachte. 'Hou op naar complimenten te vissen.'

Ze zaten op de stenen leuning van een of andere *pont*, met de prachtige Notre-Dame en haar gebrandschilderde ramen achter hen, en vingen de laatste oranje stralen van een prachtige, zonnige dag op.

Natalie slaakte een diepe, tevreden zucht. Ze was moe, niet de irritante vermoeidheid waarvan haar knieën pijn gingen doen, maar een aangenaam loom gevoel.

'Weet je waar we geacht worden te gaan eten?' vroeg Tom.

'Niet precies, maar ik weet zeker dat we het wel zullen vinden. Het heet zoiets als de Taverne van de sergeant-instructeur.'

'Klinkt afschuwelijk.'

'Nee... het moet erg leuk zijn. Suze zegt dat het heel sfeervol is. Zo'n zaakje waar je alleen biefstuk met *frites* kunt krijgen en ze maar één rode en één witte huiswijn hebben, die in kannetjes wordt geserveerd.'

'Vooruit dan maar. We moeten weer op het Gard du Nord zijn over...'

'Tweeënhalf uur!' las Natalie opgetogen van haar nieuwe horloge af.

Lees voor sfeervol maar ongelooflijk luidruchtig en Gallisch, maar de biefstuk was dik en sappig en er werd rijkelijk wijn geschonken... en geknoeid. Tom vroeg zich af of ze Susannah soms had gevraagd naar het minst romantische restaurant in de stad van de romantiek, maar deed dat toen af als paranoia.

Hij wist niet of er ooit meer tussen hen zou zijn dan nu, maar hij wist nu al dat, als dat wel gebeurde, ze echte romantici zouden zijn. Dat zou hij fijn vinden. Hij zag zichzelf al bloemen kopen, briefjes onder kussens achterlaten en dat soort dingen. Hij wist alleen niet zeker of hij ze Natalie kon zien aannemen. Ze was het absoluut niet meer gewend, als ze dat ooit al geweest was. Misschien zou hij eens moeten kijken wat hij daaraan kon doen.

Het was donker toen ze naar buiten en de stille straat op stapten, die bijna verlaten was. Natalie haakte haar arm door de zijne en ze liepen min of meer in de juiste richting voor een taxi. Vijf minuten later waren ze echter niet waar ze had gedacht dat ze zouden zijn. 'Ik kan maar beter even op de kaart kijken. We komen in tijdnood.'

Ze liepen naar een deur met zacht geel licht erboven en Natalie haalde de kaart tevoorschijn. Ze ging er met haar vinger overheen om zich te oriënteren.

In een portiek aan de overkant van de straat stond een stelletje hartstochtelijk te zoenen, zich niet van hun aanwezigheid bewust. Het was een echt enthousiaste, filmische zoenpartij: zijn handen in haar haren, haar armen om zijn nek, de ogen dicht, de lichamen van de lippen tot de knieën tegen elkaar gedrukt.

Tom keek op Natalie neer terwijl zij de kaart bestudeerde. Ze stonden erg dicht bij elkaar onder de lamp. Hij zag haar borstkas op en neer gaan en de slagader in haar hals nauwelijks waarneembaar kloppen. Toen ze opkeek, zag ze het andere stelletje, keek even naar hen en hief toen haar gezicht naar hem op. De schaduwen accentueerden het deukje tussen haar neus en mond, en haar lippen glommen waar het licht erop viel. Haar pupillen waren groot en zwart – hij kon zichzelf er bijna in zien.

Natalies verstand vroeg haar: is dit hem?

Hij verlangde er zo naar haar te kussen dat het pijn deed onder in zijn maag, net onder de biefstuk en de *frites*. Ze verroerde zich niet. Er was maar een heel lichte beweging van een van hen nodig om hun lippen bij elkaar te brengen, maar ze bleven staan. Het leek of ze zelfs niet met hun ogen knipperden. En in die blik lag alles besloten. Alles.

Toms hart vertelde hem: zij ís het.

Een seconde voor de koplampen van de auto de kleur van het licht veranderden en de betovering verbraken, bewoog Tom iets bij haar vandaan. En zij merkte dat. Hij wist niet of hij opgelucht of teleurgesteld was toen hij zag dat het een taxi was. De daaropvolgende twintig minuten reden ze op Natalies instructies – *très vite, s'il vous plaît* – door Parijs naar het station, waarna ze over het perron renden. Ze haalden de trein met maar een paar seconden speling en lieten zich dankbaar en ademloos op hun plaats neervallen.

Natalie lachte naar hem. 'Je ziet er zo gestresst uit! Ik haal de trein altijd op deze manier.'

'Waarom?'

'Omdat het leven een avontuur is, Tom.'

Twintig minuten later was ze echter in diepe slaap, met haar hoofd op zijn opgerolde jasje en haar blote voeten op de stoel naast hem. Tom keek naar haar. Ik ben benieuwd of ze zich afvroeg waarom ik haar niet gekust heb, peinsde hij. Ik vraag me af of ze het jammer vond. Ik vraag me af wat er gebeurd zou zijn als de taxi twee minuten later was gekomen. Zou zij dichter naar hem toe zijn gekomen, zoals ze in de slaapkamer in het kuuroord had gedaan? Of zou ze van onderwerp veranderd zijn, een grapje hebben gemaakt? En als ze me gekust had, naar me verlangd had, zou ze dan weer gestopt zijn?

Natalie ging rechtstreeks naar haar slaapkamer, kleedde zich uit en liet haar kleren gewoon op de grond vallen. Ze was uitgeput, maar ze dacht ook na. Ze zou het oké hebben gevonden om op haar verjaardag in het donker onder een straatlamp in Parijs te worden gekust. Ze zou het zelfs best fijn hebben gevonden. Zolang hij maar niet dacht dat ze zich alleen door hem liet kussen vanwege het horloge. Zo'n soort meisje was ze niet. Maar dat wist hij waarschijnlijk wel. Het was echter ook oké dat het niet gebeurd was. Ze voelde zich bijna weer een tiener. Ooit, tijdens een Valentijnsdag wel honderd jaar geleden, had een jongen die ze leuk vond haar een anonieme kaart gestuurd, maar tegen het eind van de schooldag had ze uitgevogeld dat die van hem was. Ze hadden na school naast elkaar in de bus gezeten en hij was met een omweg naar zijn huis gelopen, wat inhield dat hij mee langs het hare liep, en ze hadden een hele tijd aan het eind van de oprit van de ene voet op de andere staan wippen en besproken of ze elkaar zouden kussen of niet (totdat Bridget en Susannah thuiskwamen, waardoor ze eerlijk gezegd niet meer in de stemming waren). Ze waren die dag niet dapper genoeg geweest, maar hadden wel een soort fundament gelegd voor de volgende keer. En die volgende keer hadden ze elkaar eindeloos gekust. Parijs had een beetje gevoeld zoals die Valentijnsmiddag, in de kou op de oprit, toen ze een jaar of twaalf was. En het was best een fijn gevoel. Ze trok haar nachthemd over haar hoofd. Ze zou zich misschien meteen in bed heb laten vallen als ze niet zo'n dorst had gehad. Ze geeuwde en liep naar de keuken. Het rode lampje op haar telefoon knipperde. Vier nieuwe berichten.

Het eerste was van haar vader, die zei dat hij hoopte dat zijn geld goed besteed was. Zij vond van wel. Ze hoorde zijn goedmoedige glimlach bijna toen hij zei: 'Je hoeft je ouweheer niet terug te bellen, lieverd. Ik spreek je morgen wel. Ik hou van je.'

Het tweede was van Rose, een kennelijk hyperventilerende Rose: 'Bel me, bel me, bel me.'

Het derde bericht was ook van Rose: 'Maakt niet uit hoe laat je thuiskomt. Ik ben toch nog wakker!'

Natalie glimlachte en drukte op de snelkiestoets voor Rose. Als ze smerige details wilde horen, zou ze teleurgesteld worden.

Ze wilde echter een toehoorder. 'O, Nat, ik ben zó blij dat je belt! Pete heeft me ten huwelijk gevraagd!'

Een fractie van een seconde herinnerde Natalie zich dat Pete Rose in januari had meegenomen met de Eurostar en dat ze had gehoopt (en zichzelf erom had gehaat) dat Pete haar niet zou vragen met hem te trouwen. Zo dacht ze er vanavond niet over. Ze was onmiddellijk verschrikkelijk blij voor haar vriendin en barstte in tranen uit.

Rose klonk paniekerig. 'Huil je? Is alles goed?'

'Ja, alles is goed. Prima. Ik... ben... gewoon... zo... blij... voor... jullie.'

'Is het niet ironisch? Jij gaat naar Parijs en ik ben verloofd! Daar moet je om glimlachen, niet?'

'Nee, Rosie. Ik glimlach omdat ik blij voor je ben.'

'Nou, je hoeft van mij geen sympathie te verwachten. Als je het mij vraagt, zou jij ook verloofd kunnen zijn als je wilde.'

'Maar ik vraag het je niet. Hou nou even op over mij en vertel me er alles over. En vertel me meteen dat ik een sexy bruidsmeisje mag zijn, en geen gruwel in tafzijde...'

Het kostte Rose ongeveer een halfuur om de meest saillante details van Pete's aanzoek te vertellen, en nog eens een halfuur om de aspecten van de bruiloft te bespreken waarover ze al een besluit had genomen. Indrukwekkend voor iemand die pas vanavond een aanzoek heeft gehad, dacht Natalie.

Het was bijna een uur in de ochtend toen ze haar geeuwen niet langer kon onderdrukken en tegen Rose mompelde dat ze maar beter kon gaan slapen.

'En,' vroeg Rose eindelijk, 'hoe was Parijs?'

'Parijs was... Parijs was...'

'Ja?' Rose klonk weer helemaal opgewonden.

'Parijs was... perfect.' Rose zweeg. 'En dat is alles wat ik je erover vertel, nieuwsgierig oud wijf. En nu welterusten!'

Ze zette nog een kop thee, roerde erin en dacht aan Tom. Ze strompelde alweer vermoeid in de richting van de trap toen ze zich plotseling herinnerde dat er een vierde bericht was geweest. Ze was geneigd het te negeren – het zou vast wel kunnen wachten tot morgen – maar drukte toen toch impulsief het knopje in.

Het was Bridget. 'Nat? Je zult wel niet thuis zijn. Ging je nou vandaag met Tom naar Parijs? Ik weet dat je vandaag jarig bent. Van harte gefeliciteerd, trouwens. Dit is belachelijk. Sorry. Ik wist niet zeker of je vandaag nou zou gaan. Hoe dan ook, een bericht inspreken is waarschijnlijk niet de beste manier om het je te vertellen, maar ik zou het willen weten als ik jou was... Pap heeft weer een herseninfarct gehad. Een ernstig infarct, kennelijk. Vanmiddag. Hij ligt natuurlijk in het ziekenhuis en mam is bij hem. Ik ben ook even geweest, maar ik weet niet veel, en ik moest terug naar huis voor de kinderen... Het spijt me, Nat, het spijt me heel erg dat je het zo moet horen, maar ze denken dat er een kans bestaat dat hij het niet overleeft.'

Natalie liet zich op de leuning van de bank zakken. Jezus. Ze wist niet wat ze moest doen. Toen nam ze de hoorn op en belde ze Tom.

'Mis je me nu al?' Hij klonk slaperig, maar niet boos.

'Pap heeft een zwaar herseninfarct gehad, Tom. Ze denken dat hij misschien dood gaat.'

'Ik kom eraan. Wacht op me. Geef me twintig minuten.'

Hij was er in een kwartier. Ze deed de deur open op zijn aanhoudende geklop en viel toen tegen hem aan. 'Ik dacht dat het goed met hem ging. Hij klonk goed.'

'Het kan best nog goed komen. Waarom ben je nog niet aangekleed? We kunnen meteen gaan.'

Ze was niet aangekleed omdat ze vanaf het moment dat ze had opgehangen tot ze de deur voor hem opendeed met haar armen om haar knieën geslagen op de vloer achter de bank heen en weer had zitten wiegen. Ze had gewoon niet geweten wat ze moest doen.

Tom nam haar mee naar boven, vond haar spijkerbroek en een trui. Hij kleedde haar praktisch aan, hield haar armen boven haar hoofd zodat hij haar trui kon aantrekken en liet haar tegen hem aan leunen terwijl hij de broekspijpen over haar voeten trok. Ze zei geen woord.

Daarna leidde hij haar naar beneden en naar zijn auto.

'Bedankt, Tom,' mompelde ze toen hij het passagiersportier opende.

Hij kuste haar kort op haar hoofd, liep naar de andere kant van de auto en stapte in.

Ze moest haar armband, ringen en het glimmende nieuwe Cartier-horloge afdoen en haar handen wassen aan een speciaal fonteintje buiten de afdeling intensive care. Tom nam de sieraden van haar aan en gaf een kneepje in haar hand. 'Ik wacht hier.'

Haar moeder zat aan het bed van haar vader. Natalie stak haar hand naar Anna uit, maar haar ogen bleven op haar vader gericht toen ze dichterbij kwam. Er waren apparaten, net als op televisie, die piepten en flitsten in hun vreemde technobeat. Haar vader was geïntubeerd – dat wist ze dankzij *ER*: ze staken een metalen buisje in je keel; 'pas op voor de stembanden,' 'oké, ik zit erin,' en dan 'sluit de zuurstof aan'. Dat hadden ze bij haar vader gedaan. Hij sliep, maar het was geen vredige slaap. Een kant van zijn gezicht hing naar beneden, alsof er een zwaar gewicht aanhing. Zijn ooghoek, zijn mondhoek, zijn hele wang. En de arm aan die kant zag er ook vreemd uit, zoals een gebroken been er vreemd uitziet.

'Hoe is het met hem?' vroeg ze. Ze wilde hem aanraken, maar wist niet zeker of dat mocht, dus bleef een van haar handen boven hem zweven.

'Dat weten ze nog niet.'

'Helemaal niets?'

'Vannacht is kritiek. Als hij de nacht doorkomt...' Haar moeders stem brak en Natalie wendde zich naar haar. Ze zag asgrauw. Haar haren zaten in de war, alsof ze wel honderd keer haar handen erdoorheen had gehaald, en haar lippen waren droog en gesprongen.

Natalie sloeg haar armen om Anna heen en zo bleven ze een hele tijd zitten.

'Bridget is al geweest,' zei Natalie uiteindelijk.

'Ja, ze heeft Susannah ook gebeld. Ik vond het vreselijk om haar dat te moeten laten doen... jullie bellen, maar...'

'Komt Susannah?'

'Ik weet het niet. Ik neem aan van wel, als ze kan.'

'Natuurlijk.'

Ze keken allebei weer naar Nicholas.

Natalie leek het niet te kunnen bevatten dat hij niet zijn ogen zou openen en iets gevats over Parijs zou zeggen, of haar zou plagen met Tom. Ze zou hem wel door elkaar willen schudden. Ze wou dat iemand een gordijntje voor het deel van zijn gezicht hing dat onherkenbaar was. Ze wilde alleen maar het vertrouwde gedeelte zien.

'Mogen we hier blijven?'

'Ze vinden dat ik moet proberen te slapen. Ze hebben een kamer voor me... daar ergens.'

'Mag ik bij je blijven?'

'Jij hoeft hier niet te zijn.'

'Hij is mijn vader, mam, en jij bent mijn moeder. Ik *wil* bij je blijven.'

'Je bent een lieve meid.'

'Heb je vanavond eigenlijk wel iets gegeten, mam?'

'Ik kon niet eten.'

'Wil je dan op z'n minst een kopje thee met me gaan drinken?'

'Nee, ik wil hier zijn, voor het geval...'

Natalie stond zichzelf niet toe te denken aan 'voor het geval'.

Tom ijsbeerde door de gang buiten de afdeling. Hij verlangde natuurlijk wanhopig naar nieuws van Natalie, maar hij was ook ontredderd. Ze waren gisteren absurd vroeg opgestaan, het was nu bijna drie uur in de ochtend en hij had om negen uur een vergadering. Dit is het moeilijkste gedeelte, dacht hij. Hier teken je voor, ouders, kinderen – dit hoort er allemaal bij. En het was al de tweede keer in amper vier maanden tijd dat hij hier was voor Natalie. Arme Nat. Hij dacht aan zijn eigen vader en moeder, en vroeg zich af hoe hij zich zou voelen. Het was niet eerlijk: het leek allemaal net wat beter te gaan met Anna en Nicholas. En nu dit.

Toen Natalie eindelijk naar buiten kwam, leek ze op een of andere manier kleiner dan toen ze naar binnen was gegaan.

'Hoe is het met hem?'

'Het is kennelijk te vroeg om daar iets van te kunnen zeggen. Ik heb een verpleegster gesproken, en die zei dat bij zo'n zwaar infarct de eerste twaalf uur of zo cruciaal zijn. Als hij de nacht doorkomt' – ze ademde diep in – 'dan kunnen ze gaan bekijken hoe erg de schade is. Tot dan blijft het afwachten, zeggen ze.'

'En je moeder?'

'Ze wil die kamer niet uitkomen. Ze is volgens mij niet bij hem weggeweest sinds ze hier aankwamen. Ik hoop dat ze wat zal slapen, ze hebben een kamer voor haar vrijgehouden.'

'Wil je dat ik je naar huis breng?'

'Ik wil blijven, Tom. Ik wil hier zijn. Ik zou thuis toch niet kunnen slapen.'

'Wat kan ik doen?'

'Morgenochtend naar mijn werk bellen en vertellen wat er aan de hand is?'

Tom knikte.

Ze streek over zijn wang.'Je ziet er uitgeput uit.'

'Dank je.' Hij wist een glimlachje te produceren.

'Nog altijd verduiveld knap, natuurlijk, maar niettemin uitgeput.'

'Ik wou dat ik meer kon doen.' Hij haalde zijn autosleutels uit zijn jaszak. Hij wilde haar hier niet achterlaten.

'Ga, Tom. Ga slapen. Je hebt genoeg gedaan. Je staat altijd voor me klaar. Je kwam zonder ook maar een moment te aarzelen toen ik je belde. Je hebt me naar mijn vader en moeder gebracht.'

Hij trok haar in een stevige omhelzing. 'Bel me. Wanneer je maar wilt. Beloof je dat? Wanneer je maar wilt.'

Ze knikte en trok haar armen in de mouwen van haar trui; ze zag eruit als een kind van tien. Hij stapte de lift in en drukte op de knop.

## Mei

# De Q van Queen-hommage

Het was Natalies eerste echte – geplande – avondje uit sinds haar vader. Het voelde goed en verkeerd tegelijk. Tom – het was altijd Tom – had haar overgehaald.

'Denk je niet dat je vader het gewild zou hebben? Ik weet dat dat het soort onzin is dat mensen in dit soort periodes zeggen om hun gedrag te rechtvaardigen, maar denk nou eens goed na. Hij zou willen dat je het deed, of niet soms? Net zoals hij wil dat Susannah naar audities gaat, en zoals hij wil dat Bridget naar... Ik weet niet waar Bridget heen gaat, peuterspeelgroepen of zoiets. Dit is jouw leven, Natalie, niet het zijne. Bovendien heb ik kaartjes gekocht.'

'Toch niet weer Wagner, hoop ik? Ik ben de laatste tijd echt niet in de stemming voor Wagner.'

'Absoluut geen Wagner. Beloofd. Dit is echt helemaal geweldig.'

'Is het je ooit opgevallen dat Brian May en Anita Dobson er precies hetzelfde uitzien? Als poedels. Of als Karel de Eerste. Of was het de Tweede? Volgens mij hadden ze allebei hetzelfde haar. Daarom mocht Cromwell hen niet. Ik kan niet zeggen dat ik hem ongelijk geef. Het is echt afschuwelijk haar.'

'Sst. Ik zou Brian May maar niet te hard afkraken in dit gezelschap.'

'Ben ik de enige hier die bij zijn volle verstand is, denk je?'

'Sinds wanneer is liefde voor klassieke rock een geestesziekte?'

'Klassieke rock! Luister toch eens naar jezelf, Tom. In godsnaam, je bent nog een jonge kerel!'

'Het klassieke-rockgenre kent geen leeftijdsbeperking, Natalie.'

De band die de hommage bracht, heette Queens. Dat verklaarde de handelswaar in de foyer vol trots. De tournee-shirts pochten met Plymouth en Basildon. Natalie hoopte dat de naam van de band ironisch bedoeld was, maar betwijfelde het. Ze was zowat de enige aanwezige zonder een zichtbare tatoeage.

'Tom? Heb jij een tatoeage?' Ze had er nooit eerder aan gedacht dat te vragen.

Hij keek haar bevreemd aan.'Ja, inderdaad. Ik heb het profiel van Freddie Mercury op mijn linkertestikel.'

Ze gaf hem een mep.

'Nee! Ik heb geen tatoeage. Of een Harley Davidson. Of een leren jack met nutteloze kettingen eraan. Ik vind Queen gewoon goed.'

'Ik ken geen nummers van Queen.'

'Onzin. "We are the champions". "We will rock you". "I want to break free". Die behoren tot de beste songs van de twintigste eeuw. "Bohemian Rhapsody" – waarschijnlijk het beste nummer aller tijden, en, overigens, de eerste moderne rockvideo.'

'En, overigens, de meest krankzinnige tekst aller tijden.'

'Ik dacht dat je hun muziek niet kende.'

'Ik weet er genoeg van om te beseffen dat ze halfgaar zijn.'

'En mijn persoonlijke favoriet, "Crazy little thing called love".'

'Die herinner ik me wel. Ik mocht van mam niet naar *Top of the Pops* kijken als zij daar zongen, vanwege al die meisjes die in bikini op die motorfietsen lagen te kronkelen.'

'Mocht je daar niet naar kijken van je moeder?'

'Nee, en ze had ook grote problemen met Frankie Goes to Hollywood.'

'Weet je nog hoe moeilijk het was om haar zover te krijgen dat ze ons naar Live Aid liet gaan?'

'Ik mocht alleen maar gaan omdat jij meeging. Ze zei dat je een aardige, fatsoenlijke, betrouwbare jongen was en dat ik in goede handen zou zijn.'

'En daarom heb ik nou altijd al van je moeder gehouden.'

'Het was een geweldige dag, hè?'

'Nou en of.'

'Weet je wat ik me nog het beste herinner?'

'Wat?'

'Dat ik op je schouders zat voor Elton John en George Michael. Weet je dat nog?'

'Of ik dat nog weet? Ik heb nog steeds een nekblessure die zeer doet bij vochtig weer. Die heb ik aan jou te danken.'

'Hou je mond! Het was fantastisch.' Natalies ogen straalden bij de herinnering.

Tom sloeg een arm om haar schouder. 'Zie je? Gedeelde ervaringen. Geschiedenis. Best gaaf, vind je niet?'

Natalie stond op het punt dat toe te geven toen ze iets zag.

'Natalie! Wat doe je?' Ze had zonder waarschuwing haar armen om zijn nek geslagen en haar gezicht tegen zijn linkeroor geduwd. Ze rook naar uien en mosterd. 'Sst. Noem me geen Natalie!'

'Hoe moet ik je dan noemen?'

'Sst. Kijk daar.'

Natalie probeerde met haar hoofd te gebaren, maar aangezien dat tegen zijn oor geduwd zat, slaagde ze er alleen in hen allebei wat onhandig in beweging te brengen.

'Waar?'

'Achter me.'

'Wat moet ik dan zien?'

'Wie, Tom. Wie moet je zien? Als ik me niet vergis komt daar Mike Sweet onze kant op.'

En het was waar. In een shirt dat zijn gewoonlijk al afwijkende stijl nog overtrof, en met een baseballpet op die hij in de foyer had gekocht.

Te laat.

'Natalie? Hé. Ik wist niet dat je een fan was.'

Natalie draaide zich om, een plichtmatige glimlach op haar gezicht. 'O, ja. Ik kan er niet genoeg van krijgen. Ik heb ze al twee keer gezien.'

'Echt waar?' Hij bekeek haar opeens met andere ogen. 'Dit is mijn dame, Erica.'

*Mijn dame*? Wie dacht hij wel dat hij was? Barry White?

'Natalie werkt voor me, bij het radiostation.' Het was natuurlijk te veel gevraagd om te zeggen: 'Natalie werkt met me samen'.

Erica stak haar een slap handje toe en Natalie pakte het even beet.

'En ik ben haar vent.' Tom porde haar zachtjes in haar onderrug en stak zijn hand uit. 'Barry is de naam.'

Gelijkgestemde geesten. Natalie deed een stapje terug, op Toms grote teen.

Mike keek hem fronsend aan. 'Kennen wij elkaar niet?'

'Geweldig! Je weet het dus nog. Ik stond achter de schermen op je te wachten na de oudjaarsmatinee van *Jack en de bonenstaak* vorig jaar. Fantastisch optreden. Echt geweldig.'

Natalie wist zelf niet hoe ze erin slaagde haar lachen in te houden.

Mike knikte, alsof hij het gewend was om door superfans te worden aangeklampt. 'O ja. Ik vergeet nooit een gezicht. Dat was een geweldig script.' De twee mannen bleven even staan knikken, totdat Erica de kriebels begon te krijgen. Natalie vermoedde dat het met zo'n vreselijk strakke broek niet prettig was om lang stil te staan. Was die broek van pvc?

'We kunnen maar beter onze plaatsen opzoeken, Mikey,' snorde Erica.

Mike bracht zijn hand naar zijn voorhoofd in een groet. 'Je hebt gelijk. Ik wil geen noot missen. Fantastisch om je te zien, Natalie. En jij ook... Barry, was het toch? Veel plezier, jongens.'

Natalie en Tom wendden zich naar elkaar, barstten in lachen uit en klampten zich aan elkaar schouders vast.

'Barry!'

'De walrus van de liefde leek me wel gepast.'

'Ik had niet gedacht dat hij nog erger kon zijn dan op het werk, maar weet je wat... dat is hij wel.'

'Goddank gingen ze de andere kant op. Kun je je voorstellen dat we naast hem zouden zitten?'

'Dan zouden we moeten toezien hoe hij danste. Ik heb het tijdens kerstfeestjes van het radiostation gezien. Een giller.'

'Arme, miskende man.'

'Aan m'n reet.'

'Je moet een andere baan zoeken!'

Tja, dat was nog eens een idee...

Er barstte applaus los in de zaal, en de eerste noten van wat Natalie meteen herkende als 'We will rock you' weerklonken met ongelooflijk veel decibels.

Tom trok aan haar arm. 'Kom, Anita, *time to rock*!'

Natalie glimlachte door haar huivering heen toen hij de deur opentrok.

*Lucy*

Het ging Lucy akelig gemakkelijk af om tijd vrij te maken voor Alec. Ze had aangenomen dat gebrek aan tijd en privacy haar mede zouden beschermen tegen ontrouw, maar ook deze bescherming had haar in de steek gelaten.

Eén klein leugentje.

Ze ging in Londen winkelen en lunchen met een oude vriendin uit haar studietijd. Ze zou pas laat terug zijn.

Gemakkelijk.

Patrick zou de kinderen naar school brengen en ze ophalen. Haar kinderen. Hun kinderen.

Heel even walgde ze van zichzelf, toen ze wegreed. Het kwam doordat ze hem daar zag staan, gekleed voor een dag thuis, met Ed die tussen zijn benen door keek. De wetenschap dat hij dacht dat ze een dagje van hem weg wilde, van de deprimerende somberheid van zijn werkloosheid, en van zijn aanwezigheid. Daarom had hij zo vlot ingestemd.

'Je hebt wel wat tijd voor jezelf verdiend, Luce.'

Een half uur later zat ze echter in de trein omringd door mensen en was het eenvoudig om de gedachte aan hem van zich af te zetten.

Ze wilde niet naar een hotel. Dat zou ze niet gekund hebben. Alec had een vriend, iemand van zijn werk, die een appartement op Canary Wharf had voor als hij doordeweeks moest overwerken. Hij was nu naar New York en had hem de sleutels gegeven. 'We hoeven niets te doen, Lucy. Ik wil je alleen zien. Wat jij wilt, dat beloof ik je.' Ze hield zich voor dat ze niets zouden doen, maar ze wist dat ze loog. Het moment was gekomen.

Hij wachtte haar op bij aankomst. Hij zag er vreemd zakelijk uit toen hij de deur opendeed: hij had zijn pak niet uitgedaan, of zelfs zijn stropdas losgemaakt. Alsof hij hier was voor een afspraak, of een vergadering.

Alec had de gordijnen van de flat gesloten, maar de krachtige voorjaarszon scheen door de opening ertussen op de strakke moderne meubels. Er waren maar twee kamers – deze, met in één hoek een keukentje, en een slaapkamer met een badkamertje achter een dubbele schuifdeur.

Hij was van plan geweest haar iets te drinken aan te bieden en was op weg van zijn werk naar hier bij Tesco Metro langsgegaan, maar had niet geweten wat hij moest kopen. In de koelkast van zijn vriend stonden champagne, sinaasappelsap en melk, voor in de thee.

Hij had gedacht dat ze een poosje zouden kunnen praten. Als hij aan Lucy dacht was dat een van de dingen die hij het liefste met haar wilde doen. Ze had een duidelijke mening – dat zag je door de koetjes en kalfjes en de futiliteiten over school, huishouden en leven heen. Maar nu hij haar in de deuropening zag staan, en wist dat ze zich had overgegeven en naar hem toe was gekomen, werd hij overweldigd door de behoefte haar aan te raken zonder andere mensen erbij, zonder kleren, zonder iets anders tussen hen in dan alleen hun gevoel.

Ze droeg een katoenen jurk die aan de voorkant dichtgestrikt leek en toen hij eraan trok, viel de jurk open en kon hij zijn handen erin steken en om haar taille slaan. Lucy duwde zijn jasje van zijn schouders en trok aan zijn stropdas om die los te maken. Haar vingers worstelden met zijn knoopjes, de zijne met de sluiting van haar beha en toen stonden ze daar, ademden langzaam in en uit, en genoten ervan elkaars huid te voelen.

Lucy had verwacht dat de seks vluchtig en snel zou zijn. Dat de feitelijke overspelige daad de opoffering zou betekenen van schoonheid en betekenis. Dat was niet zo, Twee, drie, vier uur lang waren ze twee mensen die, los van de levens die ze daarnaast leidden, om elkaar gaven en eindelijk, eindelijk de kans hadden elkaar dat te laten merken. Ze kon niet geloven dat het anders was en de gedachte kwam diverse keren bij haar op, in de nevel van gevoel en emotie, terwijl ze de liefde bedreven. Toen hij huiverde onder haar aanraking, en naar adem hapte toen hij haar binnendrong. Toen hij haar gezicht stilhield en naar haar keek terwijl ze klaarkwam, zodat ze wist dat hij bij haar was.

Ze bedreven na afloop de liefde in de douche en daarna waste hij haar haren en haar lichaam, zo teder dat ze ervan moest huilen.

'Dit is toch veilig, nietwaar? Je kunt die kerel toch vertrouwen?'

'Ik garandeer je dat het veilig is, Lucy. We willen geen van beiden iemand kwetsen, toch?'

'Nee.' Dat was waar. Mijn hart is het enige dat risico loopt. Ze herhaalde het in gedachten. Alleen mijn hart en het zijne.

In de trein naar huis voelde ze zich fantastisch. Alsof haar lippen gezwollen moesten zijn door het zoenen, en de geur van de daad nog om haar heen moest hangen toen ze de coupé binnenstapte op zoek naar een plaats. Haar benen waren slap, alsof ze kilometers had gezwommen, en haar heupen waren gevoelig. Ze voelde nog steeds zijn handen op haar borsten en haar rug, die haar daarheen stuurden waar hij haar wilde hebben, en als ze er weer aan dacht, voelde ze zich zwak.

Toen de trein het station binnenreed, keek ze op de stationsklok, en zoals je na een transatlantische vlucht je horloge weer goed zet, schakelde zij zelf terug.

Ze was de vorige dag in Bath geweest en had wat dingen gekocht voor de vakantie, zonder erbij na te denken.

Ze zag op tegen de vakantie. Patrick keek er echt naar uit. Godzijdank hadden ze al voor de kerst geboekt en betaald, had hij gezegd. Patrick boekte hun vakanties altijd minstens een half jaar van tevoren. Hij haalde de brochures in huis, en zocht uren op internet naar informatie over bestemmingen. Hij had een plan dat zich over jaren uitstrekte; hij had al bepaald wat het beste jaar zou zijn om naar Disneyworld in Florida te gaan, wanneer de kinderen oud genoeg waren om te leren duiken, wanneer ze zich wellicht een lange vakantie naar Australië zouden kunnen veroorloven om op bezoek te gaan bij een paar verre neven die hij nooit had ontmoet. Hij had het er nu al over om een camper te huren en een trektocht door Nieuw-Zeeland te maken als hij over twintig jaar met pensioen was. Lucy kon wel eens voor de etalage van een reisbureau naar de lastminuteaanbiedingen kijken. Zeven dagen hotelkamer met ontbijt in Antigua, veertien dagen halfpension in Zuid-Afrika. Morgen vertrekken. Hotel aangewezen bij aankomst. Dat leek soms spannend. Deze vakantie was echter al in september geboekt. Patrick boekte altijd met vroege-vogelkorting.

Ze had een jurk gekocht en een paar sandalen. Ze had gewinkeld, precies zoals ze had gezegd. Pas toen ze de kofferbak van de auto opende om te controleren of er geen bonnetjes in de tassen zaten die haar konden verraden, drong het echt tot haar door wat ze had gedaan.

Het was stil in huis toen ze naar binnen ging. Het was etenstijd en ze voelde een steek van ergernis dat Bella en Ed niet aan tafel zaten. Dat mocht zij natuurlijk weer regelen. Als ze zich niet zo misselijk had gevoeld zou ze geglimlacht hebben om haar eigen hypocrisie – het feit dat ze zich erover durfde te beklagen dat ze brood moest klaarmaken terwijl ze de halve dag met een andere man in bed had gelegen.

Ze wilde net roepen toen Patrick verscheen.

Hij had zich omgekleed, een schoon overhemd aangetrokken. Hij zag er fris uit en zij voelde zich plotseling smerig. Rook ze nog naar hem?

'Heb je een leuke dag gehad?'

'Erg leuk, dank je.'

'Je hebt wat gekocht, zie ik.'

'Vooral etalages gekeken, hoor.' Ze hield de tassen omhoog. 'En dit is bijna allemaal uit de uitverkoop.'

'Het is al goed. Dat maakt niet uit.' Hij glimlachte, een beetje beverig. Hij had de laatste tijd niet veel gelachen.

'Waar zijn de kinderen?'

'Bij mam. We zijn na school naar haar toe geweest en ze bood aan ze te houden. Ze hebben voorjaarsvakantie, dus dat betekent geen gehaast 's ochtends vroeg, en je weet dat ze ze graag te logeren heeft. Ik dacht, waarom niet?'

Lucy haalde haar schouders op. 'Lief van haar.'

'Bovendien hebben wij iets te vieren...' Hij kwam naar haar toe.

'Is dat zo? Waarom?'

'Ik heb vanochtend een brief gehad. Ik heb die baan! Die baan in Bath. Waarvan ik dacht dat hij al vergeven was. Dat was dus toch niet zo!'

'Dat is fantastisch!' Dat was het ook. Lucy ademde uit – ze had niet eens beseft dat ze haar adem inhield. 'Dat is geweldig. Goed gedaan. Ik ben zó blij voor je.' De gemeenplaatsen stroomden uit haar mond. Ze wist dat ze hem hoorde te omhelzen en sloeg haar armen om zijn nek.

'Wat een opluchting, hè?' Hij had het te druk met praten om te merken dat ze stijf bleef in zijn armen. 'Het loon is ongeveer hetzelfde als bij mijn oude baan, maar dat is prima.

Goede pensioenvoorziening en secundaire arbeidsvoorwaarden en zo. Ik denk dat het op ongeveer hetzelfde zal uitkomen als eerst. Maar het is een baan en we hoeven niet te verhuizen, en het is een gedegen bedrijf, en ik kan eventueel nog hogerop komen, dus... het is geweldig. Is het niet geweldig?' Hij keek haar voor het eerst echt aan. 'Je ziet helemaal wit. Mijn lieve meid, ik weet hoe bezorgd je om me bent geweest, maar het komt nu allemaal goed. Ga maar lekker zitten. Ik heb een fles Moët gekocht. Ik zal hem even halen.'

Waarom moest dat nou vandaag gebeuren?

Ze hoorde de kurk ploffen in de keuken, en het gerinkel van glazen. Hij kwam weer binnen en gaf haar een glas.

'Proost, op je baan.' Ze hief haar glas.

'Op ons.' Hij dronk zijn glas voor de helft leeg en ging toen heel dicht naast haar op de bank zitten. 'Ik wil iets tegen je zeggen, Luce.'

O, god.

'Ik weet dat ik vreselijk opgewonden doe en dat ik je nog geen kans heb gegeven om het te laten bezinken, en dat je waarschijnlijk moe bent en alles, maar luister alsjeblieft naar wat ik je wil vertellen.'

Ze glimlachte wat zwakjes.

'Ik weet dat de afgelopen maanden ongelooflijk zwaar voor je zijn geweest. En ik realiseer me maar al te goed dat ik vreselijk moeilijk was om mee samen te leven. Ik was kribbig en twistziek en ik was er niet voor jou en de kinderen. Ik weet dat ik helemaal fout zat en ik haat mezelf daarom. Ik ben geen goede echtgenoot voor je geweest... zelfs...' Zijn stem stierf weg.

Lucy wist wat hij wilde zeggen. Ze kon nog steeds Alec op en in haar lichaam voelen. Ze kon er niet tegen. Ze stak haar hand uit en legde die op de zijne op zijn been. 'Stil maar.'

'Nee, niet stil maar. Het spijt me. Dat is alles. Het spijt me. En ik ben terug. Ik kan weer een echte echtgenoot zijn. Voor je zorgen. Voor jullie allemaal.' Hij was de tranen nabij en keek haar smekend aan.

Ze hield hem tegen zich aan en zei dat het in orde was, dat alles weer goed zou komen. En ze sloot haar ogen om Alec uit haar hoofd weg te duwen, om de gedachte aan hem en aan vandaag opzij te duwen... maar het lukte niet.

Ze aten een Indiase afhaalmaaltijd. Lucy gaf de bestelling telefonisch door en Patrick ging hem halen. Lam madras, kip tikka masala, een naan en uienbhajis. Dezelfde gerechten die ze al acht jaar lang minstens eens per maand aten.

Terwijl hij weg was schrobde ze zichzelf schoon onder een te hete douche, maar dat hielp ook niet. Ze rook Alec nog steeds en ze kon de gedachte aan hoe het was geweest niet van zich afzetten.

Ze wist niet wat ze moest doen. Die dag op het strand hadden ze gezegd dat ze niet op alle vragen een antwoord hadden. Deze dag had er beslist een hoop beantwoord.

Literatuur, muziek, film – ze hadden het allemaal over verhoudingen. Overweldigd worden door hartstocht, meegesleurd door een niet-bestaand getij waarover je geen controle had. Het was allemaal onzin. Je verloor nooit helemaal de controle, niet echt. Jij maakte de keuzes, jij ondernam de stappen, jij vertelde de leugens. Jij deed het en het was flauwekul om de schuld bij iets anders te leggen, iets dat zogenaamd sterker was dan jij. Lucy stond zichzelf niet toe dat als excuus te gebruiken. Je kon dan wel een punt bereiken dat je haast dierlijk werd, maar het was altijd de mens in je die het zo ver liet komen.

En waarom vertelden de boeken en films niet hoe het was om met je echtgenoot naar bed te gaan op dezelfde dag waarop je je nieuwe minnaar voor het eerst je lichaam had laten gebruiken voor zijn vertier – je door hem had laten aanraken op plaatsen en op manieren die je was vergeten of nooit had gekend – om je daarna, voor altijd veranderd, terug te sturen naar de man die je het beste kende, en die al veel langer van je hield?

De opluchting, de champagne en een hartgrondig verlangen om boete te doen, maakten dat Patrick die avond Lucy vastpakte, dat hij voor het eerst in maanden vol vertrouwen naar haar reikte. Hij wist niet dat ze niet meer aan hem toebehoorde.

Lucy hield zijn hand tussen haar benen tegen, keerde hem de rug toe en trok die hand in een omhelzing om haar heen, zodat ze als lepeltjes tegen elkaar lagen. 'Kunnen we rustig aan beginnen?' smeekte ze hem. 'Misschien morgen. Het is gewoon... nou ja, het is lang geleden, nietwaar, en... we hebben immers de hele week?'

Patrick lag een poos wakker en vroeg zich af hoe het kwam dat, nu hij eindelijk het gevoel had dat alles goed zou komen, dat toch niet helemaal zo leek te zijn.

En Lucy lag wakker naast hem en wist dat het nooit meer helemaal goed zou komen.

Voor het eerst in haar leven haatte ze zichzelf.

De volgende morgen, nadat Patrick haar thee op bed had gebracht en weg was gegaan om de kinderen op te halen ('Ik ga wel met ze zwemmen, dan heb jij een paar uur de tijd om in te pakken of even bij te komen, ik heb bij hen ook wat goed te maken. En ik kan niet wachten tot ik het gezicht van mijn moeder zie als ik het haar vertel. Volgens mij maakte zij zich nog meer zorgen dan wij zelf!'), lag Lucy onder het dekbed te wachten tot ze zou weten wat ze moest doen.

Alec nam zijn mobieltje op toen het voor de vierde keer overging. 'Lucy?'

'Kun je praten?'

'Ik heb Stephen. We zijn in het park. Nina en Marianne zijn winkelen.'

'Betekent dat dat je kunt praten?'

'Wacht even. Ja. Ja. Is alles goed met je?'

'Ja. Nee. Niet echt.'

'Je maakt me bang.'

'Ik ben zelf doodsbang.'

'Is er iets gebeurd?'

'Ja, Alec. Er is iets gebeurd.' Ze zweeg. 'We hebben overspel gepleegd.'

Het bleef stil aan de andere kant van de lijn.

'En daar moeten we mee ophouden. Ongeacht wat dat van ons vergt.'

'Is dat wat je wilt?'

Het was niet wat ze wilde. Ze voelde een doffe pijn onder in haar buik. 'We zullen mensen pijn doen, Alec. En zeg alsjeblieft niet dat we hen geen pijn doen als ze het niet te weten komen, want dat maakt het tot iets goedkoops en smerigs.'

'Dat is het niet. Dat is het nooit geweest.'

'Dat weet ik. Daarom moeten we ermee stoppen. Omdat ik denk dat we fatsoenlijke mensen zijn, Alec, geen slechte.'

'Natuurlijk zijn we niet slecht.'

'Misschien.' Ze dacht aan Marianne en de schakeringen grijs.

'Waarom nu? Er is iets gebeurd, of niet?' Waarom begon hij daar weer over?

'Het moet nu gebeuren.' Omdat ik niet geloof dat ik het nog zou kunnen als we ooit weer de liefde bedreven. Ik denk dat ik je dan voor altijd zou willen houden. 'Voordat het te laat is. Alsjeblieft, Alec.'

'Oké. Als dat is wat je wilt.'

Ze wilde zeggen dat het helemaal niet was wat ze wilde. Dat het zelfs het laatste was wat ze wilde. Maar wat had het voor zin? 'Het spijt me, Alec.'

'Het spijt mij ook, Lucy. En Lucy? Ik...'

'Niet doen.' Ze hing op. Wilde hij zeggen dat hij van haar hield?

# De R van Rotsklimmen

Natalie dacht elke dag aan haar vader. Dat had ze jaren niet gedaan; ze maakte zich zorgen zoals een ouder om een kind. Elk beetje informatie dat ze vergaarde bij haar moeder of bij de dokters wanneer ze in het ziekenhuis was, fascineerde haar. Elke kleine vooruitgang in Nicholas' toestand werd opgezogen, gevierd, aan Tom en aan Rose gemeld en telkens weer besproken.

Ze weigerde te geloven dat hij nooit meer helemaal de oude zou worden. Want dat zou betekenen dat ze moest rouwen om een deel van hem, en dat kon ze niet verdragen zolang een veel groter deel van hem nog steeds hier bij haar was. Dat voelde aan als verraad.

Het leven was volkomen veranderd, en ging tegelijk toch gewoon door. Het was niet meer hetzelfde voor haar moeder, wier hele leven in de ijskast stond. Natalie maakte tijd vrij om hem op te zoeken, meer tijd dan ze meende te hebben. Ze bracht uren door naast zijn bed in het ziekenhuis. En als ze niet bij hem was, ging ze werken, ging ze uit met vrienden, zag ze Tom en ging het alfabetspel door.

'Je hebt dit eerder gedaan, is het niet?' Ze hingen op gelijke hoogte, ongeveer drie meter boven de grond. Tom hing ontspannen achterover in zijn harnas.

Natalie klampte zich uit alle macht vast en haar knokkels zagen er wit van, maar ze probeerde te glimlachen. Natuurlijk had ze het, verdorie, eerder gedaan. Ze had de afgelopen twee weken drie privélessen gehad op de indoor-klimwand op het industrieterrein – kosten twintig pond per les – van Thaddeus, de hippie-instructeur die gevlamd lycra droeg en heel vaak 'cool' zei.

Twee belangrijke problemen: (1) Het harnas was van hetzelfde soort dat bij het abseilen werd gebruikt: niet flatteus; (2) Dit was nog erger dan abseilen: degene op de grond moest min of meer je gewicht omhoog houden. De eerste keer dat ze van de muur was gevallen met Thaddeus beneden haar, was ze vagelijk bang geweest dat hij naar het plafond zou vliegen en haar zou laten vallen als een baksteen. Dat deed hij niet. Hij zei: 'cool' en zei toen dat ze opnieuw moest beginnen.

De wand was veelkleurig en de uitsteeksels waar je houvast kon vinden, staken er met regelmatige tussenruimte uit, als Smarties. Kleine kinderen en oude dames leken als ratten tegen een regenpijp omhoog te klauteren. Omdat ze niet bang waren, zei Thaddeus. Omdat ze geen verstand hadden, dacht Natalie.

Het had een goed idee geleken om iets fysieks te doen. Ze had reiki overwogen, maar kon zich Toms ongelovige gezicht daarbij voorstellen... Ze had met Google gezocht naar vormen van vrijetijdsbesteding in de stad, en toen was dit eruit gekomen. De R van Rotsklimmen.

Het was Bridgets idee geweest om een paar lessen te nemen. 'Dat zal hem leren, als jij iets kunt dat hij niet kan.'

Goed idee. Alleen had het haar zestig pond gekost, zag haar achterwerk eruit als een zak aardappelen in een driehoekig netje en kon ze het nog steeds niet. En Tom kon het verdomme wel.

Hij had haar keus 'heldhaftig' genoemd, had gezegd dat Rob en hij al eens hadden willen gaan sinds het de afgelopen herfst was geopend en had zich gehaast om een helm te passen. Waarmee hij er niet uitzag als een idioot. Die van Natalie was te groot en schoof telkens naar opzij, zodat de rand tegen haar ene oor drukte. Ze had Thaddeus laten zweren dat hij niets zou zeggen en knipoogde nu naar hem. 'Nee, hoor.'

'Oké.' Het was duidelijk dat hij haar niet geloofde.

Natalie voelde een golf van ergernis. 'Is het ooit bij je opgekomen, Tom, dat ik misschien gewoon ergens fysieke aanleg voor zou kunnen hebben?'

'Niet echt.' Hij grinnikte. 'Ik zie je meer als een verstandsmens.' Ze kneep haar ogen tot spleetjes. 'Maar het is geweldig. Fantastisch dat je het leuk vindt. We kunnen het wel vaker doen.'

Niet als het aan haar lag. 'Zeker.' Ze begon te klimmen. Misschien was het gemakkelijker als ze sneller ging. Ze keek omhoog, op zoek naar een Smartie binnen haar bereik. Een groene, daarginds. Of deze blauwe. Haar sportschoen gleed weg, ze smakte met haar kin tegen een oranje uitsteeksel, en vijf seconden later klapte ze met haar rug tegen de wand en ramde er een uitsteeksel in haar nier. 'Tom?'

'Alles goed?' Hij had tenminste het fatsoen om er niet bij te grinniken.

'Mag ik nu naar beneden?'

Thaddeus bracht haar een ijscompres en ze ging in de hoek die voor kinderen onder de vijf was gereserveerd naar Tom zitten kijken, die de klus helemaal klaarde. Wat inhield dat hij de top bereikte van alle vijf de muren, inclusief die met een overhang. Het duurde een uur. Haar kin klopte en haar nier deed pijn. 'Als ik morgen bloed pies, is het jouw schuld,' zei ze quasi-zielig toen hij eindelijk terugkwam.

'Je mag wel een van mijn nieren hebben.' Hij drukte een kus op haar kruin. 'Je mag met me uit eten, zeg jij maar waar.'

'Friet met vis?'

'Ik zou voor iets Frans gekozen hebben.'

'Ik ga niet naar een Frans restaurant in lycra. Friet met vis is prima.'

'Je zult morgen wel een blauwe plek hebben.' Misschien was een zaak met fluorescent licht niet zo'n goed idee, maar de friet smaakte uitstekend.

Toen Natalie thuiskwam, brandde het rode lampje van haar antwoordapparaat. Ze dacht dat het Tom was en verheugde zich erop te horen wat de S zou inhouden, dus liet ze zich op de bank vallen en drukte ze het knopje in.

Het was een bericht van Simon.

Simons stem. Laag, loom, zelfvoldaan.

Natalie ging recht zitten.

'Met mij. Verrassing, hè?' Een heel korte pauze. 'Ik heb het verknald, Nat. Ik mis je. Ik weet niet wat me bezield heeft. Ik wil je terug. We kunnen doen wat je wilt. We kunnen samen gaan wonen. Verdorie, we kunnen zelfs trouwen als je dat wilt. Zolang ik maar krijg wat ik wil: jou terug. Dit apparaat is wellicht niet de beste plek om zo'n gesprek te voeren, dus denk er maar eens over na. Als je interesse hebt... ik ben morgenavond bij Bill's. Acht uur. Ons gebruikelijke tafeltje. Zie je? Ik weet het nog. Dus kom.'

Ze luisterde het nog een keer af. Geen 'sorry'. Geen 'alsjeblieft'. 'Zolang ik maar krijg wat ik wil.' Kwaad liep ze de slaapkamer in, trok haar kleren uit en een comfortabel joggingpak aan.

Terug in de huiskamer luisterde ze het bericht opnieuw af. Bill's. Hun plekje. Wat een lef, en wat ontzettend goed dat hij 'het nog wist'.

Ze waren er voor het eerst heen geweest toen hij aan het eind van drie jaar coschappen zijn bevoegdheid had gekregen. Zij had natuurlijk betaald. En toen weer met zijn verjaardag, zijn eerste jaar als arts-assistent, en toen hij geslaagd was voor zijn chirurgenexamen. Ze hadden zijn moeder er mee naar toe genomen voor Moederdag, en Bridget voor haar eerste uitje zonder de baby. Ze waren er heen geweest toen Natalie promotie had gehad. Ze had stapels foto's die daar waren genomen. Verschillende kapsels, verschillende kleren, verschillende bloemen in de vazen op de tafels. Dezelfde glimlachende gezichten.

Natalie pakte de telefoon, maar legde hem meteen weer terug. Ze kon niemand bellen. Ze zouden allemaal hetzelfde zeggen. Ga niet. En ze wist al dat ze wel zou gaan.

De volgende dag sprak Tom een bericht in op haar werk. Ze belde hem niet terug. Het zou als een leugen aanvoelen als ze hem niet over Simon vertelde, en ze wilde niet tegen hem liegen. De volgende dag onder de douche hield ze zichzelf voor dat ze tegen Simon zou zeggen dat het voorbij was tussen hen en dat hij haar niet meer moest bellen. En vervolgens schoor ze haar benen.

Ze zei dat nog steeds tegen zichzelf terwijl ze haar gezicht verzorgde en haar haren droogde. Het had geen zin. Hij had haar te veel pijn gedaan. Ze zou hem nooit kunnen vergeven, dus het had geen zin. En vervolgens koos ze een bij elkaar horende zwarte kanten beha en string.

Tegen de tijd dat ze aangekleed en opgemaakt was en naar buiten liep, bedacht ze dat iedereen een tweede kans verdiende; en tegen de tijd dat ze de zware glazen deur van Bill's openduwde, was ze er vrij zeker van dat hun breuk hen alleen maar sterker gemaakt kon hebben.

En hij zag er zo verdraaid goed uit. En hij rook nog beter. Vertrouwd en verschrikkelijk sexy.

Hij was er eerder dan zij, en dat was zeldzaam. Hij had champagne besteld en gaf haar een glas toen ze tegenover hem ging zitten. Ze nam het zwijgend aan en keek naar zijn mond toen hij zei: 'Op ons.'

En toen begon hij tegen haar te praten. Hij vertelde haar van alles. Zijn privépraktijk liep goed. Hartslagader-bypasses, aortaverdeling en klepvervangingen. Een aangenaam gestage – en gestaag groeiende – stroom welgestelde patiënten van middelbare leeftijd die te veel hadden gegeten en gerookt en te weinig hadden bewogen en die nu voor zijn Alfa Spider en zijn twee weken heliskiën in Aspen betaalden.

'Je gaat natuurlijk mee. Dan neem je maar een paar lessen.'

Tijdens het voorgerecht bedacht ze kort hoe kwaad ze allemaal op haar zouden zijn. Rose, Bridge, Suze, Tom. Maar ze wisten niet hoeveel ze van hem had gehouden, en hoe lang, en hoe het had gevoeld dat haar droom van een toekomst met hem haar was afgenomen en nu werd teruggegeven. Alle dagdromen, alle krabbels over een leven keerden terug nu ze naar hem luisterde.

En hij bleef haar glas vullen. Toen ze de eerste fles leeg hadden, kwam er een tweede.

Terwijl zij met het hoofdgerecht speelde, vertelde hij over zijn nieuwe huis. Hij had er het een en ander voor gekocht, maar hij had haar nodig om er een thuis van te maken, dat zag hij nu in. Zo dadelijk, dacht ze, zal hij wel naar mij vragen. Hoe het met me is. Wat ik heb gedaan sinds hij me verliet. Hoe ik me voel.

Maar op de een of andere manier vroeg hij daar niet naar en door de verhalen en de alcohol kon het haar niets schelen. Dit was immers wat ze zo lang had gewild? Hij was terug. Het lag niet in zijn aard om te smeken – nederigheid was niet zijn sterkste kant, en ze hield immers van hem zoals hij was? Waarom dan niet accepteren dat hij was weggegaan en teruggekomen, en daar blij om zijn?

En hij betaalde voor het eten.

Het leek normaal dat hij mee naar binnen zou gaan. Hij had immers veel te veel gedronken om met de Alfa Spider naar huis te rijden en haar huis was veel dichterbij. Gedurende een nanoseconde vroeg de rechterhelft (of was het nou de linker-) van haar hersenen wat hij gedaan zou hebben als ze hem niet had binnengelaten, maar de andere helft nam al snel de controle weer over en ze tackelde hem zo ongeveer zodra ze in de huiskamer waren.

Buiten zat Tom in zijn auto. Hij had laat in de middag een vergadering gehad aan Natalies kant van de stad. Die was uitgedraaid op een drankje in een plaatselijke bar. Hij was langsgekomen om haar over het weekend te vertellen. Skiën. Borstelbaanskiën. Hij had lessen voor hen geboekt. Hij wist dat Simon haar er altijd mee had gepest dat ze niet kon skiën. Nou, deze keer zou ze in hetzelfde schuitje zitten als Tom. Hij kon het ook niet. Ze zou hem aankijken met een blik van gemaakt afgrijzen om zijn keuze van weer een 'ongeschikte' activiteit, maar ze zouden een fantastische dag hebben; ze zouden lachen en dollen en misschien, heel misschien ook wat leren. De Z van Zwitserland, als ze het goed speelde, had hij gedacht.

Ze had de telefoon niet opgenomen, en haar mobieltje stond uit. Hij was net van plan geweest het op te geven toen hij haar zag. Ze was behoorlijk vrolijk, dat zag hij wel. Simon hield haar overeind, haar arm stevig om zijn middel, en de zijne om haar schouders. Hij zag dat Simon haar kuste, onder de lamp in het portiek, en voelde zich misselijk. Daarna waren ze naar binnen verdwenen.

Hij bleef nog een paar minuten zitten en reed toen weg.

De handen van een chirurg. Die herinnerde ze zich. Teder, voorzichtig, grondig. Geen ruwe huid of scherpe nagels. Zacht als die van een vrouw, dringend als die van een man. Haar borsten bijna met verering vastpakkend. Heel licht over haar billen strelend.

Natalie was licht in haar hoofd en wist dat ze hier veel te dronken voor was, maar het was te gemakkelijk, te vertrouwd... en te lekker. Hij wist precies hoe en waar hij haar moest aanraken. Ze kromde haar rug en gaf zich over.

Toen ze de volgende morgen wakker werd, voelde ze zich vreselijk. Ze kon zo veel drank helemaal niet verdragen en ze moest eigenlijk gaan werken, maar toen ze rechtop ging zitten, draaide de kamer om haar heen, en dat hield niet op. Ze viel terug op het warme kussen. Het duurde een paar minuten voor ze zich realiseerde dat Simon er was. Hij sliep altijd op zijn buik, met zijn hoofd onder het kussen. Een seconde lang wist ze niet wiens sluike bruine haar het was, en tegen de tijd dat ze het zich weer herinnerde, was ze al op weg naar de badkamer, met haar hand voor haar mond geslagen.

Simon kwam binnen terwijl ze zich nog vastklampte aan het witte porselein. Gelukkig konden chirurgen wel wat hebben.

'Sorry,' zei ze.

‘Het geeft niet. Het is niet precies hoe ik de ochtend had willen inluiden, maar er komen nog wel meer ochtenden... wil je wat water of iets?’

‘Een lift terug naar bed?’

Maar hij was al weg. Natalie kroop achter hem aan.

Hij zat midden op het bed, met alle kussens in zijn rug, en het dekbed onder zijn armen geklemd als een of andere invalide oude tante. ‘Je zou niet zo veel moeten drinken.’

Mensen die zulke voor de hand liggende dingen zeggen als jij je zo beroerd voelt, zouden ze dood moeten schieten.

Aangezien er in bed geen plaats meer was voor haar, kroop Natalie in foetushouding op de door de motten aangevreten chaise-longue die Susannah ooit op een vlooienmarkt had gekocht. Ze voelde de sluiting van haar beha – kennelijk gisteravond daar neergegooid – in haar bil prikken, maar was niet in staat de moeite te nemen hem eronderuit te halen.

Een perfect moment voor een diepzinnig, zinvol gesprek.

‘En, Simon, heb je andere vrouwen gehad toen we uit elkaar waren?’

Hij leek zich niet eens te schamen. ‘Een paar.’

‘Ken ik ze?’

‘Nee, natuurlijk niet. Zo ongevoelig ben ik niet, Natalie.’ O, was dat zo?

‘Wat noem jij precies een paar? Bedoel je dan twee, of waren het er meer?’

‘Waarom doe je dit?’

‘Omdat je gisteravond weer mijn leven, en mijn bed, in bent komen walsen, na maanden en maanden, en ik de ontbrekende puzzelstukjes wil vinden.’

‘Waarom?’

‘Daarom. Vraag jij je helemaal niet af wat ík heb gedaan sinds je me gedumpt hebt?’

‘Ik heb je niet gedumpt.’

‘Dat heb je wel.’

‘Ik was in de war. Ik had ruimte nodig. Ik ben toch terug? Waarom kan dat niet genoeg zijn?’

'Dat zou het kunnen zijn, als ik je vertrouwde, maar dat vind ik vanochtend erg moeilijk.'

'Je leek er gisteravond anders geen probleem mee te hebben.'

'Gisteravond had je me te veel champagne gevoerd. Vanochtend zie ik alles wat helderder.'

'Je hebt een kater. Dat is niet helder. Kom op, dan gaan we ergens ontbijten.'

Simon stapte onwillig uit bed en begon zijn kleren aan te trekken.

'Je hebt het me niet gevraagd.' Natalies stem klonk heel kleintjes.

'Wat?'

'Je hebt me niet gevraagd of ik wel ergens wil gaan ontbijten.'

'Waar heb je het over, Natalie?' vroeg hij geïrriteerd.

'Ik heb het over het feit dat je me helemaal niets hebt gevraagd. Niet of ik wil ontbijten, niet wat ik heb gedaan nadat je me had verlaten, niet hoe het met mijn familie is, hoe het op mijn werk gaat, hoe het waar dan ook mee gaat. Je weet niet eens of ik misschien iemand anders heb. Omdat je het niet hebt gevraagd.'

'Ik nam aan dat je het me wel zou vertellen als er iets was wat ik moest weten. En als je iemand anders hebt, dan heb ik medelijden met hem. Je liet me zo weer in je slipje, en volgens mij was je hard toe aan een goede beurt.'

Natalie stond met bonkend hoofd op. 'Ik heb niemand anders. En praat niet over me alsof ik een merrie ben die naar de hengst is gebracht. Het punt is dat je aannam dat ik niemand had. Zoals je alles aannam. Zoals je aannam dat ik dankbaar bij je terug zou komen.'

'Ga je nou voor Gloria Gaynor spelen? Want als dat zo is, heb ik een pot sterke koffie nodig.'

'Waag het niet me uit te lachen, Simon!'

Hij deed zijn knoopjes dicht en stopte zijn overhemd in zijn broek. 'Luister eens, Natalie, ik wilde niet dat het zo zou gaan. Het spijt me als ik het niet begrijp. Ik weet niet wat ik verder nog moet zeggen. Ik heb mijn ziel voor je blootgelegd. Ik wil je terug. Dat is toch het enige wat telt, of niet?'

Niemand had verbaasder kunnen zijn dan Natalie toen ze ontdekte dat er wel degelijk andere dingen waren die telden.

Hij had het woord ziel niet moeten gebruiken. Dat maakte haar maar al te duidelijk wat eraan ontbrak.

Ze keek hem recht in de ogen en wachtte af wat ze zou voelen.

# De S van Simon

Het was zo'n heerlijk warme dag in mei die je in augustus verwachtte maar zelden kreeg. In feite was het een heerlijk warme week geweest en Natalie had elke dag onder lunchtijd op het gras buiten het radiostation gelegen. Ze was blij te zien dat haar benen hun blauwige gloed van de wintermaanden verloren hadden en zelfs al bijna een beetje bruin werden. Ze was dol op deze tijd van het jaar, waarin mensen hun kantoren verlieten en de straten en terrasjes opzochten. Mannen met hun stropdas los, meisjes in pastel en primaire kleuren die hun haren opgooiden in de late namiddagzon. De zomer was sexy en je kon de feromonen bijna ruiken als je hen voorbijliep.

Tom wachtte op haar in The Lamb. Hij zat er al een poosje – het voordeel van het zelfstandig ondernemerschap; hij had een grote tafel in de wacht gesleept en er stonden drie lege Becks-flesjes voor hem. Hij stond op toen ze naar hem toe kwam en kuste haar vluchtig op haar wang. 'Ik zal wat te drinken voor je halen.'

Toen hij terugkwam ging hij zwijgend tegenover haar zitten. Natalie werd een beetje nerveus. Hij leek gespannen. 'Nou, kom dan, de S. Ik brand van nieuwsgierigheid. Ik hoop dat het iets buiten is. Ze zeggen dat het weer het hele weekend zo blijft.'

Tom glimlachte wrang. 'Dat zou het wel geweest zijn.'

'Hoe bedoel je.'

'Ik bedoel dat het iets buiten geweest zou zijn. Ik had iets gepland, maar ik ben van gedachten veranderd.'

'Hoezo?'

'Ik heb iets anders bedacht.'

'Ben je nog van plan het me te vertellen?'

Tom haalde zijn schouders op.

'Of blijf je hier de hele avond vreemd zitten doen?'

'Simon.'

'Pardon?'

'De S van Simon. Nogal duidelijk als je er even over nadenkt, nietwaar? Simpel.' Hij lachte weer, maar zonder humor. 'Simpele Simon.'

'Waar heb je het over?'

'Hou op, Nat. Lieg alsjeblieft niet tegen me. Ik kan het niet verdragen als je tegen me liegt.'

'Ik lieg niet.'

'Dat had gekund.'

'Tom...'

'Ik weet dat je met hem naar bed bent geweest, Natalie.'

Natalie kleurde. Haar gezicht voelde warm aan, en dat kwam niet door de zon. 'Hoe?'

'Wat doet dat er nou toe? Ik weet het gewoon.' Hij had het niet geweten, maar wist het nu wel.

'Tom, ik...'

'Luister, Nat, je bent me geen verklaring schuldig. Laten we wel wezen, het was niet meer dan een spelletje, toch, dat alfabet-gedoe? En het was zinvol. Het heeft je bezig gehouden gedurende de maanden waarin Simon alles op een rijtje zette. Dat is mooi. Maar laten we er nu mee ophouden, oké? Ik geloof niet dat een van ons tweeën er nog mee door wil gaan.'

'Mag ik ook wat zeggen?'

Tom kneep zijn lippen op elkaar en duwde zijn stoel naar achteren. Zonder haar aan te kijken stond hij op. 'Vraag me alleen niet om blij voor je te zijn. Nog niet. Oké.' Hij sloeg heel even zijn ogen naar haar op. 'Sorry.' Daarna liep hij weg.

Natalie wilde achter hem aan lopen, maar was door

schaamte of angst aan haar stoel vastgenageld en moest heel strak naar haar handen kijken om haar tranen te bedwingen. Toen ze weer opkeek, was hij uit het zicht verdwenen.

Ze had tegen Simon gezegd dat hij weg moest gaan. Ze had hem verteld dat ze niet meer van hem hield. En hij was vertrokken. Nukkig en pruilend. Dat zou ze tegen Tom hebben gezegd als hij had gewacht.

Het verbaasde haar dat ze veel meer moeite had met het vertrek van Tom dan met dat van Simon.

*Lucy en Patrick*

Lucy lag op het ligbed, haar hoofd opzij gewend om Ed in het zwembad in de gaten te houden. Hij had factor vijftig op en droeg een felgekleurd zonnepakje en een zonnepet, dus hij was moeilijk over het hoofd te zien. Hij dook plastic ringen op die hij zelf, met veel enthousiasme en een beroerde werptechniek, in het water gooide. Ze kwamen steeds dicht bij een verwaande vrouw in een stringbikini terecht, die eigenlijk helemaal niets aan de ondiepe kant van het bad te zoeken had, behalve dat daar elke dag het meeste zonlicht kwam. Ze lag daar dan ook al sinds het begin van de week bijna tien uur per dag. Ed spatte haar met elke worp en met elke duik nat. Zij schopte telkens geërgerd in de lucht en mompelde af en toe afkeurend. Lucy voelde de aandrang om naast haar op de rand van het bad te gaan staan en een bommetje te doen – dat in openbare zwembaden verboden was – om te zien of ze haar niet voorgoed kon verdrinken.

Zelfs met alle zonbescherming die de drogist ter beschikking had, werden Eds onderarmen en oren nog altijd rood. Ze zou hem dadelijk uit de zon halen, een exorbitant bedrag betalen voor een bord met eten, waarvan hij alleen de frietjes zou lusten, om vervolgens om een ijsje te vragen om de honger te stillen die hij nog zou beweren te voelen.

Ze hield van hem, met zijn bolle babybuikje.

Bella en Patrick waren naar de vissers op de werf gaan kijken. Ze vonden het niet leuk om zomaar in de zon te liggen. Bella had niet meer op Patrick kunnen lijken als ze genetisch zijn dochter was geweest. Was dat een kwestie van geluk? Of had Patrick haar tot zijn dochter gemaakt?

Ze waren nu vier dagen hier. Ze had haar mobiele telefoon in het handschoenenkastje van de auto, op het vliegveld, laten liggen, zodat Alec haar niet kon bellen of sms'en, maar hij was toch voortdurend in haar gedachten. Ze hadden een studio-appartement – Patrick en zij hadden een tweepersoonsbed achterin en de kinderen sliepen in het voorste deel op twee banken die elke middag wanneer zij naar het strand waren, werden omgebouwd tot bedden. Ze waren van elkaar gescheiden door gordijnen, niet door een deur. Elke avond rond elf uur kwam Ed met slaperige ogen naar hen toe, zei dat hij moest plassen en kroop daarna in Lucy's bed in plaats van weer naar zijn eigen deel van het appartement te vertrekken. Ze verwelkomde hem en liet hem als een schild tussen hen in slapen. Ze begon in paniek te raken. Ze geloofde niet dat ze na Alec nog met Patrick kon slapen en het werd alleen maar erger, niet beter.

Ze waren erg vriendelijk tegen elkaar. Patrick leek ontspannen, opgelucht, maar het stond nog steeds tussen hen in. Ze hadden sinds Kerstmis niet meer de liefde met elkaar bedreven. Bijna zes maanden.

Daarvoor hadden ze het altijd goed gehad in bed. Misschien niet spectaculair, maar wel fijn. Patrick was iets te teder naar haar zin: hij deed iets en hield dan op om te vragen of zij ervan genoot. Ze had hem jaren geleden, aangemoedigd door wat drank, verteld dat ze niet van porselein was en dat hij wel iets ruwer mocht zijn, en toen had hij dat gedaan en hadden ze veel gelachen. Had hij haar zelfs niet in de brandweergreep over zijn schouder naar de slaapkamer gedragen? Maar hij vroeg nog steeds of ze genoot. Soms vroeg ze zich af, terwijl ze onder hem lag, hoe het zou zijn om gewoon... hard geneukt te worden.

Dat had Alec gedaan. Hij had haar heupen vastgehouden en haar goed gelegd; en hij had zich in haar verloren tot op het punt dat het hem even helemaal niets meer kon schelen wat zij ervan vond, omdat hij het verdomd fantastisch vond, en dat had ze leuk gevonden.

Dus misschien pasten zij en Alec in bed beter bij elkaar dan zij en Patrick. Nou en? Ze vroeg zich niet voor het eerst af hoe het tussen hem en Marianne was. Deed hij het met haar hetzelfde. Voelde zij hetzelfde voor hem? Had hij nog de liefde bedreven met zijn vrouw sinds hij dat met haar had gedaan? Ze voelde zich rusteloos, heel diep van binnen. Prikkelbaar, gefrustreerd en triest.

Bella dook naast haar op. Ze drukte een kus op haar moeders buik. 'Ha, luilak.'

'Hallo, daar. Heb je lekker gewandeld met papa?'

'Ja. We hebben heel veel vis gezien. Dat stonk!' Bella kneep haar neus dicht en wuifde er met haar vingers onderdoor.

Patrick kwam achter haar aan.

'Papa zegt dat hij je vanavond mee uitneemt. Hij heeft een oppas geregeld: dat leuke meisje van de kinderclub, Laura, waar Ed helemaal verliefd op is. Hij zegt dat jullie misschien wel de vis gaan eten die wij gevangen hebben zien worden. Mag ik nog zwemmen voor de lunch?'

Ze had haar jurk al uit en was al in het water voor Lucy de kans kreeg antwoord te geven.

Lucy keek omhoog naar Patrick. 'Is dat waar?'

'Het had een verrassing moeten zijn...'

'Maar dan had ik geen kans gehad mijn mooie kleren aan te trekken.'

'Maar je zou er evengoed geweldig uitgezien hebben.'

'Met vleierij kun je heel wat bereiken, jongeman.'

Patrick streek suggestief over haar heup. 'Daar hoopte ik al op.'

Lucy versomberde een beetje.

Het was niet eerlijk om te blijven vergelijken, of wel? Dit etentje met de lunch van friet uit een puntzak. Dus waarom deed ze het dan? Ze lachten niet, hij had haar niet doen beven door met zijn vinger een druppel ketchup van haar lip te vegen, ze verlangde niet naar het einde van de maaltijd zodat ze hem zou kunnen kussen. Ze waren man en vrouw, ouders, die samen waren gaan eten voor de, wat, duizendste keer? Dat had ook goed moeten zijn. Anders, maar toch goed. Rijker, sterker, beter. Misschien zou niets ooit meer hetzelfde aanvoelen.

Ze dronk drie glazen wijn, met opzet. Ze liepen langzaam terug naar hun appartement en Patrick betaalde de oppas. Lucy keek even bij Bella en Ed, van wie de ene heel netjes lag te slapen en de andere helemaal uitgestrekt lag.

Patrick trok haar door het gordijn mee naar hun kant, sloot het gordijn en begon haar te kussen. Ze trok zich terug en maande hem tot stilte, maar hij ging door, trok haar mee de badkamer in, deed de deur achter hen dicht en op slot. Het was pikdonker en Lucy kon niets zien.

Hij deed de rits op de rug van haar jurk open en liet hem op de grond vallen. 'Je bent fantastisch. Mijn mooie, sexy vrouw.' Hij trok zijn eigen shirt over zijn hoofd uit en ze hoorde ook zijn broek op de grond vallen. Hij zette haar op het wastafelblad en het marmer was koud tegen haar billen. Een tandenborstel kletterde in de wasbak.

Zijn handen streelden haar lichaam, zijn kussen volgden een onzichtbare lijn van haar hals naar haar borsten en verder naar beneden. Lucy deed haar best om mee te doen. Ze verborg haar handen in zijn haar, probeerde zijn gezicht omhoog te trekken naar het hare, om hem echt te kussen, zodat ze zich misschien zou herinneren dat ze van hem hield en hij van haar en dat alles goed was tussen hen, maar hij werkte niet mee. Ze kon het niet – ze kon niet daar komen waar hij haar wilde hebben. Zijn mond bespeelde haar nu. Zijn lippen en tong gingen heen en weer en openden haar. Maar nog werkte het niet. Het ging mechanisch, geforceerd en ze was miljoenen kilometers ver weg.

Dus bracht ze zichzelf terug naar de flat met Alec. Zijn gezicht, zijn mond, daar waar die van Patrick nu was, Alec die haar voor de eerste keer zag en proefde. De opwinding van die eerste keer kwam terug.

Twee minuten later drukte ze zijn hoofd ruw tegen zich aan, en dempte ze haar kreet met haar vuist toen ze hevig klaarkwam. Hij lachte triomfantelijk toen hij zich oprichtte en drong bij haar binnen. Tegen de tijd dat het zijn beurt was, liepen de tranen over haar wangen, en was ze blij dat het zo donker was en hij haar tranen niet kon zien, of haar leugenachtige, overspelige gezicht.

De volgende morgen was beter. Het was duidelijk dat Patrick het gevoel had dat hij een of andere demon had verslagen. Ze hadden naakt geslapen en toen ze wakker werden, had hij zich er door Eds aanwezigheid niet van laten weerhouden zijn handen bezitterig over haar lichaam te laten dwalen. Hij had iets van zijn levenslust hervonden. Iedereen gelooft wat hij wil geloven, dacht Lucy, dus waarom kan ik dat niet?

Drie dagen later kwamen ze bruin en vermoeid thuis. Tegen de tijd dat ze in de bus naar het parkeerterrein voor lang-parkeren stapten, waren de kinderen moe van de vlucht en droeg Patrick Ed op zijn schouders. Eds Mr Ted zakte telkens voor Patricks ogen doordat Ed in slaap viel. Lucy trok de twee koffers op wieltjes en Bella liep naast haar. Ze kwamen dichter bij de auto en Lucy merkte dat ze sneller ging lopen. Ze zette haar telefoon aan terwijl Patrick de koffers in de achterbak legde. Geen piepje. Geen berichten. Ze had het gevoel of Alec haar geslagen had.

Thuis was er geen melk, en het brood dat ze vergeten was uit de broodtrommel te halen, was groen geworden. 'Het spijt me. Ik heb helemaal niet aan onze thuiskomst gedacht.' Ze had alleen maar gedacht aan weggaan. En aan Alec.

'Geen probleem. Ik ga wel even. Bella houdt me wel gezelschap, nietwaar, lieverd?'

Bella knikte enthousiast.

'Brood, melk, eieren of zoiets?'

'Ja. Ik doe morgen wel grote boodschappen.' Maar toen hij de oprit afreed, kwam ze hen achterna. 'Breng ook maar waspoeder mee, dan kan ik vanavond alvast een paar ladingen wegwerken. Het is een hele berg.'

Bella zwaaide.

Ed lag op de bank, herenigd met zijn Power Rangers, zijn duim in zijn mond, terwijl Lucy stapels maakte van de witte, lichte en donkere was en haar best deed niet aan Alec te denken.

Ze was die ochtend ongesteld geworden, en had hoofdpijn en buikpijn. Mijn baarmoederslijmvlies wordt afgestoten, dacht ze. Het slijmvlies dat zich voorbereidde op iets wat nu niet ging gebeuren.

Stom mens.

Het werd al donker toen ze Patricks auto de oprit op hoorde komen. Ze had Ed in bed gestopt en voor zichzelf een glaasje gin ingeschonken.

Ze hoorde andere stemmen in het portiek, toen Patricks sleutel, en vervolgens kwamen Bella en Nina samen binnen. Ze hoorde Marianne zeggen: 'Ik weet het, ik weet het. Het laatste waar je nu behoefte aan hebt is visite. We kwamen Patrick tegen bij de supermarkt en hij zei dat je blij zou zijn ons te zien. Ik heb parkeerterrein-afkicksymptomen... Ik heb je gemist. En ik breng geschenken mee... lasagne!'

Marianne kwam de keuken in. 'Je ziet er fantastisch uit! Zo bruin in een week tijd, schaam je.' Ze omhelsde Lucy, en Lucy zag Alec over haar schouder. 'Fijn om je weer te zien!' zei Marianne.

'We blijven niet,' zei Alec.

'Onzin.' Dat was Patrick. Hou je mond. Hou op. Lucy vond het zo absurd dat ze bijna moest lachen. Haar man die haar minnaar de keuken in dirigeerde en een fles goede rode wijn pakte.

'Ze heeft mij de hele week al genoeg gezien. Laten we wat drinken en de lasagne eten. De meisjes zijn we toch wel voor een paar uur kwijt. Kom.' Patrick vond de kurkentrekker in een la. 'Bovendien hebben jullie nog niet op mijn nieuwe baan getoost.'

'Lucy! Wanneer is dat gebeurd? Daar heb je me niets van verteld! Dat is fantastisch, Patrick. O, lieverd, gefeliciteerd!'

Marianne omhelsde hem en Alec schudde hem de hand. 'Geweldig nieuws.'

Patrick straalde. Hij zag haar gin staan. 'Ben je alvast begonnen, Luce?'

Lucy voelde zich alsof ze in vershoudfolie gewikkeld was. Om haar heen toostten Marianne en Patrick. Ze lachten, zetten de oven aan, schudden zakken gemengde salade in een schaal en dronken.

Ze kon niet naar Alec kijken, maar kon ook nergens anders naar kijken. Ze streek haar haren weg uit haar gezicht, duwde ze achter haar oren en bestudeerde het bordenrek alsof ze het nooit eerder had gezien. En toen was hij daar. Hij reikte naar de borden. Marianne en Patrick liepen de keuken uit, naar de huiskamer, glas in de hand. Stomme, stomme mensen.

'Je ziet er inderdaad fantastisch uit. Prachtig.'

Haar nekharen gingen overeind staan.

Patrick zag hen staan. Hij was teruggekomen om iets te pakken. Ze kusten elkaar niet. Alec raakte haar amper aan, maar het had niet duidelijker kunnen zijn als ze naakt op de formica tafel hadden gelegen. Hij stond heel dicht bij haar. En zoals ze naar elkaar keken. Hij had ooit een schilderij gezien van twee geliefden. In een galerie. Het moest jaren geleden zijn – hij ging al lang niet meer naar galeries. De uitdrukking die mensen soms gebruikten – de atmosfeer was om te snijden – die had hij tot dit moment nooit begrepen. Maar wat hij nu tussen zijn vrouw en zijn vriend in de keuken zag... dat was beslist te snijden. Massief, tastbaar en seksueel geladen.

Hij had het gevoel achteruit te springen, maar dat was natuurlijk niet zo. Een subtiele verandering van richting bracht hem onopgemerkt naar het toilet. Hij deed de deur op slot en leunde ertegenaan, hijgend alsof hij een heel eind hard had gelopen.

Hij bleef daar tot ze hem misten en riepen. Toen kwam hij eruit om lasagne te eten.

Naar Lucy kijken terwijl ze sliep was altijd een van Patricks favoriete bezigheden geweest. Hij had haar ooit verteld dat ze sliep als een kind. Als een onschuldige. Op haar buik, kwetsbaar, haar gezicht vrij van lijntjes en vrij van zorgen. Het had hem ooit een goed gevoel gegeven om haar te zien slapen. Zo'n gevoel van God-is-in-de-hemel-en-alles-is-goed-op-de-wereld. Zijn wereld: die met Lucy erin. En Bella en Ed.

Die avond kon hij niet naar haar kijken. Hij voelde zich misselijk. Hij vroeg zich echter af of de uitdrukking op haar gezicht nog steeds zo zorgeloos en onbekommerd was.

Patrick voelde zich een stomkop. Een vrouw zou zich misschien hebben afgevraagd wie het nog meer wisten. Hoe lang het al gaande was. Misschien sommige mannen ook wel. Hij deed dat niet, ook al besefte hij ergens wel dat die akelige, vernietigende nieuwsgierigheid ooit zou komen. Hij was niet kwaad, die avond, al zou ook dat waarschijnlijk nog wel komen en zou hij die boosheid in zekere zin verwelkomen. En Lucy waarschijnlijk ook. Ze zou willen dat hij tegen haar tekeerging en haar uitschold. Er moest iets catastrofaals, iets apocalyptisch komen. Anders zou er niets zijn waar ze overheen konden stappen, wat ze achter zich konden laten. Hij wist alleen niet of hij hier wel overheen zou kunnen stappen.

*Patrick en Tom*

Tom had gebeld en gevraagd of hij mee ging een biertje drinken. Hij zei dat er iets was waar hij over wilde praten. Ze ontmoetten elkaar na het werk in een kroeg waar ze allebei graag kwamen, met tafels die aan een stroompje stonden. Patrick had er altijd het gevoel dat hij in een aflevering van *Inspector Morse* zat. Het was nog steeds warm.

Tom hief zijn glas. 'Goed gedaan, broer. De tamtams hebben hun werk al gedaan: ik heb het gehoord van je baan. Gefeliciteerd. Is het wat je wilde?'

Tom was de eerste die hem dat vroeg. Was het wat hij wilde? Alsof dat er iets toe deed. Daar ging het niet om. Het ging erom dat hij een baan had gevonden, zodat niemand het er meer met hem of iemand anders over hoefde te hebben dat hij werkloos was. Het ging om de hypotheek betalen, en de tank van de auto vullen met benzine en eindeloze paren schoenen kopen. Over vakanties en tegels voor de keuken en een pensioen waar hij en Lucy later voldoende aan zouden hebben.

'Het is wat ik nodig had,' antwoordde hij. 'Nu zal mam me in elk geval met rust laten.'

Tom grinnikte. 'Vergeet het maar.'

Patrick glimlachte omdat Tom gelijk had. 'En hoe gaat het met jouw zaken?'

'Goed. Heel goed zelfs. Ik denk dat het het risico waard zal blijken te zijn. Rob haalt in elk geval klanten binnen, dat is iets wat zeker is. Hij is goed.'

Ze dronken allebei weer en knikten, zoals mannen dat plegen te doen.

Aan een tafeltje dichter bij het water kwamen wat jonge mensen bijeen. Mensen arriveerden in twee- of drietallen en werden begroet met lachsalvo's en drank.

Patrick voelde zich oud. 'Waar wilde je met me over praten?'

'Ik denk dat Natalie weer met Simon naar bed gaat.'

'Dat denk je?'

'Ik weet het vrij zeker. Ik zag hen 's avonds laat bij haar thuis...'

'Volgde je hen?'

'Nee!' zei Tom verontwaardigd. 'Zoiets zou ik niet doen! Ik ging iets bij haar langs brengen.'

'Sorry... en weet ze dat jij het weet?'

'Ja, ik heb het haar gisteren verteld.'

'En? Wat zei zij erover?'

'Ik heb haar eigenlijk niet de kans gegeven iets te zeggen. Ik ben ervandoor gegaan.'

'Wat verwachtte je daarmee te bereiken?'

'Ik was niet van plan geweest om ervandoor te gaan. Ik was bang voor wat ze zou kunnen zeggen. Dat ze misschien zou zeggen dat het weer aan was met Simon en zo.'

'Maar dat weet je dus niet zeker.'

'Ik geloof het niet.'

'Ik wist niet dat er echt iets gaande was tussen jullie.'

'Dat is ook nog niet zo, ik dacht alleen dat het er misschien aan zat te komen.'

'Maar er is niets gebeurd.'

'Nee.'

'Maar... jij zou dat wel willen.'

Tom zuchtte. 'God, ja.'

Ze zwegen allebei een paar minuten. 'Ik hou van haar, man. Dit is het, volgens mij. Ik hou echt van haar.'

Patrick kon zijn broer helemaal niets geven.

'Ik bedoel, ik heb altijd al van haar gehouden, we zijn jarenlang beste vrienden geweest. Toen ik hieraan begon, dacht ik dat er misschien, heel misschien iets anders was – de kiem van iets anders dat tussen ons zou kunnen groeien. Maar ik geloof niet dat ik het helemaal serieus nam. Het was eerder speculatief, weet je. Maar, verdomme, ik ben in mijn eigen kuil gevallen. En nu hou ik van haar. Ik denk constant aan haar. Als ik niet bij haar ben, zit ik alleen maar te wachten tot het weer zover is, en dan ben ik gewoon ontzettend gelukkig. Ze is grappig, pienter en... adembenemend. Ik hou van haar. Ik heb me nooit eerder zo gevoeld. Het is zo'n liefde van met-haar-willen-trouwen-en-de-rest-van-mijn-leven-bij-haar-willen-blijven.'

Patrick had Tom nog nooit zo horen praten.

'En nu is die klootzak terug. Hij heeft verdomme jaren de tijd gehad om te beseffen wat hij had, maar hij dumpte haar. En nu is hij terug. Ze heeft al die tijd van hem gehouden. Ze dacht dat ze voor altijd met hem samen zou blijven. Dat is wat ze wilde. Hoe kan ik daar tegenop?'

'Heb je het haar verteld?'

'Hoe kan ik dat doen? Ik was eraan aan het werken. In Parijs had ik het haar bijna verteld. Er deed zich een volmaakt moment voor, maar ik had de moed niet. Ik was bang om haar af te schrikken. Of gewoon bang om afgewezen te worden. Voorheen was ik altijd degene die iemand het deksel op de neus gaf.'

'Je hebt mij niet nodig om je te vertellen wat je moet doen, is het wel?'

Tom glimlachte. 'Niet echt. Ik wilde een deel ervan gewoon hardop zeggen.'

Patrick dronk zijn glas leeg. 'Wil je er nog een?'

'Goed. Dus meer heb je niet te zeggen over het onderwerp? Volgens mij had ik beter naar Lucy kunnen gaan.'

Patrick stond op, de twee lege glazen in zijn hand. 'Lucy heeft het nogal druk de laatste tijd. Ze gaat met een vriend van me naar bed.' Daarna liep hij langzaam over het gazon naar de deur van de kroeg.

Toen hij terugkwam, zei hij: 'Sorry. Dat was waarschijnlijk nogal melodramatisch. Het was nergens voor nodig om het je op die manier te vertellen.'

'Ik denk niet dat er een manier was geweest om het me te vertellen zonder melodramatisch te zijn.' Zijn broer trok een wenkbrauw op. 'Het spijt me, Pat. Ik heb je hier mee naar toe genomen en zit maar door te ratelen over Natalie...'

'En waarom ook niet?'

'Omdat dit kennelijk veel ernstiger is. Ik neem aan dat je het zeker weet?'

'Ik heb ze niet betrapt, als je dat soms bedoelt. Maar, ja, ik weet het zeker.'

'Het is niets voor Lucy.'

'Het is niet alleen haar schuld. Ik ben de afgelopen maanden vreselijk geweest om mee samen te leven.'

'Jezus christus, Patrick, ze is je vrouw. Ik weet dat het een moeilijke tijd is geweest, maar dat is nog geen excuus om stiekem iemand anders te gaan naaien.'

Patrick kromp ineen en Tom wilde dat hij zich iets anders had uitgedrukt. 'Praat haar gedrag niet goed, in godsnaam,' vervolgde hij. 'Hoe lang denk je dat het al gaande is?'

'Ik weet het niet. Ik heb er niets van gemerkt. Ik had het moeten weten.'

'Hou daarmee op!' zei Tom bijna boos. 'Weet ze dat je het weet?'

'Nee. En dat ga ik haar ook niet vertellen.'

'Waarom niet?'

'Omdat ik niet weet wat ik wil dat er gebeurt.'

'Ik begrijp je niet, Patrick.'

'Dat weet ik. Ik wil niet dat ze bij me weggaat, Tom. Ik wil haar niet kwijtraken en ik wil mijn kinderen niet kwijtraken. Daarom wil ik haar niet tot een beslissing dwingen.'

'Dat kun je niet menen, Patrick. Je kunt haar hier niet mee door laten gaan en niets zeggen omdat je bang bent haar kwijt te raken. Dat kun je niet doen.'

'Waarom niet?'

'Omdat het niet juist is, Patrick. Het zal aan je vreten. Dat hou je niet vol. En zij kan niet bij iemand blijven die bereid is over zich heen te laten lopen en zich te laten bedriegen. Dan verlies je haar evengoed nog. Als je haar wilt hebben, moet je voor haar vechten. Dat is toch zo?'

Tom had gelijk. Ze moesten allebei vechten.

# De T van Tatoeage

De deur van Toms kantoor ging open en hij keek verwachtingsvol op. Hij had die middag geen afspraken. Ter hoogte van de plint verscheen een gebruinde enkel in een absurd hooggehakte schoen. Daarna een kuit, en een knie. Er stond iets op het been geschreven, in donkere letters, groot genoeg om van drie meter afstand te kunnen lezen. SORRY. Er kwam langzaam steeds meer van het been door de deuropening. TOM stond er in hetzelfde handschrift op de dij geschreven.

Toen begon het zingen. 'Dah dah dah, de dah dah dah...' Een strippersmelodie, bijna.

Tom moest ongewild glimlachen. 'Wat moet jij in godsnaam voorstellen?'

'Ik ben de T. De T van Tatoeage.'

'Dus dat is blijvend?'

'Nou... nee. Niet op mijn been. Natuurlijk niet, want dan zou ik moeten hopen dat wijde strokenrokken voor altijd in de mode blijven. En laten we wel wezen, mijn benen zijn mijn mooiste onderdelen, dus het zou een beetje zonde zijn om ze te verbergen, vind je niet?'

'Ik kan niet met een lichaamloos been praten.'

'Betekent dat dat ik binnen mag komen?'

'Ik weet het niet.'

Natalie begon weer te zingen, en haar been voerde een wilde dans op in de deuropening.

Nu lachte Tom. 'Oké, kom dan in godsnaam maar binnen voordat iemand je ziet, mafkees.'

De rest van Natalie glipte door de deur. Aan haar andere bruine been droeg ze een felroze sportschoen van All Star, waardoor ze op een komische manier mank liep. Ze sloeg haar armen om hem heen. 'Ik vond het verschrikkelijk dat je me haatte.'

'Ik haat je niet, Nat.' Hij hield haar vast.

'Goed, want dat kon ik niet verdragen.'

Tom hield haar op een armlengte afstand. 'Maar we moeten wel praten...'

'Dat weet ik.'

'Dus ga even zitten en luister naar me, oké?'

'Ja, Tom.' Ze klonk helemaal niet als Natalie.

'Oké, Nat, ik ga mijn kaarten op tafel leggen.'

Natalie sloeg haar handen in elkaar.

'Ik weet niet wat er tussen jou en Simon gebeurd is. Het spijt me van laatst. Misschien had ik je de kans moeten geven het uit te leggen, misschien ook niet. Misschien maakt het geen verschil. Je zult zelf moeten beslissen hoe je je voelt en wat je wilt. Maar dat kan ik je niet laten doen zonder dat je alles weet. Zonder dat je weet hoe ik me voel.' Ze glimlachte bemoedigend.

'Toen we met dit spel begonnen, wist ik niet waar het op uit zou draaien. Ik wilde er echt voor zorgen dat jij je beter voelde, en ik wist dat ik dat zou kunnen. Ik meende dat je het mis had toen je zei dat er nooit iets tussen ons zou kunnen zijn, maar ik geloof dat ik daar toen ook niet serieus mee bezig was. Ik zag het meer als een uitdaging... kijken of ik jou zover kon krijgen dat je voor me viel... ik weet het niet. Het was eigenlijk allemaal voor de grap, niet?'

Natalie knikte.

'Maar nu blijk ik zelf het slachtoffer te zijn van die grap. Omdat ik voor jou gevallen ben. Ik ken je al meer dan de helft van mijn leven, maar de laatste paar maanden ben ik je op een geheel andere manier gaan zien, en ik geloof niet dat ik dat verwacht had. Ik kende je op veel vlakken heel goed, maar de laatste tijd heb ik dingen gezien die ik nooit eerder heb gezien.'

Natalie wilde iets zeggen, maar Tom was nu vastbesloten. 'Laat me uitpraten. Het is waarschijnlijk de meest misbruikte uitdrukking in onze taal, dat weet ik, maar ik ben er vrij zeker van dat ik verliefd op je ben, Natalie.'

'Tom.'

'En ik weet dat de meeste mensen dat zeggen in de verwachting hetzelfde terug te horen, maar ik niet. Ik wil alleen dat je het weet als je besluit wat je gaat doen.'

'Tom.'

Weer onderbrak hij haar. 'Kun je even wachten? Ik weet niet zeker of ik al klaar ben. Geef me even de tijd.'

Natalie bleef stil zitten.

'Ik bedoel, ik denk wel dat ik klaar ben. Ik wil mezelf niet al te belachelijk maken. En ik wil trouwens ook niet als een sul overkomen. Het is niet dat het mijn hart zou breken. Ik zou er nog overheen kunnen komen, Nat. Het is een prille liefde. Oppervlakkige wond, geen opengereten borstkas. Ik denk alleen dat het erger zou worden als we ermee doorgaan. Ik denk dat ik bedoel te zeggen dat we beter kunnen stoppen met spelen als jij teruggaat naar Simon.'

'Ik ga niet terug naar Simon.'

'Niet?'

'Ik ga absoluut, pertinent, zeker weten niet terug naar Simon.'

Tom slaakte een diepe zucht, maar voordat Natalie de kans kreeg nog meer te zeggen, was hij al weer aan het woord: 'Oké. Nou, dat is dan geregeld. Daar ben ik blij om. Ik moet je zeggen dat als het tussen ons niets wordt, hij de laatste man op aarde is die ik voor je zou uitkiezen.' Daarin was hij niet de enige. 'Maar ik ben niet zo stom om de conclusie te trekken dat het feit dat je niet met Simon samen bent betekent dat wij ooit samen zullen zijn. Gigantisch verschil, dat weet ik. Dus ga nu maar weg, denk na over wat ik heb gezegd en laten we maar gewoon zien, goed?'

'Oké.' Natalie knikte. 'Bedankt dat je het me hebt uitgelegd, Tom.' Ze glimlachte, maar Tom kon die glimlach niet doorgronden.

'En als je door wilt gaan met de U, laat me dat dan binnenkort maar weten of zo... Laten we alleen niet aan de U beginnen als je al honderd procent zeker weet dat het toch niets wordt. Laten we mijn hart dat niet aandoen, oké?'

Nu hij zijn grote toespraak gehouden had, begon Tom te hakkelen. Hij voelde zich een beetje een idioot. Ze zaten even zwijgend tegenover elkaar.

'Nou... ga dan weg!'

'O.' Ze klonk geschokt. 'Je bedoelt nu meteen?'

Nu verscheen er een glimlach op Toms gezicht. 'Ja, ga nu maar. Voor ik me een nog grotere idioot ga voelen.'

Natalie stond op.

'En ik ben blij om dat van Simon. De eikel.'

'Ik ook.'

Ze liep naar de deur en deed die open, maar draaide zich toen om. 'Tom? Laten we doorgaan voor de U.' Pas toen liep ze weg.

En voorlopig was dat genoeg voor hem. Hij zette de gedachte dat hij misschien net zo was als Patrick – een dwaas die bereid was genoegen te nemen met iets onacceptabels – vastberaden van zich af. Natalie was Lucy niet. En hij had het niet mis wat dit betreft. Daar werd hij hoe langer hoe zekerder van. Het was moeilijk geweest, dat met Simon, en hij had zich er helemaal niet prettig bij gevoeld, maar misschien was het in feite wel goed geweest.

*Nicholas*

'Hallo, pap. Hoe is het met je?'

Nicholas gromde.

'Ik ga er van uit dat je "Goed, dankjewel," bedoelt, oké?' Natalie kuste hem op zijn wang en ze glimlachten allebei.

Nicholas ervoer de opluchting van Natalies aanwezigheid. Susannah kwam niet vaak en dat vond hij niet erg – ze had het druk en dat begreep hij wel. Bridget huilde altijd. Natalie, zijn Natalie, lachte altijd om hem. Hij zou mét hem hebben gedacht, als hij de woorden had kunnen vinden.

Natalie zag het echter wel aan de twinkeling in zijn ogen als ze binnenkwam. Ze had druiven meegebracht en een nummer van het tijdschrift *Heat*. 'Allebei voor mij, vrees ik. Er zit een limiet aan de hoeveelheid cadeautjes die ik voor je mee kan brengen, en die heb ik al overschreden. Ik beloof je dat ik alleen ga zitten lezen als jij in slaap bent gevallen.'

Dat vond hij vreselijk. De slaap overviel hem veelvuldig en zonder waarschuwing, en hij kon er niets tegen doen. Natalie moest erom lachen. 'Bij jou weet ik tenminste meteen wanneer ik saai ben,' grapte ze, al was ze dat nooit.

Ze liet zich op een hoek van zijn bed vallen en begon aan de druiven. 'Nou, de fascinerende saga van mijn leven heeft er vandaag een nieuw hoofdstuk bij gekregen,' zei ze. 'Ik weet dat je popelt om het te horen. Tom blijkt verliefd op me te zijn geworden.' Nicholas gromde een keer en schonk haar zijn halve glimlach. 'Aha, eerbiedwaardige oudere tevreden,' zei Natalie met een oosters accent, drukte haar handpalmen tegen elkaar en maakte een kleine buiging. 'O, en Simon is teruggekomen en heeft me gevraagd met hem te trouwen. Heb je daar ook een grom voor?' Kennelijk niet, want Nicholas trok een wenkbrauw half op en het was haar volkomen duidelijk wat hij bedoelde.

'Eigenlijk vertel ik je de dingen in de verkeerde volgorde. Ik neem aan dat dat duidelijk maakt waar ik het meest opgewonden over ben...' Dat drong nu pas tot haar door. 'Dus ik zal bij het begin beginnen...'

Nicholas' ogen gingen dicht. 'Zeg, ik weet dat je niet slaapt. Hoe zou je bij mijn onthullingen in slaap kunnen vallen?' Ze kneep in zijn hand en hij kneep terug.

'Maanden nadat hij verdorie mijn hart heeft gebroken, staat Simon plotseling op mijn antwoordapparaat en zegt min of meer dat het allemaal een vergissing was. Dat hij de tijd heeft gehad om tot het besef te komen wat hij heeft laten schieten, bla, bla, bla, je kent dat wel. Ik was zo stom om in te stemmen met een etentje en was zelfs nog stommer door met hem naar bed te gaan. Sorry, pap, ik weet dat je geen belangstelling hebt voor de sappige details, aangezien ik je dochter ben en zo. Maar het is relevant, dat beloof ik je. Het betekent namelijk dat hij was blijven slapen en dat ik naast hem wakker werd. En dat was het moment dat ik me realiseerde dat ik ergens in de afgelopen maanden ben opgehouden zo hevig naar zijn terugkeer te verlangen. En dat ik eigenlijk best kwaad op hem was en dat achteraf gezien de afgelopen jaren helemaal niet zo geweldig waren geweest en dat hij me niet zo goed heeft behandeld als ik verdien – jazeker, verdien – te worden behandeld. En dat ik misschien niet meer van hem hield. Wat eerlijk gezegd vreselijk opwindend was!'

Ze zweeg even om adem te halen en keek naar Nicholas, die zijn ogen open had. 'Ik ben dol op deze kleine tête-à-têtes, pap. Hoewel ik veronderstel dat het eigenlijk alleen têtes zijn, nietwaar? Ik heb dit trouwens nog niemand anders verteld. Je bent op het moment een heel veilige vergaarbak voor meidengeheimen, weet je dat? Maar goed, ik heb Simon weggestuurd. Ik ben helemaal klaar met hem. En ik heb geen moment meer aan mijn besluit getwijfeld, wat een hele opluchting is. Gek, hè?

En dan is Tom er nog. Op de een of andere manier – daar moet ik hem trouwens nog naar vragen – had hij dat van Simon ontdekt en hij werd min of meer kwaad. Ik heb sorry gezegd en alles en toen kwam hij met zijn bekentenis. Hij zei dat hij de afgelopen maanden, waarin we zo veel tijd met elkaar door hebben gebracht, verliefd op me is geworden. En dat ik met alle feiten gewapend moest zijn als ik probeerde te kiezen tussen hem en Simon.

Ik weet het, pap, het is geen vreselijk romantische manier om het te zeggen, maar het was heel ontroerend: je had er bij moeten zijn.'

Nicholas deed heel erg zijn best om een woord te vormen. 'En?'

'En ik klooi nog steeds maar wat aan. Er zijn momenten geweest dat ik hem aankeek en dingen dacht die ik nooit eerder gedacht heb. Ik weet niet of dat liefde is of niet. Ik weet dat ik hem wil blijven zien. Dat vind ik heerlijk, gewoon helemaal mezelf kunnen zijn. Dat heb je in je leven niet met veel mensen, is het wel?'

Nicholas schudde zijn hoofd.

Natalie zuchtte. 'Ik ben gewoon in de war. Ik ben gewend hevig en plotseling verliefd te worden. Niet langzaam en geleidelijk. Ik vertrouw mezelf niet.'

Ze glimlachte naar haar vader. 'En waarom zou ik ook, gezien mijn reputatie? Ik weet niet goed wat ik moet doen en wil eigenlijk dat iemand anders de beslissing voor me neemt. Waarom doe jij dat niet, pap?'

Nicholas lachte en keek haar toen bedroefd aan.

'Toe maar. Trek je linkerwenkbrauw op voor ja, je rechterwenkbrauw voor nee. Ach, dat heeft geen zin, want je kunt er maar één optrekken.'

Ze lachten allebei.

Natalie wierp zich impulsief aan haar vaders borst. Hij sloeg zijn goede arm om haar heen en gaf haar een klopje. 'Ik hou van je, papa. En hij is een goede man, nietwaar?' Een luide, aanhoudende grom.

Natalie bleef een poosje liggen, voorwendend dat haar vader weer haar vader was en dat hij nog steeds alles voor haar in orde kon maken.

Er stond een bericht op haar antwoordapparaat toen ze thuiskwam. Even dacht ze toen ze dat zag aan Simon, maar toen ze Toms stem hoorde, moest ze glimlachen. Geen inleiding, geen woord vooraf, geen nukken. Hij was echt verbazingwekkend.

'Je moet me een dienst bewijzen. Bel me terug. Ik ben trouwens nog op kantoor.'

Ze toetste het nummer in en hij nam op. 'Hoe is het met je vader?'

'Ongeveer hetzelfde. We hebben een goed gesprek gehad.'

'Ik dacht dat hij...'

'Kan hij ook niet. Ik praat. Hij luistert. Dat maakt hem perfect gezelschap voor mij.'

'Dat zal ik onthouden. Juist, die dienst. Je moet met me van letter ruilen.'

'Geen sprake van. Ik heb al iets in gedachten voor de V.'

'Leugenaar.'

'Oké.'

'Het zou trouwens niet zo goed zijn als mijn V, en daarom moet je met me ruilen.'

'Maar de U is dit weekend. Dat geeft me niet veel tijd om iets te bedenken, wel?'

'Het lukt je vast wel. Je bent een genie.'

'Oké dan, jij wint, met je loze vleierij. Ik pak de U wel.'

'Je zult blij zijn dat je het gedaan hebt. Je vindt de V beslist geweldig...'

Daarna belde Natalie haar moeder. Dat was een nieuwe gewoonte. Ze zei wanneer ze wegging tegen haar vader: 'Ik bel mam wel als ik thuis ben.' En dan schonk hij haar zijn dankbare, scheve glimlach. En dan belde ze dus ook.

'Hoi, mam. Hoe is het met je?'

'Goed, lieverd. Ben je naar je vader geweest?'

Natalie nam aan dat het duidelijk was. Het patroon. Hoewel ze zich eerlijk gezegd weer op de gesprekken met haar moeder begon te verheugen. Het leek niet meer zo moeizaam te gaan als de afgelopen jaren het geval was geweest. 'Ja. Hij ziet er goed uit vandaag.'

Ze gebruikten het woord 'beter' niet meer, want dat was niet zo. Net na het infarct was er een langzame, gestage verbetering geweest, en nu was er sprake van stilstand. Dat wilde niet zeggen dat hij niet nog wat beter kon worden, maar op het moment was er geen verandering.

'Ik weet het. Ik ben vanmorgen bij hem geweest. Hoe is het met jou, lieverd?'

Ze wilde haar moeder niet over Simon vertellen. Dat was trouwens nu ook niet nodig. 'Het gaat heel goed met me, mam.'

'Echt waar?'

Natalie dacht even na. 'Ja. Echt goed. Ik zou zelfs durven zeggen dat ik optimistisch ben.'

'Daar ben ik blij om, Natalie.'

Het was nog steeds of haar moeder net uit een coma ontwaakte waar ze de afgelopen god-weet-hoe-lang in gezeten had, een beetje alsof ze een vreemde was. Maar het werd beter...

'Hoe is het met Tom?'

'Goed. Waarom vraag je dat?'

'Ik zag Bridget pas... en ze zei...'

'Wat zei ze?'

'Alleen dat jullie de laatste tijd heel wat tijd samen doorbrengen.'

Natalie reageerde niet meteen.

'Het spijt me, lieverd, ik wil me nergens mee bemoeien.'

'O, in godsnaam, mam, je bemoeit je toch nergens mee. Doe nou weer niet zo kribbig.'

'Het spijt me.'

'En hou op je te verontschuldigen. Dat is nergens voor nodig. Ja, we zien elkaar de laatste tijd veel. En ja, het zou zelfs wel eens iets kunnen worden. Het voelt alleen een beetje vreemd om erover te praten. Niet alleen met jou. Met de hele familie. Het is net alsof jullie het allemaal zo vreselijk graag willen...'

'Ik wil het alleen als het voor jou juist is, Natalie.'

'Dank je, mam.'

'Hij is een geweldige jongen, maar daar heb je niets aan als hij niet de ware voor je is.'

'Maar hoe weet je of iemand dat is? Dat is de grote vraag, niet? De eindeloze gesprekken die ik het hele jaar heb met mijn zussen en vriendinnen. Jij hebt zeker ook geen feilloze methode om erachter te komen?'

Anna lachte. 'Feilloos? Nee, hoor. Ik zal je alleen dit zeggen, lieverd. Iets wat mijn moeder tegen mij heeft gezegd de avond voor ik met je vader trouwde. Ze zei dat als ik me geen leven zonder hem voor kon stellen, er niet eens aan kon denken om verder te moeten zonder hem, dat hij dan waarschijnlijk de ware voor me was. En dat kon ik niet. Dat kan ik nog steeds niet.'

'O, mam, het spijt me.'

'Dat hoeft niet. Ik heb meer geluk gekend dan de meeste mensen. Ik ben nog steeds gelukkig, Natalie. Ik heb jou en je zussen, mijn kleinkinderen en mijn gezondheid. En ik heb je vader nog steeds. De man van wie ik al bijna mijn hele volwassen leven hou, en die ook van mij houdt. Hoeveel mensen kunnen dat echt zeggen? Hij is van buiten misschien niet meer dezelfde, maar van binnen nog wel – jij ziet dat ook – en ik zal de rest van zijn leven van hem blijven houden, hoe lang dat ook is en hoe dat leven er ook uit gaat zien.'

'Heb je nog wat van die blijdschapspillen over?' Anna had dat zo een paar weken geleden niet kunnen zeggen, dacht Natalie. 'Ik kan ook wel wat gebruiken van wat jij slikt.'

'Ik gebruik ze al een poosje niet meer. Ook daarbij heb ik geluk gehad. Je vader heeft me mooi op tijd naar de dokter gebracht. Ik denk dat we het te boven zijn. Ik weet dat het voor sommige mensen zo niet werkt. Het was alsof... alsof de pillen alles een stukje terugdrongen. Alsof mijn hersenen een poosje in watten verpakt waren. Ze gaven mijn gevoelens even rust. Dat is de beste manier waarop ik het je kan beschrijven. Weet je nog hoe je vroeger worstelde met rekenen? Lange staartdelingen? Andere moeilijke stof? Dan zat je daar, met je boeken voor je, en je werd steeds gefrustreerder en verwarder en bozer. Weet je nog dat we dan een poosje ophielden en iets anders gingen doen, met de hond wandelen, een spelletje doen of zo, en als je dan weer verder ging, dan was het opeens een stuk gemakkelijker?'

'Vaag.'

'Nou, een dergelijk effect hadden de pillen op mij. Mijn leven werd erdoor ontward, en toen ik stopte met de pillen, leek alles weer anders. Definieerbaar. Begrijpelijk. En bij lange na niet zo somber. Snap je dat een beetje?'

'Ongeveer.'

'En ik wil daar niet over doorzeuren, maar het spijt me dat ik er niet voor jullie was. Dat vind ik heel vervelend. Dat ik niet degene kon zijn die je nodig had toen je het zo moeilijk had vanwege Simon. Of niet kon genieten van mijn tijd met je vader. Of Bridget niet kon helpen toen Toby kwam. Daar ben ik verdrietig om.'

'Mam, ik begrijp het misschien niet helemaal, maar jij hebt ons een groot deel van je leven altijd voorop gesteld. Je moet jezelf dit dus niet zo kwalijk nemen.'

'Dat doe ik niet meer. Op een vreemde manier maakte het besef van alles wat ik miste onderdeel uit van het beter worden. Ik heb wel degelijk een leven. Ik wilde alleen dat jullie dat wisten.'

'Ik hou van je, mam.'

'En ik hou ook van jou. En nu terug naar Tom. Ik draai nu op volle toeren. Doe je ogen dicht, stel je een toekomst zonder hem voor en vertel me hoe dat voelt.'

Nu was het Natalies beurt om te lachen. 'Dat kan ik me echt niet voorstellen, vrees ik. Hij is er altijd al geweest. Dat bestaat gewoon niet.'

'Natuurlijk wel, malle meid.' Ze klonk nu weer als de oude mam, en Natalie was daar blij om. 'Wat denk je dat zijn vrouw ervan zou denken dat jij om hem heen hangt?'

'Hij heeft geen vrouw.'

'Op een dag zal hij die wel hebben. En vergis je niet. Ze zal hem dwingen te kiezen.'

'Is dat geen vreselijk ouderwetse manier om het te bekijken? Moderne levens zijn anders. Hij kan toch wel een vrouw en een beste vriendin hebben?'

'Niet als hij ooit verliefd op haar is geweest. Niet tenzij het moderne leven, zoals jij het noemt, de menselijke aard volledig heeft veranderd. En ik geloof geen seconde dat dat zo is. Hij zal moeten kiezen, en hij zal niet voor jou kiezen... Misschien moet je daar eens over nadenken...'

En dat deed ze... de hele nacht.

# De U van Uggh

'Natuurlijk was putjesscheppen het eerste wat bij me opkwam, maar je had me niet veel tijd gegund om het te plannen.'

'Dus de U staat voor...'

'Uggh, bah, jakkes? Ik kon hier echter nergens een mogelijkheid vinden en ik had geen zin om het halve land door je sjouwen.'

'Kon je niets beters verzinnen?'

'Sorry. Ik heb nogal veel aan mijn hoofd de laatste tijd.'

Hij duwde zachtjes tegen haar schouder. 'Dat weet ik.'

'En ik heb er wel over nagedacht... echt waar. Ik hoorde toevallig een nummer op de radio, 'Under Water' en dacht toen aan duiken of zoiets, maar zoals gewoonlijk is mijn budget beperkt, dus zouden we dat hooguit weer ergens in een zwembad kunnen doen. Bovendien kun jij al duiken en dat zou dan zo'n beetje de tiende activiteit op een rij zijn waarin jij beter bent dan ik en ik geloof niet dat mijn kwetsbare ego dat nu kan hebben.'

'Aha!'

'En bij een advertentie van Calvin Klein Underwear dacht ik aan lingerie. Maar ik heb al mijn witte slipjes vorige week samen met een zwarte trui gewassen en nu zijn ze allemaal grijs. Dus dat leek me ook niet...'

'Misschien niet. Hoewel ik pas over een onderzoek heb gelezen waaruit bleek dat de meeste mannen als het erop aankomt bij een vrouw de voorkeur zouden geven aan een mooi wit slipje.'

'Is dat niet mede afhankelijk van het achterwerk dat erin zit?'

'Dat zal wel.'

'Bovendien is het onzin. Weet je nog toen ik bij Marks and Spencer werkte? Ik moest de hele tijd rode nylon beha's en jarretels die mannen als cadeautje hadden gekocht, omruilen tegen comfortabel ondergoed. Even uit belangstelling... hoe denk jij zelf over die kwestie?'

'Zelf houd ik van huid.' Vooral die van jou, dacht hij.

'Handig om te weten.' Tijd om van onderwerp te veranderen, dacht ze. 'Toen heb ik overwogen om je mee te nemen naar de stad voor een hele rit met de Circle Line van de London Underground.'

'O, ja, dat klinkt geweldig.'

'Dan hadden we kunnen praten. Ik wilde zelfs een gevulde mand meenemen voor een metropicknick...'

'Kunnen we niet in het park praten? Het is heerlijk weer.'

'Kun jij een woord bedenken met een U dat met het park te maken heeft?'

Tom aarzelde even. 'B-Uiten!'

'Prima woord.'

'Dit is een waardeloze letter.' Tom stond strijdlustig op het trottoir, zijn handen in zijn zij.

Natalie probeerde koppig te kijken, maar toen ze zag dat hij precies zo keek als meer dan twintig jaar geleden, toen zij langer op zijn skateboard had weten te blijven dan hij de eerste keer, begon ze te bulderen van het lachen. 'Je zou je gezicht moeten zien! Dubbel uggh.'

'Je zult je vreselijk schamen als je hoort wat ik voor de V heb bedacht.'

'Ik wed van niet.' Ze sloeg hem speels tegen zijn billen en liep in de richting van het park. 'Vergeet niet dat jij zelf wilde ruilen. En je krijgt in het park een ijsje van me.'

Hij volgde haar. 'Oké. Maar dan wil ik wel jouw chocolaatje. Dan staan we quitte.'

Ze hadden hun ijsjes op en lagen op hun rug in het gras. Het was heerlijk in de zon.

'Ik ga mijn baan opzeggen.'

'Wat?'

'Ik denk er al over sinds de J. Door jou ben ik het allemaal anders gaan zien. Je had gelijk. Het is een flutbaan en dat heb ik al veel te lang gepikt. Ik wachtte tot er iets zou gebeuren, op mijn werk, buiten mijn werk. Maar er gebeurde niets en nu zit ik daar nog steeds, en dat is laf.'

'Wauw. Waarom juist nu?'

'Een combinatie van diverse factoren. Pap, voor een deel. Zijn infarct gaf me een soort *memento mori*-besef. Het leven is geen repetitie, wel? En ik heb nagedacht... over jou, denk ik. Niet dat je nu verwaand moet worden. Nou ja, misschien een beetje. Je nam een risico, nietwaar? Je geloofde in jezelf. Dat heeft goed uitgepakt.'

Hij richtte zich op een elleboog op. Er kwam plotseling een herinnering in hem op aan hen beiden, vijftien jaar geleden, in de tuin van de kroeg, de eerste keer dat hij haar had gekust. Ze lagen toen precies zo als nu. 'Ik geloof ook in jou, Nat.'

'Dat weet ik.' Ze bracht even haar hand naar zijn wang. Hij wist niet zeker wat die aanraking betekende. 'En dat helpt. Ik geloof niet dat Simon ooit in me heeft geloofd.'

Ze zwegen allebei. Tom ging weer liggen.

'En Mike is net tot een zeer laag Sigourney-Weaver-in-*Working-Girl*-niveau gezakt.'

'Hoe?'

'Weet je nog van mijn idee voor een boekenprogramma, dat ik eeuwen geleden aan hem heb voorgelegd, en waarvoor hij me al maanden afwimpelt met zijn flauwekul van geduld is een schone deugd?'

'Uh-huh.'

'Hij heeft het als zijn eigen idee bij de baas gepresenteerd. Zijn eigen boekenprogramma. Hij zet zich kennelijk af tegen de trend dat boekenprogramma's iets voor vrouwen zijn. Hij maakt een programma voor mannen. Hij gaat kennelijk sport-autobiografieën behandelen, en romans over de man van de eenentwintigste eeuw. De baas vindt hem een genie.'

Tom dacht dat het een heel goed idee was, maar durfde dat nu natuurlijk niet te zeggen.

Natalie keek hem aan. 'Ik weet dat het een goed idee is. Maar hij had toch wel kunnen zeggen dat het eigenlijk mijn idee was? Hij had me wel iets van de eer kunnen geven, maar daar is die klootzak te min voor.'

'Je ziet er schattig uit als je boos bent.'

'Lazer op.'

'Serieus. Ik vind het fantastisch. Heb je je cv al gemaakt?'

'Nee. Dat ga ik nog doen.' Tom grinnikte. 'Echt waar, hoor.'

'Prima. Laat het me even zien voor je het verstuurt. Dan controleer ik het even op typefouten en ongeloofwaardige onwaarheden en maak ik het grafisch een beetje mooier.'

'Ik dacht dat je in me geloofde?'

'Ik geloof dat je briljant bent. Ik geloof dat je een fantastische radio – wat dan ook, baas, presentatrice – zou zijn. Daar heb ik alle vertrouwen in. Ik vind je alleen een beetje zwak met details.'

Hij had gelijk, en dat wist ze. 'Oké,' zei ze, slechts een beetje nukkig. 'Je mag het nakijken.'

Tom glimlachte en sloot zijn ogen.

Vijf minuten later trapte ze zachtjes tegen zijn rechterbeen. 'Slaap je?'

'Nee.'

'Wat dan?'

'Ik denk na.'

'Waarover?'

'Patrick denkt dat Lucy een verhouding heeft met de man van een vriendin van haar.'

Natalie ging rechtop zitten. 'Dat is klote.'

'Inderdaad.'

'Hoe bedoel je, "denkt"?'

'Ik geloof niet dat hij echt bewijs heeft, maar hij is er vrij zeker van.'

'Sodeju.'

'Ik weet het. Ik weet niet wat ik tegen hem moet zeggen.'

'Heeft hij je om advies gevraagd?'

'Dat niet precies, maar ik geloof niet dat hij het iemand anders heeft verteld. Weinig kans dat hij het tegen mam zal zeggen, denk je niet? Ze is er net pas overheen dat hij zijn baan is kwijtgeraakt. Ik wou dat ik hem kon helpen.'

'Ik zou niet weten hoe.'

'Ik ook niet.'

'Heb je met Lucy gepraat?'

'Nee, hij vroeg me om dat niet te doen. Weet je wat hij nog het meest lijkt te zijn, nog meer dan boos of verdrietig?'

'Wat?'

'Vernederd. Beschaamd.'

'Dat is afschuwelijk.'

'Ik weet het. Hij neemt het zichzelf kwalijk. Hij praat over haar alsof hij al die tijd dat ze samen zijn geweest nooit echt goed genoeg is geweest, en alsof hij dat weet. Het is bijna alsof hij heeft zitten wachten tot zij zich dat zou realiseren en bij hem weg zou gaan.'

'Heb jij ooit het idee gehad dat het zo was, tussen hen?'

'Ik geloof niet dat ik daar ooit over na heb gedacht. Ik bedoel, hij is mijn broer, maar we weten echt niet alles van elkaar. Hij ontmoette haar, trouwde met haar, ze kregen Ed... Ik nam gewoon aan dat alles in orde was. Daar ga je toch van uit, of niet dan, tenzij iemand met iets als dit op de proppen komt en je dwingt erover na te denken?'

'Ze hebben wel een moeilijk jaar gehad.'

'Dat weet ik, dat dacht ik eerst ook. Ik bedoel, niet dat het daarmee goed te praten is; het gaat even niet lekker en ze duikt met een ander in bed. Maar het zou het misschien begrijpelijker maken. En het zou op de een of andere manier niet... zo erg zijn als wat hij over zichzelf denkt.'

'Arme Patrick.'

'En arme Lucy.'

'Waarom zeg je dat?'

'Omdat ik dat denk. Het is een grote puinhoop, toch? Dit kan nooit allemaal de schuld van maar één persoon zijn.'

'Ik weet er niet veel van. Simon was niet volmaakt, maar ik geloof niet dat hij me ooit bedrogen heeft. Mam en pap. Bridget en Karl. Zelfs de twee lieverds. Ik stam van een lange lijn van verschrikkelijk monogame voorouders. Ik kan me niet voorstellen dat ik zou vreemdgaan. Al die leugens, dat bedrog. Hoe kun je 's nachts dan nog slapen? Hoe kan het de moeite waard zijn als je hebt wat Lucy heeft?'

'Tenzij je dat niet meer wilt?'

*Natalie en Lucy*

Natalie drukte op de bel en wachtte tot Lucy opendeed. Tom mocht dan kunnen wegblijven, maar zij had niemand iets beloofd.

Ze was hier vaak geweest – ook de avond voor het huwelijk van Lucy en Patrick. Ze hadden Chinees gegeten, een fles wijn gedronken en hun handen gemanicuurd. Toen ze later die avond aangeschoten waren door de wijn, had Lucy haar handen gevouwen en haar gesmeekt met Tom te trouwen. 'Dan zouden we schoonzussen zijn. Dat lijkt me geweldig. Dan kunnen we samenspannen tegen die vreselijke moeder van hen!' Natalie was toen natuurlijk nog met Simon samen geweest. Later was ze met heliumballonnen langsgegaan om de geboorte van Ed te vieren. Ze was er geweest voor lunch, diner en een borrel, voor roddels en lol.

Lucy zag er afgepeigerd uit onder haar bruine kleurtje. Ze droeg een spijkerbroek en een T-shirt en was afgevallen, zag Natalie.

Lucy zette thee en ze gingen ermee op het terras zitten.

'Bedrieg je Patrick?' vroeg Natalie met bonkend hart.

Lucy keek haar recht aan. 'Ja.'

Natalie ademde langzaam uit en wachtte.
'Weet hij het?' vroeg Lucy.
'Hij heeft tegen Tom gezegd dat hij het vermoedt.'
'O, god.'
'Waar ben je mee bezig, Lucy?'
'Ik ben alles aan het verkloten.'
'Wil je erover praten?'
'Dolgraag. Wil jij luisteren?'
'Ik ben hier toch?'
Lucy zag eruit alsof ze behoefte had aan een knuffel, maar daar was Natalie nog niet toe bereid. 'Weet verder nog iemand het?'
Lucy schudde haar hoofd. 'Volgens mij niet. Ik heb het niemand verteld. De enige die ik het verteld zou hebben is mijn beste vriendin, maar zelfs dat kan niet, want zij is zijn vrouw. Ik had niet verwacht dat hij het iemand zou vertellen. Hij is een man.'
'Verdorie, Lucy.'
'Ik weet het.' Lucy trok blaadjes van een rode geranium in een terracotta pot en liet ze een voor een op de grond dwarrelen.
'Denkt hij dat het komt doordat hij zijn baan is kwijtgeraakt?'
'Daar komt het niet door. Het is al jaren gaande.' De afkeer moest op Natalies gezicht te zien zijn geweest. 'Niet de verhouding. Dat duurt pas een paar maanden. Ik bedoel het gevoel, dat wat er tussen ons in staat. Dat is al zo zolang ik hem ken.'
'Verwacht je een complimentje omdat je de verleiding zo lang hebt weerstaan?' Het klonk harder dan Natalie het bedoeld had.
'Ik verwacht helemaal niets, Natalie. Ik praat alleen maar met je. Jij bent dit gesprek begonnen.' Ze had haar stem krachtig willen laten klinken, maar ze hoorden allebei het lichte beven dat erin doorklonk. 'Wat er de afgelopen maanden met Patrick is gebeurd heeft er volgens mij niets mee te

maken. Niet echt. Dit tussen Alec en mij is een heel apart verhaal, met zijn eigen momentum. Het is slechte timing.'

Natalie snoof. 'Slechte timing!'

'Ik bedoel het niet zoals het klinkt. Ik weet verdomme niet wat ik bedoel.'

'Weet je wel hoe je je voelt?'

'Als een meisje, als ik bij hem ben. Als een begerenswaardig, vrij, opgetogen meisje. De rest van de tijd, elke seconde van elke dag dat ik niet bij hem ben, voel ik me een vreselijk kreng.'

'Weet je wat je wilt?'

'Nee. Ja. Ik wil bij hem zijn. Maar zo simpel is het niet, hè?'

'Niet?'

'Natuurlijk niet, verdomme. Ik hou van Patrick. We hebben een leven samen. We hebben kinderen. Voordat er iets tussen Alec en mij opgebouwd zou kunnen worden, zouden eerst de afgelopen tig jaar moeten worden afgebroken. En hoe kan ik Patrick dat aandoen? Of Bella en Ed? En...' haar stem brak '... ik weet niet eens of dat is wat Alec wil.'

'Maar als hij het zou willen, zou je het dan doen?'

'Luister je dan helemaal niet, Natalie? Ik weet het niet. Ik weet het niet.' Lucy huilde nu. 'Het spijt me. Het spijt me zo ontzettend dat dit gebeurd is. Niemand zal ooit weten hoezeer het me spijt.'

'Wat kan ik doen?'

Lucy snoot haar neus en depte haar ogen met een tissue. Ze stak haar hand uit over de tafel heen en Natalie legde de hare erin. Even bleven ze zo zwijgend zitten. Toen glimlachte Lucy. 'Je kunt zorgen dat jij het goed doet, of het nu met Tom is of niet. Overtuig je ervan dat je van hem houdt, wie het ook is, en wel zo veel, zo oprecht, dat er geen kieren en spleten in je hart zitten waar iemand anders door naar binnen zou kunnen glippen. Werk er elke dag hard aan om het zo te houden. Bid elke avond tot God dat hij het niet laat gebeuren. Zorg dat je het goed doet, Natalie.'

# Juni

*Lucy*

'Alec, laat dat!'

Hij had zijn handen onder haar rok gestoken en liet ze naar boven glijden. Ze stonden achter zijn auto. Er stonden mensen op vijf meter afstand. Ze kon hen horen overleggen waar ze de parasols neer zouden zetten. Het was de jaarlijkse zomerbarbecue van school. Patrick was ijs halen om dat over te doen in grote zwarte prullenbakken, en Marianne was in de schoolkeuken bezig gemarineerde stukjes vlees op prikkers te rijgen.

'Ik kan het niet laten.'

Ze sloeg zijn handen weg. 'Je zult wel moeten. Het is niet veilig. Er zijn overal mensen.'

'Ga dan met me mee, ergens heen.'

'We kunnen niet zomaar weggaan, Alec. We worden geacht hier te helpen. Marianne is daar binnen, Patrick kan elk moment terug zijn, en de kinderen hangen ergens de beest uit. Ze zullen ons missen.'

'Ik mis je. Ik wil je, Lucy.'

Ze voelde zich duizelig van verlangen.

'Kom naar me toe in het bos. Vijf minuten. Kom, Lucy. Alsjeblieft.'

Ze gaf hem geen antwoord.

Maar ze ging wel. Zoals altijd wanneer Alec zei dat hij haar wilde, verlangde ze hevig naar hem.

Het was er heel stil, veel koeler en donker. Hier deden hun kinderen hun natuurprojecten, verzamelden ze blaadjes en insecten. Het rook vochtig en ze hoorde elk twijgje onder haar voeten knappen terwijl ze snel naar de plek liep waarvan ze wist dat ze door de anderen niet gezien en gehoord konden worden.

Alec dook zo plotseling op dat ze naar adem hapte van de schrik. Hij trok haar achter een dikke boom en duwde haar ertegenaan, zijn mond op de hare, zijn tong zoekend naar die van haar. Hij trok in bijna één ruwe beweging haar katoenen jurk omhoog en haar slipje opzij, tilde haar op en was al in haar. 'Jezus.'

De bast deed een beetje zeer aan haar rug. 'Wat doen we hier, Alec?'

Hij luisterde echter niet, en al snel kon het haar niets meer schelen. Hij hield een hand onder haar billen en gebruikte de andere om haar knoopjes open te maken en haar beha omhoog te trekken zodat hij haar borsten kon zien en kussen. Dit was heerlijk. Ze voelde zich wulps en buiten zichzelf. Hij hoefde haar nauwelijks aan te raken om haar te laten klaarkomen. Zo was ze nooit geweest. Soms was alleen aan hem denken al genoeg om te zorgen dat ze het uitgilde zodra zijn vingers, tong of mond haar beroerden. En hoe vaker ze samen waren, hoe meer dat het geval was.

Ze was een paar weken geleden in haar slaap klaargekomen. Ook dat was nooit eerder gebeurd. Ze was bevend en kreunend aan de rand van het bed wakker geworden, de deken van zich afgegooid, het laken klam en verkreukeld. Ze had geweten dat Patrick wakker was en even, voordat ze helemaal wakker was, had ze haar hand naar hem uitgestoken, verlangend naar meer. Hij was echter niet hard geweest en hoewel ze hem gestreeld had, had hij zachtjes haar hand weggeduwd en zich op zijn zij gedraaid.

Alec was altijd hard, zodra hij bij haar was. Ze voelde zich weer een tiener tijdens een schooldisco als ze hem tegen haar dijbeen voelde drukken wanneer hij haar vluchtig omhelsde en gedag zei. Ze voelde zich daardoor ongelooflijk aantrekkelijk. Ze zag zelfs haar eigen lichaam anders. Ze bleef na het douchen wat langer naakt voor de spiegel staan om naar het lichaam te kijken dat hij vereerde. Alle zenuwuiteinden lagen dichter aan het oppervlak en ze dacht voortdurend aan zijn aanrakingen. Patrick had een paar dagen geleden gezien dat ze naar zichzelf stond te kijken. Ze dacht dat hij Ed aan het voorlezen was, maar toen ze zich omdraaide, stond hij in de deuropening.

'Je bent een mooie vrouw, Luce, nog mooier dan toen ik je leerde kennen.'

Ze kon zijn blik niet doorgronden en ze had haar badjas gepakt en die stevig om haar middel dichtgeknoopt. Als ze mooier was, dan kwam dat door Alec en het leek niet eerlijk, tegenover geen van hen beiden, dat Patrick dat dan zou zien.

Nu, in het bos, dacht ze zoals zo vaak bij het klaarkomen aan de magnesiumvlam van Marianne, en ze klampte zich aan Alec vast. Ze bleven nog even zo staan en hij fluisterde dat ze zo mooi en zo sexy was. Toen liet hij haar los en stapte achteruit. Ze voelde zijn vocht langs haar dijbeen druppelen. Ze keken elkaar in de ogen, maar vanuit haar ooghoek zag ze dat hij hem weer in zijn broek stopte en die dichtmaakte terwijl zij haar beha op z'n plaats bracht en haar knoopjes dichtdeed.

Alec lachte, kuste haar en draaide haar toen even rond. 'Dank je, Lucy. Dank je.'

Ze vond het maar vreemd dat hij dat zei.

# De V van Vegas

Het was bizar. Ze waren net over de landingsbaan getaxied en in de afgelopen minuut had ze de Sfinx, een piramide, het Vrijheidsbeeld en een sprookjeskasteel gezien.

'Gaan we in een daarvan logeren?'

'Ik heb het je al gezegd, dat is een verrassing.'

Voor het luchthavengebouw stond een lange witte limousine op hen te wachten. Tom haalde zijn Ray-Ban zonnebril uit zijn borstzak en zette die op. 'O, ja!'

'Is die voor ons?'

'Reken maar. Dat is hier dé manier om je te verplaatsen. En je moet huilen met de wolven in het bos.'

Tien minuten later waren ze gearriveerd. 'Het Bellagio: "Het meest stijlvolle en exclusieve hotel en casino van de stad. Groot en vorstelijk als het is, verleent het zijn re-interpretatie van een Italiaanse stad een eigenschap die de meeste van zijn concurrenten ontberen, elegantie." Dit wordt geweldig.' Natalie had het reisgidsje gekocht op Gatwick en er bijna alle elf uren van de vlucht overheen gebogen gezeten, maar Tom had haar nu pas onthuld waar ze zouden overnachten.

Het hotel was adembenemend. De ontvangstruimte was gigantisch groot, met een reusachtig, met spiegels en juwelen getooid paard in het midden en een plafond van geblazen glazen bloemen in heldere kleuren. Recht vooruit zagen ze het grote glazen atrium met een botanische tuin en rechts van hen het casino. Er liepen mensen rond, sommigen in avondkleding, anderen in trainingspak. Natalie zag fruitmachines staan en daar voorbij speeltafels bemand door croupiers in rood vestje met strikdasje. 'Wauw.'

Tom glimlachte en zij glimlachte terug. 'Veel mooier dan Parijs!'

Ze werden naar een rij liften geleid en vandaar naar hun slaapkamer. Natalie keek toe terwijl Tom een paar dollarbriefjes van de bundel in zijn binnenzak pelde en die aan de piccolo gaf. Hij leek heel erg op zijn plaats in Las Vegas.

Tot haar verbazing voelde ze een mengeling van opluchting en teleurstelling toen ze zag dat er twee tweepersoonsbedden waren. Er was hier dus geen scène te verwachten. 'Tom,' riep ze, 'kom eens kijken hoe groot het bad is!'

'Nee, kom jij hier maar kijken; ze zetten de fonteinen aan.'

Natalie haastte zich naar het raam en ze zagen de vijver voor het hotel tot leven komen. 'Dat gebeurt om het kwartier, zowat dag en nacht,' meldde ze. 'Zonder duidelijke reden.'

Ze zag eruit als een kind, opgewonden en met opengesperde ogen, dacht Tom. 'Je gaat hier van genieten, hè?'

'Ik ga hier waanzinnig van genieten.' Haar ogen straalden. 'Bedankt dat je me hebt meegenomen, Tom.'

Was er een geschikt moment? In de omhelzing die daarop volgde?

'Niet te geloven dat we dit doen!' Natalie hield Toms hand stevig vast; met de andere klampte ze zich vast aan de hoofdsteun van de stoel voor haar. De helikopter helde scherp over en maakte een tweede rondje boven de Hooverdam.

'Alles goed?' vroeg Tom.

'Denk het wel,' antwoordde ze. Ze had geen idee hoe ze bij de dam waren gekomen – ze had haar ogen stijf dicht gehouden sinds de helikopter was opgestegen van de luchthaven. Ze had in paniek in Toms dijbeen geknepen. Veertig minuten zeiden ze dat het zou duren. Ze wist niet zeker of ze het zou volhouden.

Maar, wauw, die dam was echt schitterend. Toen ze er een

minuut of wat naar had gekeken, ontdekte Natalie dat ze helemaal niet meer zo bang was. Ze liet Toms hand los. Zijn vingers waren wit waar ze hem had geknepen. Tom wreef over zijn bevrijde hand om de doorbloeding weer op gang te brengen en bood haar die toen weer aan, maar Natalie – die nog wel de hoofdsteun vasthield – wuifde het aanbod weg. Dit was eigenlijk best oké. Ze gingen waarschijnlijk toch niet dood. De tien minuten die volgden waren ze beiden verdiept in het ruige landschap waar de helikopter overheen vloog. Toen viel de wereld plotseling letterlijk onder hen weg en vloog de helikopter door de Grand Canyon. Ze volgden de loop van een rivier en landden eindelijk op een vrije plek met een grove houten schuilhut. Natalie bukte heel diep om uit te stappen en Tom moest lachen. 'Lach me niet uit!'

'Kunnen we niet samen lachen?'

Ze giechelde – ze voelde opluchting dat ze het had overleefd vermengd met het besef van hoe dwaas het eruit moest zien dat ze uit een stilstaande helikopter kroop. 'Je kunt niet voorzichtig genoeg zijn!' pareerde ze.

'Nou, volgens mij wel!'

Er was een 'champagnepicknick' bij de vlucht inbegrepen: ze kregen een klein mandje met een plastic glas, een zakje Doritos en een twijfelachtig broodje met ham en salade. Natalie besloot dat eten waarschijnlijk niet zo'n goed idee was, omdat ze het ravijn weer uit zouden gaan via dezelfde weg als ze erin waren gekomen, maar de champagne dronk ze wel snel op, met haar rug naar de anderen toe.

'De piloot zegt dat die klif daar,' wees Tom haar aan, 'meer dan twaalfhonderd meter hoog is. En dat is nog maar het begin. Twaalfhonderd meter! Dat kun je je haast niet voorstellen, hè? Als je bedenkt dat wij met dat abseilen ruim dertig hebben gedaan, dan is dat... wat? Veertig keer zo hoog. Maar je zou er dolgraag vanaf gaan, is het niet?'

'Ja. Dat is echt iets voor mij!' Natalie hield haar hand boven haar ogen en keek naar boven – de top leek ongelooflijk hoog. De A van Abseilen. Ze waren een heel eind verder dan toen. Twintig en nog wat letters. Bijna zes maanden. Ze was dat hele alfabetspel bijna vergeten. De andere passagiers wandelden wat rond en de piloot haalde de lege champagneglazen op. Tom en Natalie liepen naar de rand van het picknickterrein.

'Zoiets bijzonders heb je nog nooit gezien, hè?'

'Zeer zeker niet.'

'We zijn betekenisloos, nietwaar? Onbeduidend. Oneindig nietig. We zijn niets.'

Ze gaf hem een duwtje tegen zijn arm. 'Spreek voor jezelf.'

'Je weet wel wat ik bedoel. Alles waar we ons de hele tijd druk over maken, is pure onzin.'

'Niet voor ons. Dat kun je niet zeggen.'

'Nee, natuurlijk niet voor ons. Maar ik vermoed dat als je iedereen hierheen vloog en hier beneden afzette, ze zouden inzien dat het allemaal helemaal niet zo belangrijk is. Ik wed dat ze na terugkeer anders zouden gaan leven.' Hij dacht aan Patrick en Lucy.

Natalie dacht aan haar moeder, en haar arme vader. 'Ga jij anders leven als we terug zijn?'

'Een beetje.' Hij knikte langzaam.

Natalie kon haar blik niet van een krul bij zijn oor afwenden. Zijn profiel was haar ontzettend vertrouwd. De zon scheen warm op haar rug. Ze schoof haar zonnebril omhoog, pakte zijn hand vast en drukte er een kus op.

Tom wendde zich naar haar. Zijn gezicht was heel dicht bij het hare en plotseling kuste ze hem licht en snel op zijn mond.

De piloot stond naar hen te kijken. Hij was 1782 keer de canyon in gevlogen. De 958e keer had hij zijn vriendin meegenomen en haar gevraagd met hem te trouwen. Het was een mooie plek voor dat soort dingen. Hij glimlachte en gaf hen nog een paar minuten extra.

'Wat was dat nou?'

'Ik weet het niet.'

Tom kuste haar terug, stond toen op en trok haar overeind. 'Kom mee.'

Weer in de helikopter pakte Natalie Toms had vast.

'Nog steeds bang?'

'Nee,' antwoordde ze met een vage glimlach.

Was de Grand Canyon een wonder der natuur, het Venetian was er een dat door de mens was gemaakt. Het was een van de gigantische hotels aan de Strip en Natalie had de chauffeur gevraagd hen daar af te zetten nadat hun vlucht was geland. Volgens het reisgidsje mocht je dat niet missen, zei ze. Voor Tom had het niet gehoeven. Het was heet en het zwembad van het Bellagio lokte hem. Daar was tenminste airconditioning.

'Wie verzint zoiets nou?'

'Ik heb het in het reisgidsje gelezen. Heeft een of andere kerel het niet voor zijn vrouw gebouwd, zodat ze door de kanalen van Venetië konden varen zonder naar Italië te hoeven? Dat is toch geniaal?'

'Tot op zekere hoogte, misschien. Maar dachten ze nou echt dat Venetië er zo uitzag?'

'Min of meer. Het is een beetje Venetië volgens Disney, nietwaar?'

Het was lunchtijd in de echte wereld – als je de Las Vegas Strip met zijn rollende trottoirs en witte tijgers tenminste echt kon noemen – maar hierbinnen, op St Marks Square, was het schemerig. Gemaskerde en kleurige carnavaleske straatkunstenaars jongleerden en goochelden voor voorbijgangers, en ijskarretjes serveerden 'authentiek' Italiaanse *gelato*. Aan de ene kant was een winkelcentrum. 'Ik herinner me niet dat er een Jimmy Choo op het echte plein was.' En midden door het centrum liep een 'kanaal' met onwaarschijnlijk blauw water, waar op accu's lopende gondels doorheen voeren. Op elk daarvan stond een gondelier die, uiteraard, theatraal 'O Sole Mio' en 'Santa Lucia' zong, zonder dat het voorbijlopend publiek er aandacht aan schonk.

'Wat vreselijk! Het is een steriel Venetië. Ze hebben alle charme weggehaald. Het is te volmaakt.'

'Maar ze hebben ook de stank weggehaald, niet?' Natalie was alleen ooit tijdens een heel hete julimaand in Venetië geweest tijdens een schoolreis toen ze een jaar of vijftien was, en ze herinnerde zich – als een typische vijftienjarige – de stank beter dan de Brug der Zuchten.

'Je bent een cultuurbarbaar.' Tom had er een week doorgebracht tijdens de zomer waarin hij door Europa trok en had de vervallen, sjofele schoonheid erg mooi gevonden.

'Wil dat zeggen dat je me niet mee in een gondel neemt?'

'Wil je dat echt?'

'Dat wil ik echt. We mochten dat niet in de derde klas. Meneer Briggs was bang dat we zouden gaan schommelen en erin vallen. Bovendien kostte het een fortuin.'

'En hier is het vast en zeker een koopje.'

'Vergeet ook maar, het doet er niet toe.'

Tom trok haar aan haar arm mee. 'Niet zo mokken. Natuurlijk mag je mee in de gondel. Maar alleen op voorwaarde dat je ooit een keer met me naar het echte Venetië gaat, zodat ik je kan laten zien dat dat veel mooier is.'

'Dat wil ik best met je afspreken.' Natalie grijnsde naar hem.

Het was natuurlijk belachelijk duur. Het stel voor hen in de rij had alleen willen gaan, maar had niet genoeg betaald voor die exclusieve dienst en moest dus met lede ogen toezien dat Tom en Natalie ook instapten, geholpen door hun Japanse gondelier, die niet meer dan een meter twintig lang was.

'Maar goed dat ze alleen maar een pedaal hoeft in te duwen,' fluisterde Tom.

'Sst!'

Het welkom-in-Venetië-toneelstukje begon. Tom schudde ongelovig zijn hoofd en leunde achterover.

Tegenover hen begon het jonge stel te zoenen. Tom mompelde afkeurend als een onderwijzer. Natalie keek hem boos aan en toonde grote interesse in de winkels op de oever van het kanaal. Het was echter bijna onmogelijk om niet te staren – ze zaten maar een halve meter bij hen vandaan en waren nauwelijks hun tienertijd voorbij. De jongen hield het gezicht van zijn vriendin tussen zijn handen en zij hing aan zijn nek alsof haar leven ervan afhing. Natalie voelde zich plotseling oud. Ze gingen volledig in elkaar op en zagen of hoorden niets of niemand anders.

Halverwege brak de jongen de zoen af en viel op zijn knieën op de bodem van de gondel, die onheilspellend schommelde. Tom keek naar de gondelier en verwachtte een vermaning, maar het vrouwtje glimlachte gelukzalig. Toen hij weer naar de jongen keek, zat die in de eeuwenoude houding en haalde hij een ringendoosje uit zijn spijkerjack.

'Het is toch niet waar, zeker!' mompelde Tom. Natalie gaf hem heimelijk een mep.

'Jennifer, wil je met me trouwen?' Hij sprak met de lijzige klanken van een zuiderling en Natalie had even het idee dat ze op de set van *Jerry Springer* zat.

Maar Jennifer klapte verrukt in haar handen en kreeg tranen in haar ogen. 'Ja, dat wil ik. Ja.'

Opnieuw schommelde de gondel even, toen zat hij weer naast haar en omhelsde haar. Daarna stak hij zijn vuist in de lucht en riep: 'Ze zei ja!'

Enthousiast applaus op de kanaaloevers, en de gondelier begon weer te zingen. Toen Natalie Tom aankeek, had zij ook tranen in haar ogen.

'Het is niet te geloven! Je huilt!'

'Dat was prachtig!'

'Ik ben de enige in Las Vegas die nog bij zijn verstand is.'

'Je bent een spelbreker. Je hebt geen greintje romantiek in je lijf.'

'Dat heb ik wel degelijk.'

'Sst.' Natalie boog voorover en kuste en feliciteerde het jonge stel.

De jongen boog ook voorover en schudde Toms hand. 'Leuk om kennis met jullie te maken. Brad en Jen. Het is toch niet te geloven, hè? Zoals Pitt en Aniston. Alleen heten wij Stuckey en Jones. Binnenkort allebei Stuckey.' Jen Jones klampte zich aan Brads arm vast.

Tom sloeg zijn arm om Natalie heen. Ze verborg haar gezicht in zijn nek. 'Zoals Pitt en Aniston! Het is toch niet te geloven?'

# De W van Weer een trouwpartij

'Ha!' Natalie gaf Tom een por.

Hij porde terug. 'Wat, ha?'

'De W van Weer een trouwpartij. Mijn beurt. De W.' Ze blies over haar nagels heen en wreef ermee over haar revers. 'Nou jij weer, Tom.'

'Opnieuw een simpele optie zonder enige noodzaak tot planning vooraf. Volgens mij neem je dit lang niet zo serieus als ik.'

'Sst! Een beetje respect voor Elvis!'

Vooraan in de kapel werd 'Love me tender' toegetakeld door een Elvis in zijn vadsige, pafferige fase, terwijl Brad en Jen van hem naar elkaar keken als nieuwe rekruten voor de Moonies.

'Bridge en Suze zouden dit schitterend vinden!'

'Duurt het nog veel langer? Ik dacht dat dit zo snel ging?'

'Ach, hou op met zeuren. Vind je dit niet prachtig?'

'Nee. Die twee zijn verdorie helemaal van de wereld en deze plek is volkomen smakeloos. Er is in de verste verte niets prachtigs aan, en ik kan er trouwens met mijn verstand niet bij waarom je hiermee hebt ingestemd.'

Natalie keek gekwetst. 'Het spijt me. Ik wist niet dat je het zo verschrikkelijk vond.'

Tom bond een beetje in. 'Ik vind het helemaal niet zo verschrikkelijk. Maar dit is onze laatste avond. Ik had gedacht dat wij samen misschien iets anders zouden doen dan hier vastzitten.'

Natalie trok vragend een wenkbrauw op. 'Nee,' voegde hij eraan toe. 'Dát niet.' Even stilte. 'Niet noodzakelijkerwijs.'

'We gaan zodra het afgelopen is, oké?'

'Oké.'

Brad en Jen wilden dat ze met hen naar een steakhouse gingen om het te vieren. 'Jullie waren erbij toen het begon, dus het lijkt ons leuk als jullie de avond met ons doorbrengen.' Natalie verdiende een Oscar voor de manier waarop ze hen ervan overtuigde dat pasgehuwden de eerste avond van hun gehuwde leven samen hoorden door te brengen.

'Belemmer ik je in je doen en laten?' vroeg Tom toen ze het paar nawuifden.

'Niet meer dan gewoonlijk,' grapte ze. Toen sloeg ze een arm om zijn middel. 'Bovendien wil ik ook de avond met jou samen doorbrengen.'

Ze vonden een bar waar het variété de hele avond doorging en bestelden iets te drinken. Het was er te luidruchtig om te kunnen praten en een tijdlang zaten ze gewoon maar naar de mensen te kijken. Die waren er in alle soorten: gezinnen met baby's in een buggy, met siliconen opgepompte, op geld beluste meiden in dure couture-trainingspakken, die van drankjes met parapluutjes erin nipten en er heel beschikbaar uitzagen, wezenloos kijkende croupiers, serveersters in korte rokjes en oude vrouwen met een sigaret in de ene hand en een emmer kwartjes in de andere. Het waren echter de patsers die Natalie fascineerden. Ze hadden een entourage en er verzamelden zich steeds mensen om hen heen, maar wanneer ze hadden gewonnen, vertrokken ze snel. Ze dronken niet en rookten niet, staarden alleen maar naar de tafels en speelden met fiches van duizend dollar. Ze vond hen aantrekkelijk en afstotelijk tegelijk en kon het niet laten te kijken.

Tom kon het niet laten naar haar te kijken. Zij voelde het toch zeker ook wel? Het werkte gewoon, tussen hen tweeën. Ze was fantastisch. Haar gezicht was zó geanimeerd. De heldere ogen namen alles op.

'Denk je dat we het deze keer goed hebben?'

'Wat bedoel je?'

'Nou, de vorige keer, met de H, waren we te dronken om onze relatie te voltrekken, niet dan? Nu zijn we misschien net dronken genoeg.'

'Charmant. Moet je dronken zijn om me aantrekkelijk te vinden?'

'Dat is het niet. Je bent aantrekkelijk, zonder twijfel. Je bent erg aantrekkelijk. Zelfs met mijn lodderige ogen...' Natalie giechelde. 'Het is alleen zo... raar... dat is alles.'

'Raar?'

'Je weet best wat ik bedoel. Dat is het struikelblok, is het niet? Het kernpunt.' Ze hield haar handen omhoog als een weegschaal. 'Dat kan pas echt aantonen of we zijn opgehouden te denken als maatjes, of misschien zelfs broer en zus? En beginnen te denken... je weet wel, wroarrr!'

De Mojito's hadden Tom moedig gemaakt. Hij trok Natalie tegen zich aan, niet echt zachtzinnig. 'Laten we over één ding duidelijk zijn, Nat. Ik ben niet je broer, dat ben ik nooit geweest. En op het moment voel ik me ook bepaald niet je maatje. En nu je er toch over begint, ik denk heel erg wroarrr.'

Ze week iets achteruit. 'Laten we dansen.'

Tom trok haar weer tegen zich aan. 'Ik dans al.' Hij begon langzaam te bewegen, zijn handen laag op haar onderrug.

'Er is geen muziek.' Maar ze maakte zich niet van hem los.

Tom kuste haar en het was geen vriendschappelijke kus.

Deze keer week Natalie wel iets terug, haar ogen wijd open van verbazing. Ze stonden stil. Tom had het gevoel op het randje te staan. Zijn hart ging tekeer. Toen ze haar mond opendeed, zei ze maar één woord, zo zacht dat Tom voorover moest buigen om het te horen: 'Wroarrr.'

De jonge mannen die een weekendje zonder hun vriendinnetjes op stap waren, konden zien dat er iets broeide tussen Tom en Natalie. Ze floten en een van hen riep: 'Neem een kamer.' Een advies dat ze graag opvolgden. Het oudere echtpaar in de lift op weg naar de vijftiende verdieping dat luid praatte over hun eten en probeerde niet te staren (zij afkeurend, hij met iets van afgunst en spijt) twijfelde er niet aan dat er iets broeide. En het kamermeisje, vermoeid van uren van bedden openslaan en chocolaatjes op de kussens leggen, zag het ook. Let wel, ze zag van alles.

En achter de deur, vijftien verdiepingen hoog, wachtte een van hen misschien af of ze de slappe lach zouden krijgen, of de moed verloren, of dat er iets zou gebeuren wat hen eraan herinnerde wie ze waren en waarom dit niet kon. Maar dat gebeurde niet.

Het enige echt grappige dat er gebeurde was dat de enorme fontein in de vijver voor het Bellagio in een luidruchtige, explosieve *son et lumière* -show uitbarstte precies op het moment dat...

Maar dat was bij de derde keer, uren later.

En toen ze wakker werd en haar hoofd ophief om zich ervan te vergewissen dat ze was waar ze dacht dat ze was, en dat de kamer niet draaide, gaven de rode digitale cijfers aan dat het half vier in de ochtend was. 'Gefeliciteerd met je verjaardag, Tom.'

'Mmm.' Hij antwoordde niet, tenzij dat meetelde, en deed evenmin zijn ogen open, maar hij trok haar dichter tegen zich aan. Ze viel weer in slaap met zijn warme adem tegen de zijkant van haar nek.

*Lucy*

De bel ging tegelijk met de telefoon. Lucy liep naar de deur – degene die belde, kon een bericht inspreken.

Het was Marianne.

Marianne had nog nooit iemand in het gezicht geslagen en Lucy was nog nooit geslagen, dus was het een onbeholpen, onbevredigende klap, maar hard genoeg om drie rode striemen op Lucy's gezicht achter te laten.

Ze bleven allebei geschokt op de drempel staan. Drie deuren verder keek een buurvrouw vanachter haar rozenstruik toe.

Marianne sprak als eerste. 'Het spijt me. Ik had je niet moeten slaan.'

'Jawel.'

Ze bleven nog steeds staan.

'Wil je binnenkomen?'

Mariannes gezicht vertrok en ze leek in elkaar te zakken. 'Ik weet het niet.'

Lucy trok haar het huis binnen en deed de deur achter hen dicht. 'Het spijt me.' Het was jammerlijk ontoereikend. Lucy voelde zich misselijk.

'Het spijt je dat je het hebt gedaan of dat je betrapt bent?'

'Allebei. We wilden geen van beiden...'

Marianne kneep haar ogen tot spleetjes. 'Zeg niet "we".'

'Sorry.'

'Nee, het spijt mij.' Er lag nu iets sarcastisch in Mariannes stem. 'Het spijt me dat ik je onderbroken heb. Je wilde me vertellen, laat me eens raden, dat je niemand wilde kwetsen. Dat het niet de bedoeling was dat ik erachter zou komen. Of niet soms? Dat weet ik omdat Patrick dat ook al tegen me heeft gezegd.'

Lucy wist niets te zeggen.

'Wat bezielde je in godsnaam, Lucy? Ik bedoel, waar ben je in godsnaam mee bezig?'

Ze kon niets uitbrengen.

'We zijn vriendinnen, jij en ik. We zijn vriendinnen, Lucy. En hij is mijn man. Mijn echtgenoot.' Ze ging zachter praten. 'En ik hou van hem.'

'Dat weet ik.'

'En jij?'

'Wat, ik?'

'Hou jij van hem, Lucy? Hou je van hem?'

'Ja.' Ze had het tot dat moment niet geweten. 'Ja, ik hou van hem.'

'Nou, dat mag ik verdomme hopen. Het zou verdomd stom zijn om ons dit allemaal aan te doen voor gewoon een nummertje.' Ze keek Lucy strak aan. 'Houdt hij ook van jou?'

'Ik... ik weet het niet.'

Marianne lachte bitter. 'Tja, hij is tegenover mij ook nooit erg goed geweest in het uiten van zijn gevoelens.'

Ze wisten allebei dat dat niet waar was.

'Feitelijk weet ik wel het antwoord op de vraag-voor-vijftig-miljoen-dollar. Ik heb hem die vraag namelijk gesteld. Het leek een voor de hand liggende vraag om te stellen aan de echtgenoot van wie je net hebt ontdekt dat hij met je beste vriendin naar bed gaat.'

De vraag bleef tussen hen in hangen.

Marianne liep de huiskamer binnen en liet zich op een leunstoel neervallen. 'Die arme klootzak houdt van ons allebei.'

Het leek gepast om thee te zetten.

Marianne dronk de hare zwijgend op en staarde in de verte. 'Wat zijn we toch beschaafd, hè?' Ze schonk Lucy een naargeestige glimlach.

'Het verbaast me eerlijk gezegd dat je het kunt verdragen om met mij in dezelfde kamer te zitten.'

'Je bent mijn beste vriendin.'

'Niet doen, Marianne.'

'Met wie zou ik anders willen praten als ik zoiets ontdekte?'

Lucy keek naar de vloer.

'Dat is geloof ik nog bijna het ergste van alles. Ik vraag me af of het voor jou ook zo is geweest; dat je wilde praten over wat er gaande was, maar dat niet kon omdat je minnaar mijn echtgenoot was? Ik weet trouwens niet hoe lang al. Dat heb ik hem niet gevraagd.'

'Het begon rond de tijd van Bella's verjaardagsfeestje.'

'Ik zei niet dat ik het wilde weten.'

'Sorry.'

'Niet zo lang, dus. Niet dat het iets uitmaakt, geloof ik. Ik weet het niet.' Ze schudde haar hoofd. 'Ik kan niet geloven dat ik dit gesprek met je voer, Lucy. Hoe vaak?'

'Niet zo vaak.'

'Hoe vaak? Eén keer, vijf, tien?'

'Een stuk of tien.'

'In mijn bed?'

'Nooit.'

'In dat van jou en Patrick?'

'Nee.'

'Waar dan? Afgezien van het bos.' Lucy's ogen gingen wijd open van verbazing. 'Ik zag jullie eruit komen. Zo voorzichtig, vijf minuten na elkaar. Het was zo verdomd duidelijk, Lucy.'

'Marianne...'

'Vertel het me alsjeblieft, Lucy. Ik wil dat je het me vertelt. Waar?'

'In de stad, in iemands flat. Buiten. In de auto.'

Mariannes lach klonk hol. 'In de auto. Hemeltje! Wat uitbundig. Lorna en Sasha zouden trots op jullie zijn.'

'Niet doen.'

'Weet verder nog iemand het?'

'Ik denk het niet. We zijn altijd heel voorzichtig geweest.'

'Wat goed van jullie.'

'Het spijt me zo, Marianne.'

'Dat is niet afdoende, vind je wel? Het spijt je.'

'Maar het is wel zo.'

Marianne keek haar heel strak en indringend aan. 'Haat je jezelf hierom?'

'Ik haat het dat ik jou pijn doe.'

'Maar je haat jezelf niet?'

'Ik kon er niets aan doen, Marianne.'

Marianne stond op. 'Natuurlijk kon je dat wel, verdomme, stomme teef. Je bent een volwassen vrouw. Je had ervoor weg kunnen lopen. Je had er voor weg móéten lopen. Waag het niet om tegen me te zeggen dat je er niets aan kon doen. Dat is gelul, Lucy, dat weet je.'

'Het spijt me.' Wat kon ze anders zeggen? 'Ga je het tegen Patrick zeggen?'

'Nee. Die arme dwaas. Dat laat ik aan jou over. Je hebt alles verpest, Lucy. Je hebt alles kapotgemaakt. Voor ons allemaal. Het is voorbij.' Haar schouders zakten naar beneden toen haar woede uit haar wegsijpelde. Haar voeten kwamen hard neer toen ze naar de deur liep. 'Heb je hem over mij verteld? Over mijn verhouding?'

'Natuurlijk niet. Dat zou ik nooit doen.'

'Je bewaart mijn geheim, maar je neukt wel met mijn man. Vreemde vorm van ethiek, Lucy.'

Daar had ze geen antwoord op. Marianne had gelijk. Ze had het wel willen vertellen. Maanden geleden, zodra ze het wist. Maar ze had het niet gedaan.

'Ik neem aan dat je het gebruikte om je gedrag te rechtvaardigen. Gelijke monniken, gelijke kappen... Je hoefde het hem natuurlijk niet te vertellen. Het gaf jou gewoon de vergunning om te doen wat je wilde. Ik mag natuurlijk niet klagen. Jij hebt het gelijk aan jouw kant, nietwaar?'

'Zo was het niet, Marianne.'

'Bespaar me je onzin.'

'Ik zal hem niet meer ontmoeten, Marianne.'

Marianne haalde haar schouders op. 'Het heeft geen zin meer, Lucy. Je bent ermee begonnen. Daar is niets meer aan te veranderen.'

Daarop liep ze naar buiten. Ze liet de voordeur open staan, stapte in haar auto en reed weg.

# De X van X geeft de plek aan

Zondagochtend. Een zondagochtend precies zoals een zondagochtend hoorde te zijn. Een zondagochtend na een zaterdagavond vol gelach en liefde, en na een lange, diepe slaap. En een zondagochtend waarop de man opstond om thee te zetten en – hoorde ze daar nou de deur – de zondagkranten ging halen – niet alleen de *Observer* voor het echte nieuws, maar ook de *News of the World* voor de foto's – die hij dan mee naar boven bracht naar het grote, naar seks ruikende tweepersoonsbed waar een warm zacht briesje door het open raam over je heen zuchtte. Met chocoladecroissants, ook al had hij een hekel aan kruimels in zijn bed, en een nog grotere hekel aan gesmolten chocolade op zijn lakens. Hij bracht ze toch mee omdat hij wist dat jij ze lekker vond.

Dat was pas een zondagochtend.

Natalie strekte haar armen boven haar hoofd uit. Rolde terug naar de koele kant van het bed en trok het dekbed over zich heen. Haar lijf was heerlijk moe. Later zou ze haar vader gaan opzoeken in het ziekenhuis en als haar moeder er ook was, zou ze die naar huis brengen en een poosje bij haar blijven, de post met haar doornemen en haar helpen als dat nodig was. Daarna zou ze terugkomen naar Toms huis, haar kleren weer uittrekken en naakt in zijn bed kruipen zodat hij opnieuw de liefde met haar kon bedrijven.

Dat was het enige wat ze wilde.

Maar eerst zou ze... misschien... nog even gaan slapen.

Ze hoorde hem beneden naar de radio luisteren en de theekopjes op een dienblad zetten.

Zondagochtend. Een zondagochtend precies zoals een zondagochtend hoorde te zijn. De vrouw van wie hij hield lag boven in zijn bed te slapen, te herstellen van een nacht vol hartstocht. Hij kende haar gezicht al twintig jaar en nu kon hij het voor zich zien als hij er met zijn ogen dicht aan terugdacht dat hij de liefde met haar had bedreven. En dat was het enige wat hij wilde. Voor altijd.

Niet dat ze het daar over hadden gehad. Nog niet. Hij had zijn adem ingehouden, na Las Vegas. Gewacht tot ze misschien de zenuwen kreeg. Gewacht tot ze van gedachten zou veranderen.

Dat had ze niet gedaan. Hij had haar op de weg terug van het vliegveld thuis afgezet, bij haar thuis. Ze had niets bij zich gehad en ze waren allebei behoorlijk moe. Toen had hij gewacht.

En twee dagen later was ze naar zijn kantoor gekomen, met een zak verse pasta, pesto, frambozen en een schoon slipje in haar tas, en gewoon met hem naar huis gegaan. Alsof ze al eeuwen samen waren. Dat was vrijdag geweest.

Ze waren de deur niet meer uit geweest tot hij zojuist de kranten was gaan halen. En misschien zou hij dat niet eens gedaan hebben als er geen verdacht uitziend velletje op de melk had gezeten. En als ze niet had gezegd dat ze chocoladecroissants als ontbijt wilde.

Ze waren nauwelijks uit bed geweest. Hadden zelfs nauwelijks van de ravioli gegeten. En hadden niet eens wijn gedronken. Wanneer hij Rob hierover vertelde – en dat zou hij beslist niet vreselijk gedetailleerd doen – zou hij toch echt moeten zeggen dat ze hem besprongen had. Bijna als een bezeten vrouw. En zeker als een vrouw die de afgelopen maanden geen seks heeft gehad en die, toen haar begeerte eenmaal was gestimuleerd, tot de ontdekking was gekomen dat ze het behoorlijk had gemist. En dat was een aangename verrassing, na al die liefde nu een beetje van dat ouderwetse-ik-moet-je-nu-hebben-zelfs-met-je-sokken-aan. Heel plezierig.

Maar nu was het zondagmorgen en hadden ze er nog steeds niet echt over gepraat. Hij was er bang voor, dat wist hij. Bang voor wat dit voor haar zou betekenen, en hoe dat zou samengaan met wat het voor hem betekende. Hij was er nog niet klaar voor om iets anders dan onvoorwaardelijke liefde als antwoord te krijgen. Dus stelde hij geen vragen die een ander antwoord zouden kunnen opleveren. Hij wist dat het struisvogelpolitiek was, maar voorlopig was hij een heel blije struisvogel.

Dus plantte hij de croissants, de kranten en de grote mokken thee op het dienblad en liep hij de trap op, naar Natalie.

Er kietelde iets. Zoals een vlieg deed. Natalie veegde over haar huid en ontspande zich weer. Het kietelen kwam terug en bracht haar bij bewustzijn. Met tegenzin opende ze haar ogen.

Tom zat op zijn knieën boven haar, met een markeerstift in zijn hand waarmee hij – wat bizar – op haar borst tekende.

'Is dit een vreemd seksspel waar ik niets van weet?' mompelde ze terwijl ze haar hand door zijn haren haalde.

'Nee. Vreemde seks proberen we later wel weer eens.'

'Niets dan beloftes. Mag ik vragen wat je dan met me aan het doen bent?' Ze ging zitten.

'Kijk zelf maar.'

Natalie keek omlaag. Tom had een perfecte X van pakweg vijf centimeter groot op haar borst getekend.

'Oké, schat. Dat maakt me nog niets wijzer.'

'De X geeft de plek aan.'

'Ja, dat zie ik.'

'De X, de op twee na laatste letter, geeft de plek aan, waar jouw hart huist en waar je het mijne nu in bewaring hebt.'

Hij was van plan haar te blijven aankijken, maar kon het niet, dus stond hij op, trok hij zijn spijkerbroek uit en gooide die op de vloer naast het bed.

Ze pakte zijn hand beet en kuste die. 'Dat is het allerliefste dat je ooit tegen me hebt gezegd. Verdorie; het allerliefste dat wie dan ook ooit tegen me heeft gezegd.'

Tom voelde zich bijna een kind. Hij kroop naast haar in bed en hield haar tegen zich aan.

'Natuurlijk is het ook erg klef.'

'Hé.' Hij begon haar te kietelen en ze probeerde zich uit zijn greep te bevrijden.

'En eerlijk gezegd de armzaligste letter in het hele spel tot dusver. En als ik me nog iets herinner van de biologielessen op school, dan is het dat je hart aan de linkerkant zit...'

Het kietelen werd erger. 'Wat ben je toch gemeen! Ik kon niet bij de linkerkant...'

'Wat ben je van plan daaraan te gaan doen?'

Het kietelen ging over in iets anders en Tom nam niet de tijd om zich af te vragen of ze een grapje maakte over zijn kleffe opmerking omdat ze er niet over wilde praten of omdat ze het een kleffe opmerking vond. En al snel kon het hem ook niets meer schelen.

*Nicholas en Anna*

Natalie had in Las Vegas een Stratosfeer-sneeuwbol voor haar vader gekocht. Ze schudde er even flink mee en zette hem triomfantelijk op het tafelblad boven zijn bed. 'Kitsch in de ziekenkamer!'

Haar vader glimlachte.

'En ik heb je lievelingssnoepjes meegebracht.' Ze haalde met een royaal gebaar een grote zak tevoorschijn. 'Ik kan ze maar beter hierin verstoppen.' Ze legde ze in zijn kast. 'Ik weet niet zeker of de zusters het ermee eens zullen zijn. Elke keer als ik kom krijg je er een paar van me. Ze zijn heerlijk. Je kunt verschillende smaken mengen en cocktails maken.'

'Je klinkt gelukkig.'

'Een zin! Ik moet vaker weggaan.'

Hij hief zijn goede arm en maakte een gebaar als om haar

weg te wuiven. 'Geweldig, pap.' Ze kuste hem en ging, met een been onder zich, op zijn bed zitten en hield zijn hand vast terwijl ze praatte.

'Gelukkig? Het is pure extase!'

Ze hoorde de deur en toen haar moeders stem achter zich. Natalie stond op en omhelsde haar. 'De ouweheer praat weer!'

'Ik weet het. Ik kom nauwelijks meer aan mijn kruiswoordpuzzels toe.'

'Gemeen, meisjes,' zei haar vader, maar met een glimlach zo breed als ze al heel lang niet van hem had gezien.

'Heb je een fijne tijd gehad, lieverd?'

Natalie had haar moeder opgewonden gebeld vanuit de rij voor de incheckbalie om haar te vertellen waar ze heen ging.

'Geweldig. Vegas is heel bijzonder. Ik dacht dat ik het misschien vreselijk, maar stiekem toch leuk zou vinden, als je begrijpt wat ik bedoel. Maar eerlijk gezegd vond ik het gewoonweg helemaal fantastisch. De beste stad op aarde. Ik weet dat ik dat van Praag, of St. Petersburg of Ho Chi Minh City of een dergelijke waardige en mooie stad zou moeten vinden, maar volgens mij ben ik met heel mijn hart een Vegas-meisje. Een culturele woestijn: de stad en ik. Letterlijk!'

'En Tom? Mogen we dat vragen?'

Natalie voelde haar wangen rood worden. 'Ik ben gek op hem.' Wat was ze nou, vijftien of zo?

Anna en Nicholas wisselden een blik en een glimlach.

'Ik bedoel, niet alleen vanwege Vegas, hoewel we echt een heerlijke tijd hebben gehad samen. Ik denk dat ik al heel lang gek op hem aan het worden was. Maar het was zo anders dan met Simon, en jullie wilden het allemaal zo graag, en dat hielp eerlijk gezegd niet echt.'

'Sorry!' zei Nicholas.

'Het is wel goed. Ik zie nu wat jullie zagen. Ik snap het nu. Hij houdt ook van me. Gewoon om wie ik ben. Of misschien ondanks dat.'

'Onzin. Hij mag zich gelukkig prijzen.'

'Dat moet ik hem nu alleen nog duidelijk maken...'

De kinderen lagen te slapen. Ze werkte de hele middag en avond al op de automatische piloot. Ze waren thuisgekomen en ze had geluisterd terwijl Bella voorlas uit *Charlotte's Web*, haar overhoord met haar spelling, en Ed geholpen alles te tekenen en kleuren dat met een S begon. Ze had hun broodtrommels uitgespoeld en de pakjes sap voor de volgende dag alvast in de koelkast gelegd. Ze had zachtgekookte eieren klaargemaakt voor hun avondeten en had gelachen, alsof het de eerste keer was dat ze het deden, toen ze hun lege eierschalen ondersteboven in de eierdopjes hadden gezet om te doen alsof ze ze niet hadden opgegeten.

Toen ze in bad zaten, was Lucy er op de mat bij blijven zitten terwijl ze samen speelden, waarbij Bella haar jongere broertje toesprak op een toon die die van haar ouders imiteerde, en Eds stemming zoals altijd achteruit ging naarmate zijn bedtijd dichterbij kwam, tot hij onder zijn dekbed kroop met Mr Ted voor in zijn pyjama en zijn duim in zijn mond.

Bella wilde *Coronation Street* zien en bleef strijdlustig op de bovenste tree van de trap zitten terwijl haar moeder de badhanddoeken opvouwde en alle plastic badspeeltjes uit het bad viste. Lucy sprak scherper tegen haar dan gewoonlijk en Bella stampte zacht mompelend over de overloop naar haar kamer.

Normaal zou Lucy achter haar aan zijn gegaan, haar aan het lachen hebben gemaakt, terug hebben gemompeld en hebben aangeboden de Kindertelefoon voor haar te bellen. Dan zouden ze weer vrienden zijn geweest voordat Bella naar bed ging. Vanavond kon ze dat echter niet aan. Ze keek even hulpeloos naar Bella's gesloten deur, draaide zich toen om en liep met slepende tred de trap af.

Patrick was laat.

Nu ze had besloten het hem te vertellen, was ze plotseling bang dat Marianne geen woord had gehouden. Dat ze op dit moment vergif in Patricks oren goot. Ze keek naar zichzelf in de gangspiegel, naar de vrouw die ze niet echt meer herkende. Misschien had Marianne gelijk gehad toen ze zei dat er geen verdeling bestond van mensen die vreemd konden gaan en mensen die dat niet konden – dat iedereen iets in zich had waar ze niet aan dachten, wat ze niet begrepen of niet erkenden. Dat iedereen het zou kúnnen doen.

Er waren echter wel twee soorten mensen: mensen die het hadden gedaan en mensen die het niet hadden gedaan. En zij had het gedaan.

Ze stond zich in de keuken af te vragen of ze aan hun avondeten moest beginnen toen ze Patricks sleutel in het slot hoorde.

Ze greep zich aan het aanrecht vast toen hij achter haar binnenkwam. Ze moest het plotseling zeggen, maar ze kon en wilde zich niet omdraaien en het in zijn gezicht zeggen.

'Het spijt me, Patrick. Ik heb een verhouding. Met Alec.'

Ze hoorde hem een stoel over de tegelvloer schuiven en aan de tafel gaan zitten. Hij legde zijn sleutels neer en blies langzaam zijn adem uit.

Lucy draaide zich naar hem om.

'Dat weet ik.' Hij knikte langzaam toen hij dat zei.

'Heb je Marianne gesproken?'

'Nee. Weet zij het ook, dan? Arme Marianne.'

'Hoe dan?' Vast niet van Alec. Heel even was dat idee zelfs opwindend.

Patrick maakte een ongeduldig gebaar met zijn hand. 'Doet dat er iets toe? Ik heb jullie samen gezien.'

'Waar?' Het deed er niet echt toe, maar ze wilde het toch weten. Misschien waren de details veiliger dan de rest.

'In de keuken. De avond dat we terugkwamen van vakantie.' Lucy keek hem wezenloos aan. 'Jullie deden niets, maar ik zag het gewoon. Het was alsof er iets op z'n plaats viel. Hoe zeggen ze dat ook weer? Alsof de schellen van mijn ogen vielen, of zoiets... Het was, ik weet het niet, opeens gewoon - duidelijk.'

Zijn ogen zochten de hare. 'Ik heb gelijk, nietwaar?'

'Ik had er een punt achter gezet voor we weggingen.'

Patrick lachte. Een akelig geluid. 'En ik bracht hem bij je terug.'

'Patrick...'

'Is het voorbij?'

Lucy aarzelde. Ze wist het niet. Ze had haar handen tot vuisten gebald. Ze voelde haar nagels in haar handpalmen drukken. Ze moest hier een eind aan maken. Het was genoeg geweest. 'Ik weet het niet, maar ik hoop het niet.'

'Wat betekent dat?'

'Ik hou van hem, Patrick.'

'En je houdt niet van mij?'

'Niet op dezelfde manier.'

'Daar gaan we. Het-ik-hou-van-je-maar-ik-ben-niet-verliefd-op-je-gesprek. Wat verschrikkelijk origineel, Lucy.'

Daar was een reden voor, dacht Lucy. Soms is het nu eenmaal zo voor mensen als ik. Daarom zeggen ze dat allemaal. Omdat het waar is.

'Sorry,' corrigeerde Patrick zichzelf. 'Die andere mensen kunnen me niets schelen. Leg het me uit, Lucy, zodat ik het kan begrijpen. Alsjeblieft.'

Lucy ging tegenover hem zitten, maar hij begon weer te praten: 'Maar mag ik je eerst uitleggen hoe ik het voel?' Ze wilde dat eigenlijk niet horen, maar wat kon ze zeggen?

'Ik wil niet dat hier een eind aan komt. Ik wil niet zonder jou en de kinderen leven. Ik wil geen van de implicaties van wat je zegt, en wat dat betekent. Ik zou liever hier, met jou, leven en weten dat ik tweede keus ben dan zonder jou leven. Ik geloof dat ik dat zou kunnen, als je hem tenminste loslaat.' Hij was vreselijk bang dat hij zou gaan huilen. 'Ik heb altijd van je gehouden, Lucy. Ik werd al verliefd op je voordat ik je gezicht had gezien of je stem had gehoord. Ik weet niet hoe ik een leven moet leiden waar jij niet in voorkomt. Jij, Bella en Ed.'

Er rolden tranen over Lucy's wangen. 'Dat kan ik niet, Patrick. Het spijt me, ik kan dat niet.'

'We kunnen verhuizen. Ik weet dat het moeilijk voor je zou zijn om hem elke dag te zien. Om hem te blijven zien. We kunnen gaan waarheen je maar wilt. Misschien kan ik die baan in Leeds nog krijgen. Of een andere.'

'Het zou niet werken.'

'Maar als je hem niet meer ziet...'

'Dan zou er iemand anders zijn.'

'Waarom?'

'Omdat ik dit niet meer wil.'

Patrick bracht geërgerd zijn handen omhoog. 'Wat betekent "dit" precies?'

Haar stem werd luider, net als de zijne. 'Ik wil jou niet meer.'

Dat bracht hem tot zwijgen.

'Ik wil jou niet meer, Patrick. Het spijt me.'

Hij staarde naar de nerf van het grenen tafelblad. Waarom wilde ze hem niet meer? Waarom? Hij had zich nog nooit in zijn leven zo waardeloos gevoeld. Zo gebroken. 'Ik dacht dat we gelukkig waren.'

'Dat waren we ook. Gelukkig met een kleine letter *g*, op een rustige, kleinburgerlijke manier. Maar ik denk dat er meer is. Ik heb het gevoel dat... dat ik daar nu iets van gezien heb. En dat maakt het onmogelijk om nog genoegen te nemen met dat soort klein geluk.'

'Zelfs als Alec er niet hetzelfde over denkt?'

Ze beefde bij het idee alleen al, maar ze wist het antwoord. 'Zelfs dan.'

Patrick duwde de stoel achteruit en stond op. Heel even dacht ze dat hij haar zou slaan. Misschien dacht ze dat het mogelijk was omdat ze wilde dat het zou gebeuren. Maar natuurlijk deed hij dat niet. Hij was Patrick. Hij liep naar de tuindeur, deed die open en liep de tuin in. Zij bleef naar de muur zitten staren.

Uiteindelijk schonk ze voor hen allebei een groot glas whisky in en nam die mee naar buiten. Bij een van de buren bewoog een sproeier heen en weer om het gras te sproeien. De sproeier waaierde een stukje tot over hun schutting en het water landde op de potplanten die ze daar had neergezet.

Ze ging naast hem zitten en hij dronk de whisky op.

Lucy ademde diep in en begon te praten: 'We zeggen altijd dat jij mij gered hebt. Dat zegt iedereen. En dat heb je ook gedaan. Je hebt me opgeraapt na Will en me mezelf teruggegeven. Je gaf me het gevoel dat het niet mijn schuld was dat hij bij me weg was gegaan, dat ik geen rampgebied was waar niemand lang bij in de buurt kon blijven. Ik weet nog steeds niet hoe het me vergaan zou zijn als je dat niet had gedaan.'

Ze wist dat Patrick naar haar keek.

'Je gaf mij en Bella een thuis.' Ze was de tranen nabij. 'En niemand had een betere vader voor haar kunnen zijn. En toen gaf je me onze Ed.' Ze meende het jongetje te kunnen ruiken en ademde diep in. 'Onze lieve jongen. En dit leven, ons leven. En ik ben gelukkig met je geweest, Patrick. Dat zweer ik je.'

'Hoe kan dat dan zijn verdwenen?'

'Ik weet het niet.'

'Maar het is wel weg?'

'Ja.'

Ze wilde hem nog meer vertellen. 'Ik hoef niet meer gered te worden, Patrick. Ik ben niet meer dat meisje. Maar jij wilt nog steeds die man zijn. Dat is ook wat dat hele gedoe met je ontslag zo moeilijk maakte. Niet het verlies van je baan, dat deed me helemaal niets, maar dat je het niet met me wilde delen. Je stond me niet toe echt je vrouw te zijn. Je moest per se voor me blijven zorgen, me beschermen, me redden.'

'Dus het is mijn schuld?'

Ze schudde gefrustreerd haar hoofd. 'Nee, die dingen staan los van elkaar. Het werd door de jaren heen steeds sterker. Het zou uiteindelijk toch wel een probleem zijn gaan vormen.' Zou hij er iets van begrijpen? 'Alec kwam en liet me iets anders zien.'

'Beter?'

'Anders.' Natuurlijk beter.

'En het zal niet overgaan. Het is geen fase.'

'Ik ben hier niet trots op, Patrick, geloof me. Ik zou het niet gedaan hebben als ik had gedacht dat het maar een fase was.'

Hij staarde voor zich uit.
'Ik denk dat we misschien al vanaf de dag dat we elkaar hebben ontmoet op dit punt zijn afgestevend.'
'Dat kan ik niet denken, dat wil ik niet denken. Dat onze relatie op de een of andere manier vanaf het begin gedoemd was. Dat is flauwekul, Lucy. Ik vind het verschrikkelijk dat je dat denkt. Het maakt alles wat we samen gehad hebben tot een leugen.'
'Dat is niet waar.' Lucy legde aarzelend een hand op zijn arm.
Hij schudde die eraf en stond op.
'Wat ga je doen?'
'Wat spullen pakken. Ik ga naar Tom.'
'Dat is niet nodig.'
'Ik kan hier niet blijven.'
Vanuit de tuin zag ze de slaapkamerlamp aangaan. Het kostte hem ongeveer tien minuten, toen ging het licht uit en hoorde ze hem de trap af komen. De sproeier bij de buren was uitgezet en de nacht leek vreselijk stil.
Hij had gehuild. Lucy had zich nog nooit zo verdrietig gevoeld. Bij de deur draaide hij zich om; hij wilde wat zeggen, maar de woorden kwamen niet en hij haastte zich weg.

# De Y van 'Your place or mine?'

De bar die ze had gekozen was zo precies tussen hun beider huizen in als ze had kunnen regelen. De zaak exact in het midden, volgens de kilometerteller in haar auto, was een nogal obscuur café met nog obscurere clientèle, dus had ze een compromis gesloten en voor deze bar gekozen, die maar ruim een kilometer dichter bij haar huis was. En het was een erg leuke zaak: erg *World of Interiors*, erg Londense stijl. Aan de ene kant stond een eindeloze gegalvaniseerde bar met minimalistische krukken erbij, en de bankjes bij de tafeltjes waren bekleed met koeienleer en fuchsiaroze suède. De muziek was van de soort waarnaar mensen van eind dertig luisterden die met plezier terugdachten aan het nachtelijk uitgaansleven, maar wisten dat ze daar te oud voor waren. En er was goed licht. In de wand tegenover de bar zaten diverse grote schuifdeuren die tot aan het plafond reikten, en vanavond waren die open. Buiten was het leuk aangekleed met zacht kabbelende waterpartijen en zwakke verlichting. Het was warm en er stond een licht briesje. Beter had het niet gekund.

Ze had eerder die week Susannah gebeld en die overgehaald haar met kralen afgezette aquakleurige Alice Temperley-jurk op te sturen ('Mijn premièrejurk? Wauw, het is je zeker ernst!'), die gemakkelijk in een A4-formaat bubbeltjesenvelop paste en die de afgelopen drie dagen aan de zijkant van haar kleerkast had gehangen. Telkens als ze ernaar keek had ze gehuiverd. Rose had gezorgd voor een paar wat zij ga-met-me-

mee-naar-huis-schoenen noemde, en Natalie had ze over een paar tennissokken aangetrokken en ermee door haar flat gelopen om te oefenen, zodat ze niet zou vallen. Ze had samen met Rose een fles Pinot Grigio leeggedronken en ze waren giechelig geworden.

'Het wordt net zoiets als dat stukje in *Pretty Woman*, waar hij de bar binnenkomt en de menigte uiteen wijkt en hij haar ziet, en pats, boem, je weet dat Richard Gere helemaal verkocht is.'

'Ja. Als het lukt.'

'Het lukt.'

'Als het in deze jurk en deze schoenen niet lukt, dan weet ik het niet meer!' Natalie hield de jurk tegen zich aan.

'Leg het me dan eens even uit.' Rose keek haar schuin aan. 'Je hebt dus je besluit genomen?'

'Absoluut.'

'En je weet het zeker.'

'Zo zeker als ik ooit ergens van ben geweest.'

'Neem me niet kwalijk, Nat, maar ik ken je al langer dan de meeste mensen en ik weet dat je in het verleden van een hele hoop dingen heel erg zeker bent geweest.'

'Zoals?'

'Nou...' Rose dacht even na. 'Je was er heel zeker van dat Scritti Politti beter zouden worden dan de Beatles. Je was ervan overtuigd dat je rond je dertigste je eigen radioprogramma zou hebben. Je wist zeker dat je met Simon zou trouwen...'

'Oké, oké... Ik kan niet altijd gelijk hebben. Maar ik had wel gelijk over jou en Pete, of niet soms?'

Rose knikte overdreven. 'Helemaal waar!'

'En dat eigen radioprogramma komt ook nog... dat zul je zien.'

Weer draaide Rose haar hoofd naar opzij. 'Ik zal luisteren!'

'Dank je. Dat weet ik. En ik heb gelijk wat Tom betreft.'

'Nou, halleluja dan! Welkom in mijn wereld. Heb ik dat niet de hele tijd al gezegd?'

'Dat kan best zijn, maar andere mensen kunnen jouw beslissingen niet voor je nemen, of wel? Dat moet je zelf doen.'

'En dit is dus een beslissing?'

Natalie dacht even na. 'Nee, geen beslissing. Alleen een verandering. In mezelf. In ons. Ik kan het niet uitleggen. Ik weet het gewoon.'

Toen had Rose haar omhelsd. 'Ik ben zó blij voor je.'

Nu moest ze het alleen nog tegen Tom zeggen. En dus zat ze in de bar op een kruk, met haar benen over elkaar, met de prachtige jurk, de prachtige schoenen en het bijpassende slipje, met de gladde benen en de make-up waar ze een uur mee bezig was geweest, en de haren waaraan de kapster drie kwartier had gewerkt om het er te laten uitzien alsof ze ze in vijf minuten had opgestoken. Met haar laatste dertig pond tot ze aan het eind van de week werd uitbetaald in een ijsemmer naast haar op de bar. Haar best doend om weerstand te bieden aan het schaaltje olijven voor haar (waar beslist de olie af zou druppen en dan zou Susannah haar vermoorden), en proberend niet van de kruk te glijden.

Toen hij binnenkwam, maakte haar hart voor het eerst in haar leven die buiteling waar wel duizend songs over waren geschreven. Ze moest bijna lachen. Er borrelde een glimlach in haar naar boven. Hij zag er een beetje sjofel en moe uit, maar hij was helemaal haar Tom. En al stond hij niet plotseling stil van verbazing, hij reageerde wel een beetje zoals Richard Gere. 'Jeetje, Nat.'

'Hallo.'

'Dit is leuk. En jij ziet er... je ziet er echt fantastisch uit.'

'Echt?'

'Echt.' Toen zag hij de champagne en maakte ook zijn hart een buiteling.

De oude vrienden die nooit gebrek hadden gehad aan gesprekstof waren plotseling heel stil. De barkeeper schonk voor hen allebei een glas champagne in en Tom hief zijn glas om het tegen het hare te tikken. Ze kon niet zien wat hij dacht. Hij zag er opgewonden uit en zijn ogen sprankelden, maar ze wist het niet zeker.

Natalie nam een flinke slok en zette haar glas toen neer. 'Ik weet dat we nog niet bij de Z zijn, Tom...' Hij trok een wenkbrauw op. Ze voelde plotseling de aandrang het litteken te kussen. '... Maar je hebt gewonnen.'

'Ik wist niet dat er een winnaar zou zijn. Wat is de prijs?'

Ze ademde diep in. 'Ik.' Ze schudde haar hoofd. 'Dat bedoelde ik niet zo. Dat klonk afschuwelijk. Ik bedoel niet dat ik een prijs ben of zo, eerder het tegendeel. Als ik al een soort prijs ben dan is het waarschijnlijk de poedelprijs.' Ze trok een grimas. 'Dat bedoelde ik ook niet zo. Hou je mond, Natalie. Hou op onzin uit te kramen.'

Hij glimlachte naar haar. 'Ga door.'

'Ik bedoel... ik bedoel dat je gelijk had. En ik ongelijk.'

Tom wilde niet op haar verhaal vooruit lopen. Hij wilde dat ze het zelf zei. Niet om haar te kwellen, maar omdat hij het niet durfde te geloven als hij het haar niet hoorde zeggen.

Haar wangen waren roze geworden en ondanks de mooie jurk, het bijzondere decolleté en de sexy schoenen en haar perfecte uiterlijk, vond hij die roze wangen het leukst. 'Wat probeer je me te vertellen, Natalie?'

'Weet je dat niet al?'

'Ik denk het wel. Ik hoop het. Maar je moet het tegen me zeggen.'

'Ik hou van je, Tom. Ik hou werkelijk van je.'

'Werkelijk?'

Ze gaf hem een mep op zijn been. 'Lach me niet uit.'

Hij legde zijn hand op de hand die hem had geslagen. 'Dat doe ik niet.'

'En als jij ook van mij houdt, of zelfs alleen maar dol op me bent maar gelooft dat de vonk nog wel kan komen...'

'Heb je het nou nog steeds over vonken?'

'Ja... maar deze keer... voel ik ze. Heel duidelijk.'

'Werkelijk?'

'Werkelijk.'

Hij pakte haar hand en drukte er een kus op zonder zijn ogen van haar gezicht af te wenden. Hij zag er ernstig uit.

'Nou...' Toen verdween de ernst en verscheen zijn grote glimlach op zijn gezicht en waren ze niet langer een andere Natalie en Tom, maar weer gewoon de oude Natalie en Tom, en toch op talloze manieren nieuw. 'Nou, in dat geval moet ik zeggen dat ik... ook werkelijk van jou hou.'

Ze gingen zitten, staarden naar elkaar en glimlachten en toen kuste Natalie hem hard op de mond en glimlachten ze nog wat meer.

'Wat is jouw letter Y dan, als ik vragen mag? Tenzij je aan yoga wilt gaan doen.'

'Dat had ook gekund.'

'Maar dat is het niet?'

'Nee.' Natalie richtte zich op de kruk op haar volle lengte op en glom van plezier. 'Het is de Y van "Your place or mine?" zoals ze dat in films zo mooi zeggen. En,' ze nam het champagneglas uit zijn hand, 'deze keer blijven we nuchter, van begin tot eind...'

# Juli

## *Lucy*

Ze hoefden dit niet stiekem te doen, dus waarom voelde ze zich dan toch schuldig terwijl ze hier op hem zat te wachten? Het was een nogal onlogische plek. De koffiehoek van een warenhuis. Net voor het einde van het schooljaar zat die vol met moeders die genoten van hun laatste vrije dagen voor de zes weken van huisarrest en dagtochtjes met de kinderen. Lucy had koffie besteld, maar had er geen zin in en had hem koud laten worden.

Alec was aan de late kant. Hij verontschuldigde zich – problemen met parkeren, zei hij. Daarna keek ze toe terwijl hij in de korte rij ging staan en zijn eigen koffie bestelde waar hij geen zin in had, die voorzichtig mee naar haar tafeltje droeg en tegenover haar ging zitten.

'Hoe maak je het?' vroeg ze.

'Ik... Het gaat wel,' zei hij.

Het was maar een paar dagen geleden dat ze naakt naast elkaar hadden gelegen, zo intiem als twee mensen maar kunnen zijn. Nu stonden Patrick en Marianne echter tussen hen in, en was het een volkomen ander verhaal.

Hij zag er moe uit en dat zei ze.

'Ik slaap niet al te best. En jij?'

Lucy antwoordde met een licht, gespannen schouderophalen.

'Ben je nog steeds... thuis?'

Alec knikte.'Ik geloof dat Marianne wilde dat ik vertrok.

Volgens mij wilde ze aanvankelijk al mijn spullen uit het raam gooien.'

'Maar?'

'Je weet wel... de buren, de kinderen, alles... Ik wou dat ze het gedaan had. Ik zou liever zien dat ze raasde en tierde dan dit.'

'En dat is?'

'Ik heb haar hart gebroken, zegt ze.' Alec staarde in zijn kopje. 'Patrick?'

'Hij wil me niet vertellen hoe hij zich voelt. Hij is naar zijn broer gegaan. Hij is vertrokken op de avond dat... je weet wel. Hij praat nauwelijks nog tegen me.'

Alec haalde diverse keren zijn hand over zijn gezicht. 'Jezus, wat een zootje.'

'Het spijt me.'

'Het is niet jouw schuld.'

'En toch spijt het me.'

Aan de tafel naast hen gooide een peuter zijn bord kapot. De blozende moeder liet zich op haar knieën zakken en raapte de scherven op.

'Lucy.' Alec pakte haar hand vast op het tafelblad. Ze wachtte. 'Ik wil bij Marianne blijven.'

Ze kon haar hand niet lostrekken. 'Wil zíj dat?'

'Ik weet het niet. Op het moment niet. Ze is gekwetst en boos en ik weet niet of ze me ooit zal kunnen vergeven, maar zover wil ik haar wel proberen te krijgen.'

Lucy zei niets. Ze had Patrick verteld dat ze niet bij hem wilde blijven, ongeacht wat Alec besloot. Maar hier had ze niet aan willen denken.

'Ik weet niet hoe eerlijk je wilt dat ik ben,' zei hij. Jezus! Hoeveel eerlijker konden ze zijn dan ze al geweest waren toen ze in elkaars armen lagen, hun ogen wijd open, hun harten wijd open. 'Ik hou van jullie allebei. Ik hoop dat ik nu niet klink als een idioot. En ik weet niet of het helpt of alles alleen maar erger maakt. Ik weet alleen wat ik voel, en dat ik al een tijdje behoorlijk in de war ben. Ik hou van jullie allebei. Ik kan me met jullie allebei een leven, een toekomst voorstellen.

Maar Marianne heeft ook mijn verleden. Ze is de moeder van mijn kinderen, bij haar ben ik thuis, ze kent me beter dan iemand me ooit gekend heeft en ik kan haar niet verlaten.' Hij schudde zijn hoofd, niet tevreden. 'Nee, dat klopt niet. Dat is niet eerlijk tegenover jou of haar. Ik wíl haar niet verlaten.'

'Wat was dit dan, Alec?' Het was geen beschuldiging.

'Ik werd opnieuw verliefd. Op jou.'

'Dat kan niet.'

'Ik dacht ook dat het niet kon. Maar het is gebeurd. Kijk maar naar jezelf. Hou je niet van Patrick?'

'Natuurlijk wel. Hij was altijd alles voor me wat Marianne voor jou is. Misschien zelfs meer. Maar niet op deze manier, ik hou niet op deze manier van hem. Als ik mijn ogen dicht doe en me een leven zonder hem probeer voor te stellen, dan lukt dat, Alec. Het is pijnlijk, maar niet onmogelijk. Ik weet niet of ik dat over jou ook kan zeggen.'

Hij reageerde niet.

'Jij maakt me wanhopig van verlangen, Alec. Ik wil je, de hele tijd. Als ik niet bij je ben, kan ik alleen maar aan jou denken. Als ik bij je ben, leef ik pas echt. Dan ben jij alles voor me en vergeet ik Patrick. Ik vergeet in feite alles.'

'Dat klinkt als een bevlieging.' Hij zei het met vreemde, vlakke stem, alsof zelfs hij het niet geloofde.

'Waag het niet me te vertellen dat ik niet van je hou omdat dat jou beter uit zou komen! Als het niet meer dan een korte, dwaze verliefdheid is, kun jij fijn terug naar Marianne en verder gaan met je leven, en kun je mij zien als niet meer dan een vervelend voorval – pijnlijk maar gemakkelijk te vergeten. Dat zou simpeler voor je zijn, nietwaar?' Haar woorden klonken boos, maar haar stem niet. Ze wist dat het zielig klonk.

'Het spijt me. Ik meende het niet. Dit is allemaal niet gemakkelijk voor me, Lucy. Het is niet gemakkelijk voor ons. Wees alsjeblieft niet boos op me.'

Lucy voelde hete tranen in haar ogen. 'Ik ben niet boos. Ik ben bang. Ik ben bang omdat je bij me weggaat. Je gaat bij me weg, nietwaar?'

'Ik ben nooit bij je geweest, Lucy. Niet echt. Wat ik doe is niet bij Marianne weggaan. Niet als ik niet hoef. Niet als zij niet bij mij weggaat.'

Ze wist dat hij het niet zo wreed bedoelde als het klonk. En ze wist dat ze eigenlijk op moest houden, omdat ze anders erg onaangenaam zou worden. Maar dat kon ze niet. 'Maar je was wel bij me, of niet soms? Al die keren. Al die keren dat we de liefde bedreven, elkaar vasthielden en met elkaar praatten, was je wel bij me.'

'En dat had ik niet moeten zijn. Ik vind het vreselijk dat ik het gedaan heb. Niet alleen vanwege Marianne, maar omdat ik jou nu ook pijn ga doen.'

En het deed pijn. Het deed verschrikkelijk veel pijn. Veel en veel meer dan Wills briefje al die jaren geleden. Wat wreed dat ze zich pas nu – op het moment dat het haar werd afgenomen – realiseerde hoeveel ze van hem hield. Haar borst leek verkrampt en ze was de tranen voorbij. Ze keek hem aan en wist dat hij haar tragisch vond. Hij moest ontzettend graag weg willen – hij had gezegd wat hij wilde zeggen en de rest was zinloos. Maar toch smeekten haar ogen hem.

Hij schudde triest zijn hoofd. 'Ik wil je niet in de steek laten, Lucy. Weet dat, alsjeblieft. Maar ik kan niet degene zijn die je helpt hiermee om te gaan. Evenmin als Marianne. We kunnen elkaar niet meer zien. Dat begrijp je toch zeker wel?'

Lucy knikte langzaam en stond toen op.

'Geef Patrick nog een kans, Lucy. Hij houdt van je.'

Ze drukte een kus op zijn voorhoofd, haar ogen stijf dichtgeknepen, haar lippen droog. Toen liep ze weg.

*Natalie*

Rose, Bridget, Susannah en Serena hieven hun glas.

'Een toost op het-werd-verdorie-tijd,' zei Susannah.

'Op langzaam overspringende vonken,' zei Bridget. Susannah rolde met haar ogen.

'Op een afloop als in een sprookje,' luidde de bijdrage van Rose. Zij was bezig haar huwelijk met Pete te regelen en sprak de laatste tijd de taal van het tijdschrift *Brides*. Ze was echter zo stralend, overduidelijk, waanzinnig gelukkig dat het haar niet werd aangerekend.

Serena knipoogde alleen maar en nam een slok.

Natalie wou dat Lucy erbij was. Ze had geprobeerd haar over te halen het mee te vieren, maar Lucy had gezegd dat ze het maar zou verpesten. 'Geniet jij nou maar van je simpele, ongecompliceerde liefde, Natalie,' had ze gezegd. 'Je weet niet hoeveel geluk je hebt.'

Natalie dacht van wel.

'En nu willen we details... smerige details...' Susannah wreef genietend in haar handen.

'Spreek voor jezelf.' Serena trok haar neus op.

'O, toe nou, een beetje plaatsvervangende opwinding voor de jonge moeder,' bedelde Bridget. Dit was pas de derde keer dat ze zonder Karl weg was sinds de baby was geboren, en Natalie vreesde dat ze al lichtelijk dronken was.

'Wat ik wil weten,' zei Rose half fluisterend, 'hoe het was, je weet wel, toen jullie de eerste keer samen in bed belandden. Dat moet raar zijn geweest na al die jaren waarin jullie het nooit hebben gedaan.'

'Eerlijk gezegd, Rosie, kwamen we die eerste keer door op jenevermoed. Wie hou ik voor de gek? Dat was elke keer zo, volgens mij. Daar is niets aan veranderd. Maar later die avond, na de derde keer...'

Ze werd onderbroken door een koor van oh-geroep.

'Tja, ik geloof dat ik wel kan zeggen dat ik me er toen inmiddels niet meer druk over maakte of het raar was.'

'Groot gelijk.'

Ze lachten allemaal. 'En dit is nou de reden dat mannen het Spaans benauwd krijgen als vrouwen wat met elkaar gaan drinken.' Serena giechelde.

'Ik neem aan dat ik de volgende morgen, toen we wakker werden, een beetje nerveus was, erg nerveus, zelfs. Toen was ik natuurlijk weer nuchter en vroeg ik me af of we geen afschuwelijke fout hadden gemaakt... of het niet eigenaardig zou gaan aanvoelen. En of ik niet alles tussen ons voor altijd had verpest.'

'Het geluk is echter met de dapperen.'

'En voelde het niet eigenaardig?'

'Nee. Weet je wat hij tegen me zei? Het eerste wat hij zei toen hij wakker werd?' Ze gingen allemaal naar voren hangen. 'Ik zou jullie dit eigenlijk niet moeten vertellen.'

'Nou en of je het moet vertellen.'

'Hij zei dat het fantastischer was geweest dan hij zich ooit had kunnen voorstellen.'

Serena bracht haar hand naar haar mond. 'Zei Tom dat?'

'Dat zei Tom.'

Rose zat zich te verkneukelen. 'Heerlijk vind ik dit.'

'Ik was er zelf ook blij mee. Ik bedoel, ik vroeg me nog steeds een beetje af; je weet wel, we waren op vakantie en dan voel je je altijd anders, en...'

'O, in godsnaam! Ik snap niet hoe hij het met je uithoudt. Als ik Tom was geweest zou ik je al lang een tik hebben gegeven,' zei Susannah.

'Maar nu weet je het?'

'Nu weet ik het. We zijn thuis, terug in ons gewone leven, en ik weet het. En hij weet dat ik het weet. Als je weet wat ik bedoel.' Hoeveel glazen champagne had ze gehad? 'Dus alles is in orde.'

'En het mooiste is nog dat je niet al dat gedoe hebt met schoonouders.' Rose zat midden in de bruiloftsonderhandelingen met Pete's moeder en de hare, waarbij vergeleken het werk van Kofi Annan voor de VN kinderspel leek.

'Dat klopt, Rose. Dat is beslist het mooiste van alles,' sneerde Serena. Ze begreep Rose niet helemaal. Ze vond haar aardig, maar soms begreep ze haar gewoon niet.

'Gaan jullie dan trouwen?'

'Ho even. Gun ons even de tijd. We zijn pas een paar weken samen.'

'En twintig jaar.'

'Ik weet niet eens of ik wel wíl trouwen.'

'Ja hoor!' Daar moesten ze allemaal hard om lachen.

'Rob probeert mij over te halen om naar Las Vegas te gaan en het even snel in een van die trouwkapellen te doen.' Serena trok haar neus op.

'Klinkt geweldig.' Rose klonk smachtend. 'Geen moeders.'

'Niet doen! Het is ontzettend smakeloos. Tenminste de kapel waar wij geweest zijn.'

'En niemand die je kent zal weten hoe fantastisch je eruitzag,' voegde Susannah eraan toe. 'Behalve de bruidegom natuurlijk, als die al meetelt,' zei Bridget sarcastisch. Susannah trok een wenkbrauw op naar haar zus.

Natalie gaf haar vriendin een duwtje. 'Zou je het willen, Serena?'

'Misschien.' Ze glimlachte. 'Je weet maar nooit...'

'Er zit vast iets in het water...' zei Natalie stralend, en ze nam nog een slok champagne.

*Lucy en Patrick*

Patrick belde aan bij zijn eigen huis en wachtte tot Bella of Ed zou opendoen. Het was vreemd om een sleutel te hebben die op deze deur paste, maar die niet te kunnen gebruiken. Omdat hij dan door een andere deur een andere wereld zou binnenstappen en dat was niet meer zijn wereld. Het zou zijn alsof hij op verboden terrein kwam.

Hij had sinds hij was vertrokken één keer gevraagd of het feit dat ze Alec niet kreeg, betekende dat ze hem terug zou nemen. Gevraagd of hij naar huis kon komen en zo niet de persoon die ze wilde, dan toch het op een na beste mocht zijn: de persoon die ze ooit hád gewild. Het medelijden, het verdriet en de weigering in haar blik hadden iets in hem doodgemaakt. Hij zou het nooit meer vragen.

Nu moest hij zich er alleen nog van overtuigen dat hij

moest ophouden te wachten tot het zou gebeuren. De mensen vroegen of hij zeker wist dat het voorbij was. Haar blik had hem dat duidelijk gemaakt.

Een vrijetijdscentrum voor om de andere zaterdag, een McDonald's-vader. Was dat wat hij moest worden? De onrechtvaardigheid deed pijn achter zijn ogen en ribben. Hij haatte alles aan de huidige situatie. Bij Tom kamperen. Tom zien in zijn prille geluk met Natalie. Liegen op zijn werk, zijn nieuwe werk, op zijn hoede zijn over zijn omstandigheden. En bovenal haatte hij het dat hij moest aanbellen om zijn kinderen te kunnen zien. Maar hij kon immers niets doen, wel dan? Het was niet zijn keus. Hij had het gevraagd en zij had nee gezegd.

Ze waren in elk geval overeengekomen dat ze geen zware, definitieve discussies zouden voeren met de kinderen. Ze dachten dat hij veel weg was voor zijn nieuwe baan. Dat hadden Patrick en Lucy hen tenminste doen geloven. Misschien zou dat het uiteindelijk gemakkelijker maken als ze hun vertelden dat hij helemaal niet meer naar huis kwam. Wie wist wat voor vreemde gedachten en gevoelens er door hen heen gingen? Ook dat was iets waar hij niet aan durfde te denken.

Bella wist echter dat er iets aan de hand was. Daar was hij van overtuigd. Ze zag op de zaterdagochtenden genoeg belabberde Amerikaanse-import-tv om in de gaten te hebben dat dit meer was, dat dit niet alleen met zijn werk te maken had.

Hij had er de afgelopen maand meer aan gedacht dat Bella niet zijn biologische kind was dan hij de rest van haar leven had gedaan. 's Nachts werd hij gekweld door de gedachte dat hij wellicht geen recht op haar kon doen gelden. Geen recht om deel uit te maken van haar leven. Dat hij niet trots en triomfantelijk bij haar diploma-uitreiking aanwezig zou kunnen zijn, of met tranen in zijn ogen bij haar huwelijksvoltrekking, en later met haar kind op zijn schoot. Tom zei dat Bella altijd van hem zou blijven houden, dat Lucy daar wel voor zou zorgen. Dat hij zich daar echt niet druk over hoefde te maken.

Maar Tom was 's nachts niet bij hem. Die lag met Natalie in zijn eigen bed, en stond aan het begin van alles. Dus Tom kon zijn angst niet begrijpen.

Hij zou het haar graag vertellen. Vorige week had Ed een schoolvriendje ontmoet in het café bij het zwembad en ze hadden samen gezellig onder een naburig tafeltje gespeeld terwijl Patrick in een mok slappe thee roerde en Bella de stukjes chocola uit een muffin pikte en een voor een opat. Hij had zo graag al zijn gevoelens voor haar op tafel willen leggen, zodat ze het allebei konden zien en zouden weten. Hij had dat echter niet gedaan. Ze had, moe van het zwemmen, haar hoofd tegen zijn arm gelegd en hij had haar geaaid, haar haren achter haar oren gestreken en haar op haar voorhoofd gekust. En niets gezegd.

Hij zou er niet bij zijn wanneer Lucy haar over Will vertelde. Hij zou niet eens weten wanneer ze dat deed. Het zou niet zijn beslissing zijn.

Tom was kwaad op Lucy. En hun moeder had laatst iets over haar gezegd. Iets waarvan Patrick wist dat het gemakkelijk een eigen leven kon gaan leiden, iets dat een verhaal kon worden waarin Lucy nooit de juiste vrouw voor hem was geweest. Hij was de kamer uit gelopen om het niet te hoeven horen. Het was niet wat hij wilde of nodig had, hun vijandigheid jegens haar. Dat hielp immers niet.

Hij voelde het soms echter wel. Woede. Zijn boosheid was anders. Duister, glibberig en zuur. Soms regende die als slagen op hem neer. En trok weer weg zoals stormen dat plachten te doen, bijna zo snel als die gekomen was. Hij voelde nooit woede bij de deur van zijn huis. Alleen verdriet. En verlangen.

Bella deed open en wierp zich letterlijk tegen hem aan. Hij tilde haar op en hield haar stevig vast. 'Sorry, pap. We waren in de tuin. Ed heeft net een enorm vliegend hert gevonden. Daar moet je naar komen kijken.'

'Nou...'

Ed verscheen en sloeg zijn armen om Patricks benen. 'Het is al weg, gelukkig maar. Het was verschrikkerdelijk.'

Patrick maakte een arm los van Bella en woelde door Eds haren. 'Hallo, mijn jongen.'

Lucy was de laatste die verscheen. Geen schwung in haar tred, geen glimlach in haar ogen. Ze was mager. Te mager. Ze droeg een laag uitgesneden T-shirt en haar sleutelbeenderen tekenden zich scherp af onder haar huid die weer bleek was na de vakantie. Hun laatste vakantie. 'Hoe gaat ie?'

'Goed.'

Natalie had Tom verteld dat Alec bij Marianne zou blijven – proberen er nog iets van te maken. Een uur lang had hij op de bank gezeten en gewacht tot hij iets onaangenaams zou voelen. Voldoening? Wraak? Misschien, maar hij had geen van beide gevoeld. In feite maakte het alles alleen maar nog zinlozer. Ze zouden geen van allen gelukkig worden aan het eind van de afschuwelijke dans waaraan ze hadden deelgenomen. Marianne zou Alec nooit meer kunnen vertrouwen – of althans heel lang niet. Alec zou telkens aan Lucy denken wanneer hij naar Marianne keek, vergelijken, tegenstellingen zien, missen, betreuren. Lucy had Alec verloren. Patrick had Lucy verloren. We zijn allemaal slechter af, dacht hij. Wat een zinloos gedoe. Ellende in laagjes.

Ooit zou ze hebben geantwoord dat hij er helemaal niet goed uitzag. En hij zou hebben geglimlacht en geantwoord dat als mensen vroegen hoe het met je ging, ze eigenlijk alleen maar wilden horen dat alles goed was. Als het niet helemaal goed met je was – als je kat was overreden, of je huis in beslag was genomen door de bank, of je vrouw een verhouding had en bij je wegging – dan keken ze al snel glazig van gêne en wendden ze zich af. Als het beter dan goed met je ging, dan stierf een klein stukje van hen. Was het niet zo?

En daarna zou Lucy hem waarschijnlijk vluchtig hebben gekust en gezegd hebben dat hij niet zo de wijsneus moest uithangen, maar zijn mond moest houden.

Hij hoefde niet te vragen hoe het met haar was. Hij zag zelf wel dat ze zich triest, klein, schuldig en eenzaam voelde. Het stond op haar huid geschreven en het deed hem geen plezier.

'Hebben jullie alles, jongens?' Ze mochten een nachtje bij hem blijven.

Bella en Ed scharrelden weg om hun tassen te halen.

'We zijn bij Tom thuis,' zei hij.

Ze knikte. 'Is er genoeg plaats voor jullie allemaal?'

'Hij is weg.'

'O.'

Ze vroeg het niet, maar hij moest de stilte opvullen: 'Hij is met Natalie ergens naartoe.'

'Dus alles is op z'n plaats gevallen voor die twee?' Lucy kroop dieper weg in haar vest.

Zoals het voor ons uiteengevallen is. 'Daar lijkt het wel op.'

'Ik ben blij voor hen.'

'Ik ook.'

Voor het eerst keken ze elkaar recht aan. Toen schonk Lucy hem zo'n glimlach waarbij je je lippen op elkaar drukt en je mondhoeken omhoog dwingt. Ed en Bella kwamen naar buiten met Power Rangers en boeken van Meg Cabot, klommen in Patricks auto, maakten hun gordels vast en wierpen hun moeder theatrale kushandjes toe.

'Hoe bevalt je baan?'

Hij had net willen instappen en haar vraag verraste hem een beetje. 'Best goed.'

Lucy knikte. 'Daar ben ik blij om.'

Die nacht kon Lucy niet slapen. Rond drie uur gaf ze het op en ging ze naar de keuken om thee te zetten. Het huis leek onnatuurlijk stil. Ze ging in de donkere woonkamer zitten om haar thee op te drinken. Ze vroeg zich af waar Tom en Natalie heen waren. Er ging een steek van pure afgunst door haar heen. Ze verlangde meer dan wat ook naar wat zij hadden, maar was er nooit verder van verwijderd geweest. Ze herinnerde zich oudjaar, met Patrick verstrengeld op de bank, half luisterend of ze de slagen van de Big Ben hoorde. En dat ze hier met Alec zat, na de vakantie. Wat een ellende.

Het uur daarna dwaalde ze, blootsvoets en huilend van kamer naar kamer, keek naar foto's, herinnerde zich gesprekken, speelde scènes af van hun verleden in dit huis. En ze rouwde. Het was bijna vijf uur in de ochtend en al licht buiten – de vogels zongen luidkeels – toen ze zich op Eds bed opkrulde, onder het dekbed met de Power Rangers, en in slaap viel.

*Anna en Nicholas*

De zusters begonnen iets voor zeven uur aan hun ronde. Het leek Nicholas absurd. Waarvoor die haast? dacht hij. Wij gaan heus nergens heen, wel dan? Kan een man hier verdorie niet eens fatsoenlijk uitslapen? Stel je voor dat je doodging of zo. Dan zou je dolblij zijn om met het ochtendgloren te worden gewekt, nietwaar... lekker veel extra tijd om erover na te denken dat je dit aardse ongerief ging verlaten?

Hij vloekte tegenwoordig veel in zijn hoofd. Hij kon zich hier behoorlijk opwinden als hij wilde. En zo vroeg gewekt worden was een van de dingen die daaraan bijdroegen. Hij was moe, verdorie. Waarom mocht hij niet slapen?

Anna kwam gewoonlijk niet voor tien uur. Tegen die tijd was hij blij haar te zien. Ze bracht altijd een exemplaar van *The Times* voor hem mee. Ze las hem de sportpagina en de ingezonden brieven voor en daarna maakten ze samen de kruiswoordpuzzel. Wat natuurlijk inhield dat Anna de puzzel oploste terwijl hij knikte en zijn goedkeuring ofwel afkeuring liet blijken, waardoor zij kon doen alsof ze hem samen hadden gemaakt. Ze was altijd al sneller van begrip geweest dan hij. En nu...

Het ging zo goed met haar. Gisteren had Natalie, toen ze op weg naar Tom bij hem langs was gekomen, gezegd dat ze dacht dat Anna ervan genoot om weer iemand te hebben om voor te zorgen. Nicholas wist niet zeker of dat niet een iets te simplistische veronderstelling was. Misschien vleide hij zichzelf – en God wist dat niemand anders dat zou doen zoals hij er nu uitzag – maar hij dacht dat het hebben van een doel en het voldoen aan praktische behoeften slechts ten dele was waarvan ze genoot. Ze hadden weer gelukkige momenten samen. Simpele, gelukkige momenten. Hij leefde nog. Hij herstelde. Langzaam, dat wel. En, tja, misschien werd hij nooit meer helemaal de oude. En misschien zou het volgende zware infarct nog ernstiger zijn en kwam het onontkoombaar naderbij. Hij zou kunnen sterven, dat wist hij. Elk moment. Maar wat dan nog? Dat gold voor iedereen. Hij had Anna vorig jaar kunnen kwijtraken, of Bridget toen ze in januari Toby kreeg. Hij kon hen allemaal elk moment verliezen. Maar ook dat gold voor iedereen. Hij merkte dat dit zijn geest scherp maakte. Grappig eigenlijk, want verder meende iedereen dat hij vreselijk verward was. Maar Nicholas was er nog steeds. En hij zat hier elke dag uren met zijn vrouw. Soms een hele tijd zonder het ergens over te hebben behalve wat negen verticaal en twee horizontaal was, maar dat was prima.

En wat dan nog, als ze het fijn vond om voor hem te zorgen? Dan was dat ook prima, want hij vond het fijn om verzorgd te worden. Hij had medelijden met enkele van de andere arme stumpers die hij hier gezien had. Ze zagen er vreselijk uit en ze kregen niet genoeg te eten, omdat het keukenpersoneel er absoluut niets om gaf of ze aten of niet en de dienbladen al weer weghaalden terwijl sommigen pas de eerste volle lepel naar hun mond brachten. Anna bracht dingen voor hem van thuis mee. Lekkers van de voedselafdeling van Marks & Spencer. En bloemen. Twee keer per week een verse bos.

Natalies kaart stond tegen de vaas aan – fresia's vandaag. De kaart was gisterochtend thuis bezorgd en Anna had hem meegebracht. Ze was met Tom naar Sicilië. Ze had met balpen een X op hun hotelkamerraam gezet.

Mama/Papa
Ik wou niet dat jullie hier waren – dan zouden we ons <u>vreselijk</u> moeten inhouden – maar misschien dat jullie twee een dorp verderop waren en we elkaar konden ontmoeten

voor een zonovergoten lunch en dan allemaal terugkeren naar ons eigen Italiaanse liefdesnestje.
Ciao!

Het klonk idyllisch. Het was eindelijk goed gekomen tussen die twee. Eindelijk.

Heel even stond hij zichzelf toe zich voor te stellen dat hij Natalie naar het altaar zou begeleiden. Hij had dat bij Bridget gedaan en had het heerlijk gevonden. Die tien minuten alleen met haar in de auto op weg naar de kerk. Niet in staat te bevatten hoe mooi en volwassen en doordrenkt van geluk en opwinding ze eruitzag. Bij Susannah was hij getuige geweest, wat ook heel bijzonder was maar tegelijk een beetje onconventioneel was geweest. Caspers getuige was een homoseksuele grimeur geweest, die meer mascara droeg dan alle andere aanwezigen bij elkaar en een bijna angstaanjagende krulsnor had – met roze lipgloss eronder.

En het kon hem niet schelen dat het ouderwets klonk, maar hij wilde het graag van alle drie meemaken, fijn, dank u. Hij wist zeker dat het voor een vrouw mogelijk was om geluk, voldoening en vreugde in het leven te vinden zonder een echtgenoot. Hij was er alleen niet van overtuigd dat dat in Natalies geval ook zo was. En nu leek het erop dat de moeite van het proberen haar bespaard zou blijven. Tom was in zijn missie geslaagd.

Dus waren zijn dochters voor het eerst in lange tijd alle drie gezond en gelukkig. Hadden ze allemaal een goede man die van hen hield. Allemaal druk op jacht naar geluk.

Hij nam aan dat, als zijn leven een televisiedrama was geweest, dit het moment zou zijn waarop hij zijn grijze hoofd te ruste kon leggen om liefdevol naar zijn kroost die kijken, die allemaal om hem heen stonden, en te sterven.

Geen sprake van. Hij had al een jaar verloren, waarin hij op zijn tenen om de vrouw heen had gelopen die hij zijn hele leven al liefhad, en hij was nog niet klaar om te gaan.

# De Z van Capo Zafferano, Palermo, Sicilië

'Zhenzi, in China?'

'Nee, daar mag je maar één kind hebben, en ik wil er massa's.'

'Dat geldt alleen als je daar woont, Tom.'

Hij haalde zijn schouders op.

'Zagreb? Dat is in opkomst, niet?'

'Nat, leg die verdraaide atlas weg. Waar heb je dat ding trouwens vandaan?'

'Ze hadden hem bij de receptie.' Natalie keek niet eens op. 'Zanzibar! Dat zou nog eens leuk zijn geweest.'

'Te heet, te ver weg.'

Ze stak haar tong naar hem uit. 'Wat ben je, vijfenzestig of zo?'

'Wat is hier mis mee?'

De zon stond laag aan de hemel en begon oranje te kleuren. Het perfecte late-namiddag-zomerzonlicht om foto's bij te maken. Ze zou zo dadelijk haar camera gaan halen en wat foto's van hem maken, zoals hij daar bronskleurig naast haar lag te doezelen, een boek van Dan Brown al lang vergeten naast hem.

Achter hen waren de kelners in hun vanillekleurige linnen jasjes met zwart strikdasje bezig de tafels op de veranda te dekken voor het diner. Het luxueuze gerinkel van kristal en zilver, en het geluid van frisse witte tafelkleden die zacht wapperden in de bries. Eentje zag dat ze naar hen keek en hief vragend zijn hand in een drinkend gebaar. 'Nee, nee, dank u!' Hij knipoogde. De Italianen waren dol op geliefden.

'Dit is ook niet slecht.'

Hij glimlacht loom. 'Zou het vreselijk overdreven zijn om te zeggen dat het met jou nergens slecht zou zijn?'

'Absoluut.'

'Dan zeg ik het maar niet.' Maar zijn hand rustte op haar knie.

Ze borrelde van geluk. Ze keek weer omlaag naar de atlas. 'Zuckerhutl in Oostenrijk?'

Tom kwam overeind en sloeg de atlas dicht. 'Dat klinkt als een lekker standje. Daar kunnen we wel even...'

'Voor het eten?' riep ze zogenaamd geschokt uit. 'Geen denken aan.' Ze pakte de atlas en stopte hem in haar strandtas. 'Ik ben blij dat we aan het eind van het alfabet zijn. Ik begon door mijn ideeën heen te raken.'

'Huh! Geef nou maar toe dat alle goede ideeën van mij kwamen. Jij had bij de G je bescheiden vermogens al uitgeput.'

'Dat is niet waar! En Hotel dan?'

Hij lachte met zijn hoofd in zijn nek. 'O ja, fantastisch idee!'

Natalie gaf hem een speelse tik. 'Laat me je dan vertellen dat ik al iets had voor de Z, ook al was ik niet aan de beurt.'

'Dat wist ik niet.'

'Je weet niet alles, wijsneus.'

'Nou, wat is het?' Natalie gaf geen antwoord. 'Kom op, gooi het er dan maar uit.'

Ze stak schaapachtig haar hand in haar tas en haalde er een doosje uit. Tom keek haar stomverbaasd aan toen hij het aannam.

Hij maakte het doosje open en pakte er een enorme, afschuwelijke zegelring uit, glimmend goud, met een op kant lijkende versiering om de ring en een grote steen van koningsblauwe onyx.

Tom lachte. 'Wat moet dit in godsnaam voorstellen?'

'Het is een ring in de vorm van een Z. Hij is voor jou. De Z, snap je?'

'Maar...'

'Oké, ik weet dat hij afschuwelijk lelijk en groot is, maar het was de enige maat die ze in de winkel hadden met een Z erop, en ik had haast, zo kort voor de vakantie en alles...'

'En je dacht zeker dat ik er wel in zou groeien?' De kuiltjes in zijn wangen waren dieper dan ooit en hij kon zijn lachen bijna niet inhouden. Hij hield de ring omhoog tegen het licht en draaide hem losjes rond zijn vinger.

'Dat weet ik toch niet?'

'Vertel me één ding, Nat.'

'Wat?' zei ze bijna nukkig. Ze wist dat het geen geweldige ring was. Oké, het was waarschijnlijk zelfs de lelijkste ring in de geschiedenis der ringen, maar daar ging het toch niet om, of wel?

'Moet ik hem om als we gaan trouwen?'

Natalie keek hem een paar seconden sprakeloos aan, maar toen vulden haar ogen zich, eerst met begrip, toen met tranen. Ze wierp zich tegen hem aan en ze vielen samen in een stevige omhelzing terug op het ligbed. Het enige wat ze kon zeggen was: 'Tom.' Ze legde haar handen op zijn wangen en kuste hem telkens weer. 'Tom. Mijn Tom.'

Hij stond dat even toe, hield toen haar gezicht stil en kuste haar langzaam en langdurig. 'Mijn Natalie.'

Achter hen hielden de kelners even op met het dekken van de tafels om naar hen te kijken.

Later, toen de zon in zee begon te zakken en het iets minder warm werd, pakten ze de ring en de atlas en liepen ze over het strand naar hun kamer, de armen kameraadschappelijk om elkaar heen geslagen.

'Je doet het straks toch wel een keer opnieuw, of niet? Me vragen. Zoals het hoort, bedoel ik. Misschien tijdens het diner. Je weet wel, met alles erop en eraan.'

Tom trok haar dichter tegen zich aan en lachte alleen maar.

# Dankwoord

Geen enkele auteur kan de klus alleen klaren en ik had wel heel veel hulp nodig, dus ik moet de volgende mensen bedanken: mijn vriendin Stephanie Cabot, omdat ze als eerste in me geloofde.

De immer kalme en vriendelijke Sue Fletcher, de zeer nauwkeurige en grootmoedige Hazel Orme, en alle helden en heldinnen van productie, ontwerp, verkoop, marketing, publiciteit en redactie, omdat ze zo geduldig en vriendelijk zijn geweest voor een auteur die hun deze keer veel meer werk heeft bezorgd dan haar bedoeling was. Kate Flemming en Jenn en de fantastische staf van het Bellagio voor een heerlijk verblijf in Las Vegas. En Caedmon, Pete en de staf van het Spirit of Adventure-centrum in Princetown voor een verblijf op Dartmoor dat mijn leven heeft veranderd.

Lieve dr. Pete Clarkson, een dokter van de beste soort, die echter heel veel van de slechtste weet. Alle fouten zijn aan mij toe te schrijven, en niet aan hem, en daarom is het maar goed dat hij het scalpel hanteert en ik de pen.

Denise Hayden, omdat ze me nooit zo'n slecht gevoel over mezelf heeft gegeven als ik waarschijnlijk zou moeten hebben, en omdat ze ons allemaal aan de gang heeft gehouden.

Jonathan Lloyd, omdat hij briljant is.

Tim Barker en Kathryn Sweet, omdat ze redacteurs par excellence zijn.

Mijn vader en moeder, en de rest van mijn familie, waartoe

nu ook Imogen en Louella behoren, die zo hard hebben gevochten om hier te komen terwijl ik dit boek aan het schrijven was.

Mijn vriendinnen Suzanne, Pam en Wendy, die een bijzondere vermelding verdienen voor hun kennelijk eindeloze bereidheid om me te helpen wanneer ik vastzit.

En als altijd, David, Tallulah en Ottilie, omdat ze van mij zijn.